AILLEURS

Catalogage avant publication de Bibliothèque et Archives nationales du Québec et Bibliothèque et Archives Canada

Gagnon, Rachel

  Ailleurs

  2e éd.

  (Tabou ; 3)

  Pour les jeunes de 14 ans et plus.

  ISBN 978-2-89074-956-6

  I. Titre. II. Collection: Tabou ; 3.

PS8613.A453A65 2010   jC843'.6   C2010-940851-9
PS9613.A453A65 2010

Édition
Les Éditions de Mortagne
Case postale 116
Boucherville (Québec)
J4B 5E6

Distribution
Tél. : 450 641-2387
Téléc. : 450 655-6092
Courriel : info@editionsdemortagne.com

Dépôt légal
Bibliothèque et Archives Canada
Bibliothèque et Archives nationales du Québec
Bibliothèque Nationale de France
3e trimestre 2010

ISBN : 978-2-89074-956-6

1 2 3 4 5 – 10 – 14 13 12 11 10

Imprimé au Canada

Nous reconnaissons l'aide financière du gouvernement du Canada par l'entremise du Programme d'aide au développement de l'industrie de l'édition (PADIÉ) et celle du gouvernement du Québec par l'entremise de la Société de développement des entreprises culturelles (SODEC) pour nos activités d'édition. Gouvernement du Québec – Programme de crédit d'impôt pour l'édition de livres – Gestion SODEC.

Membre de l'Association nationale des éditeurs de livres (ANEL)

Conseil des Arts du Canada   Canada Council for the Arts

Rachel Gagnon

AILLEURS

ÉDITIONS DE MORTAGNE

Toute ressemblance avec des personnes réelles serait totalement fortuite.

Remerciements

L'écriture d'*Ailleurs* fut une aventure extraordinaire qui n'aurait pas été possible sans le concours des gens qui m'ont inspiré la trame de ce roman. Ce sont eux les véritables héros, je ne fus que leurs voix.

Un gros merci à mes correctrices Louise Harel, Nadia Gagnon et Carole Gagnon qui m'ont soutenue et encouragée à persévérer dans mon projet.

Je me dois de souligner le travail remarquable de Carolyn Bergeron. Ses conseils et son expertise m'ont aidée à parachever cette œuvre.

Enfin, ma gratitude va aux Éditions de Mortagne pour avoir concrétisé mon rêve.

Aller jusqu'au bout permet d'embrasser l'infini...

À Antoinette, Joseph et Claude
Et à toutes les Rubby du monde

Sommaire

Prologue

Ailleurs évoque pour moi un endroit à la périphérie de notre conscience, un lieu dont chacun de nous a la clé, l'autre côté du miroir... la folie.

Depuis mon plus jeune âge, l'idée qu'un jour je pourrais sombrer dans la folie me hante. Rien d'invalidant, un simple murmure comme le souvenir d'un mauvais rêve qui, au réveil, jette une ombre sur ma journée. La vie nous fait parfois des clins d'œil... Quelle ironie : je suis agente des services correctionnels depuis vingt-cinq ans et j'ai travaillé pendant dix-huit ans dans le service de psychiatrie.

À l'époque, j'occupais ce poste en raison d'une décision administrative et non par choix, les affectations relevant de la direction et non du personnel. Je me sentais complètement paniquée, n'ayant aucune idée quant à la façon d'aborder cette clientèle. Je côtoyais toutes les misères humaines, mais lorsque la maladie mentale s'en mêlait, j'avais l'impression de passer carrément dans les ligues majeures. Je me suis adaptée et je me suis aperçue que les patientes atteintes de schizophrénie me touchaient tout particulièrement. Elles me fascinaient et m'intriguaient. Certains de mes traits de caractère – comme la propension à la solitude, le retrait dans l'imaginaire, la difficulté à établir des contacts sociaux – me rapprochaient d'elles et m'ouvraient à leur misère.

J'ai eu le privilège de travailler auprès de ces patientes pendant de longues années. Je les ai écoutées, observées, encadrées, parfois rabrouées, tout en essayant toujours de les respecter. Aujourd'hui, quand je croise un itinérant, une prostituée, un laissé-pour-compte, j'essaie de faire taire cette petite voix dans ma tête qui s'offusque du spectacle et ne peut s'empêcher de juger. Je pense alors... et si c'était Rubby ?

Ses yeux, ses voix

Rubby, un mètre quarante-sept, vingt-cinq ans.

Elle est née à dix-sept ans, dans les années 1990, dans une ruelle derrière la *Main*, par une soirée d'été magnifique. Une de ces soirées qui laissent présager un temps clément, idéales pour les soupers en plein air et les réunions entre copains, pour gratter une guitare et fumer un joint au pied du mont Royal.

Pour l'occasion, elle avait tracé une fine ligne de crayon noir sur ses paupières. Comme des centaines de minuscules particules de néant alignées côte à côte, ce trait rendait son regard éclatant et mystérieux. La pupille, encerclée de toutes parts de bleu acier, accentuait cet effet. Un visage anguleux, des pommettes haut perchées, le tout encadré d'une tignasse auburn. Elle était jolie et attachante.

Sa petite taille l'avait toujours irritée. On n'en finissait plus de la considérer comme une poupée de porcelaine. Comment prendre au sérieux un petit bout de femme dont les pieds ne touchaient même pas le plancher lorsqu'elle s'assoyait dans un autobus ? Elle demeurait convaincue que les villes étaient conçues pour les personnes mesurant plus d'un mètre cinquante-deux. D'ailleurs, l'avènement des magasins à grande surface lui donnait raison. Comment ne pas se sentir lilliputienne devant les formats de rouleaux de papier hygiénique ?

En cette soirée d'août, elle portait un justaucorps noir et une jupe rouge. Un unique bijou ornait son oreille droite : un anneau en or contenant un minuscule Merlin.

Tout commença lorsque cet homme, un client potentiel, s'approcha. Quelque chose en elle se brisa, comme une explosion dans son crâne. Les mains moites, elle attendait à cette intersection que son mec lui avait désignée. Elle connaissait les règles, les signes révélateurs de la chasse.

Pourtant, son cœur s'emballa, à la façon du joueur de tambour mécanique qu'elle affectionnait tant lorsqu'elle avait sept ans. Elle remontait le mécanisme et le clown battait furieusement sur son instrument avec des baguettes rouges. Ce son rendait sa mère irritable. Aussi Rubby attendait-elle que celle-ci s'effondre sur le divan, cuvant son vin, pour jouer avec Max. Elle tournait la clé inlassablement, le maintenant dans sa petite main afin de bien sentir son vrombissement. Il semblait à la fois si fort et si vulnérable, empêtré dans son pantalon à rayures. À son contact, Rubby se sentait littéralement grandir, s'appropriant tout l'espace du salon. Dans ces moments-là, rien ni personne ne pouvait l'atteindre.

Quand l'homme se mit en mouvement dans sa direction, elle espéra bêtement, elle crut, que si ce bout de papier par terre, transporté par le vent, touchait son pied avant que l'homme ne l'atteigne, elle serait épargnée. Chimères et vains espoirs, car le papier ne bougea pas et elle dut, contre quelques billets, satisfaire les demandes de cet inconnu. C'est là, parmi les détritus, le sperme et la honte, qu'elle naquit.

Aujourd'hui, huit ans plus tard, Rubby s'est métamorphosée en une marionnette désarticulée. Au fil du temps, une épaisse couche de honte a voilé son regard. La fine ligne de crayon noir est devenue un masque grotesque emprisonnant ses yeux. Désormais, son maquillage couvre toute la paupière, s'étalant jusqu'aux sourcils, et termine sa course dans une large bavure

Ailleurs

sous l'œil. Lorsqu'elle ferme les yeux, on dirait deux orbites vides, deux ailes de corbeau. Son regard est aveugle et glacial, comme si ses yeux avaient trop vu, trop connu, trop entendu ses voix, sa folie. Sa démarche, autrefois souple et dansante, se limite à de petits pas secs et hésitants, à la façon des enfants lors de leurs premiers pas. Ses bras et ses jambes sont couverts de marques et d'abcès laissés par les seringues, véritable carte routière de l'enfer. Pour elle, ces marques, synonymes de silence, boycotteuses de voix, lui rappellent d'heureux moments, des endroits, des gens. Celle-ci, près de l'os de la cheville : chez Marc, dans son studio; enfin le Silence. Celle-là, sur l'avant-bras droit : une soirée d'hiver dans le hall d'entrée du YMCA, derrière l'immense pot en grès. C'était rapide et risqué mais combien libérateur ; merveilleux Silence, merveilleuse Paix. Un peu plus haut sur le même bras : un après-midi pluvieux avec Rosie et François, dont c'était le premier *hit*. L'aventure avait failli mal tourner... Il avait paniqué quand l'aiguille s'était brisée dans son bras, hurlant à s'en faire péter les cordes vocales. Un voisin, talonné du concierge, avait fait irruption dans l'appartement et menacé d'appeler les flics. Plus tard, Rubby avait enfin eu sa dose et, à nouveau, le Silence l'avait enveloppée, bercée, réconfortée...

Schizophrénie

Maintenant que vous connaissez Rubby et qu'elle vit dans votre tête, laissez-la se raconter.

Je m'appelle Rubby, j'ai vingt-cinq ans et le docteur Wolf m'a diagnostiquée schizophrène. Pauvre doc, je le crois un peu dépassé ; il est attaché à Albert-Prévost* depuis trop longtemps. Je lui ai pourtant recommandé de diversifier sa pratique, c'est primordial pour maintenir un bon équilibre. Il s'agit d'une question d'hygiène mentale – je l'ai lu quelque part dans une revue spécialisée, à son bureau. À son époque, le choix était simple : maniaco, schizo, *borderline*. Aujourd'hui, il existe sûrement d'autres maladies beaucoup plus fascinantes et lucratives. Je le soupçonne d'avoir opté pour la schizophrénie par facilité et exotisme. Facilité car le traitement est simple, compte tenu du sombre pronostic associé à l'évolution de la maladie. Donc, peu de thérapie et beaucoup de pilules : Moditen, Kémadrin, Stélazine, Modécate, Haldol... Exotisme dans le mot lui-même.

En parlant de mots, il me faut mettre les choses au clair. On m'a demandé de raconter mon histoire. Les mots me fascinent mais, parfois, ils m'échappent, dansent dans ma tête,

---

* Hôpital psychiatrique.

disparaissent, pour réapparaître un peu plus loin. Alors, pour les idées ça va, mais pour les mots, leur disposition et leur rythme, il revient à l'auteur de s'en charger. C'est notre contrat.

Donc, je suis schizo avec des tendances paranoïaques. C'est un état tout à fait approprié et qui coule de source. Ce choix de vie me permet de garder la tête hors de l'eau, parce que votre réalité est trop difficile à vivre. Ça peut paraître paradoxal de parler de choix. Mais j'ai l'intime conviction que, dans un minuscule recoin de mon âme, je demeure le maître d'œuvre... J'ai peut-être une redevance cosmique à régler, ou j'accumule des exemptions pour des vies futures, qui sait ?

Ma vie se déroule entre la rue, la prison et l'hosto. J'ai l'air d'un zombie surtout à cause de mon regard et de l'Haldol. Cependant, derrière mes yeux, la vie bouge et je la garde précieusement pour moi et Dana.

Selon mon énergie et l'endroit où je me trouve, j'ai développé de petits trucs pour museler les voix. J'aimerais qu'une seule demeure : celle de Dana. Elle est douce, me souffle toujours des paroles gentilles et réconfortantes. Pendant que le groupe dans ma tête parle fort et m'embête, Dana murmure qu'elle est là, qu'elle me protège. Il n'y a qu'elle qui ait un prénom, les autres sont trop bêtes ou vilaines pour jouir de ce privilège. C'est certain, j'aurais pu choisir des noms méchants pour les désigner, mais ce serait leur donner trop d'importance, trop de pouvoir sur moi. Notre prénom est précieux. Quand ma mère me portait, elle a choisi Rubby parce qu'elle m'aimait déjà et nourrissait encore plein d'espoir. À présent, elle me donnerait sûrement un numéro...

En ce qui concerne la Grande Gueule, je l'ai baptisée ainsi par pur automatisme : ce sobriquet s'imposait de lui-même.

Bref, pour réduire les voix au silence, voici ce que je fais : parfois, quand je n'arrive pas à dormir, je voyage à l'aide de mes bras ou de mes jambes, mais c'est difficile, parce que certaines voix m'interdisent ce jeu, tandis que d'autres m'encouragent. Je

Ailleurs

choisis une cicatrice puis je la fixe intensément en commençant par son pourtour, pour décrire une spirale jusqu'à son centre. Mes paupières doivent demeurer grandes ouvertes sans ciller. Un fragment d'image finit par percer le brouillard et, si je m'applique à maintenir cette vision, il arrive que les voix se taisent pour un moment : merveilleux Silence, merveilleuse Paix.

Une deuxième technique, qui ne requiert aucun effort, consiste à utiliser un baladeur. Seul inconvénient : les nouveaux modèles possèdent un volume contrôlé qui laisse filtrer les voix les plus envahissantes. Pour les repousser, je dois utiliser des cassettes préenregistrées sur un système de son puissant, ce qui me permet d'écouter ma musique avec un max de décibels.

Autre méthode pour obtenir le silence : lire la Bible à voix haute, surtout les passages de l'Apocalypse. Il faut y mettre beaucoup d'intensité et de conviction. C'est un exercice essoufflant et spectaculaire, à pratiquer dans l'intimité, dans la nature ou encore au sein d'un groupe de disciples de Krishna.

Pour finir, je dois mentionner une pratique ultime que j'ai expérimentée une seule fois quand j'avais vingt et un ans, alors que je séjournais aux frais de l'État : le jeûne intégral. Au début, la faim me tenaillait et revenait à la charge souvent, mais au bout de quelques jours, même cette voix-là s'était tue. Entretemps, les autres s'étaient affaiblies. J'avais même surpris la Grande Gueule me suppliant de la nourrir et, malgré ma faiblesse, j'en avais ri pendant des heures. Bien entendu, quand les gardes s'étaient aperçus de mon manège, ils avaient tenté de me raisonner. J'avais triché et joué le jeu quelque temps – manger puis me faire vomir – mais l'effort avait été trop grand pour mon cœur et mes forces avaient diminué. Je m'étais donc retrouvée à l'hôpital sous étroite surveillance.

J'ai usé de ces artifices pour repousser ces voix qui m'humiliaient et me blessaient. Je les ai parfois bernées, mais la donne était faussée dès le début : la G.G. se démarquait... et je suis si fatiguée.

Origine des voix

Maintenant que vous cernez mieux ma folie et saisissez l'importance des voix, le temps est venu de vous expliquer leur origine.

Quand j'étais adolescente, je croyais être la seule à pouvoir capter, par intermittence, ces voix. Selon moi, elles venaient du cosmos. Ces germes galactiques souhaitaient envahir la terre et j'avais pour mission de sauver le monde. Mais, au fil de mes séjours à l'institut Prévost, j'ai rencontré d'autres patients qui se croyaient investis de la même mission. Lors de mes séances avec Wolf, mon psy, celui-ci m'a clairement expliqué que ma théorie renforçait et alimentait ma paranoïa et que tout cela demeurait le fruit de mon imagination. « Méchant fruit pourri », pensais-je. À contrecœur, j'ai bien dû me ranger à son avis : aucun complot cosmique n'existait pour détruire les non-entendants, les gens normaux. Toutefois, ma crainte des hommes en noir restait intacte.

Quelques années plus tard, alors que je sirotais une boisson gazeuse dans la salle commune du pavillon C de Prévost, j'ai eu une révélation en observant Arthur. Celui-ci était arrivé au centre depuis quelques semaines et occupait la chambre de biais à la mienne. Il parlait peu et ne semblait pas maîtriser ses nombreuses mimiques. Le bruit courait qu'il aurait agressé sa sœur tandis qu'il se croyait James, une de ses multiples personnalités. À ce moment, j'ai compris que les voix d'Arthur l'avaient sûrement gobé-intégré. Il devenait chacune d'elles, elles le dominaient. Pauvre type, il était totalement inconscient de ce qui lui arrivait. Il vivait sa vie par procuration, par épisodes, comme dans un téléroman où, chaque semaine, on remplacerait les acteurs par de nouveaux.

J'ai réalisé que, contrairement à lui, mes voix conservaient une distance respectable, demeuraient circonscrites dans ma tête. Les autres parties de mon corps leur semblaient interdites. Il s'agissait là d'un avantage inestimable.

Leur apparition se fit subtilement, un peu à l'image de la marée qui caresse d'abord les pieds, grimpe doucement le long des jambes pendant que les orteils s'enfoncent sensuellement dans le sable. Cette étrange impression d'avancer dans l'océan alors qu'on reste immobile. J'ai d'abord pensé que ma conscience me parlait et me réprimandait pour les bêtises que je faisais. J'entendais une petite voix aiguë, semblable à celle de ma mère. Elle me recommandait de ne pas faire ceci ou cela ou, encore, de faire ceci ou cela mais à sa façon – les instructions venaient avec le sermon. J'étais très jeune, environ neuf ou dix ans. Peut-être que cette voix anodine se présentait en éclaireur pour les autres ? Pourtant, d'autres enfants devaient bien connaître ces désagréments et ils ne devenaient pas schizo pour autant ! J'étais tout à fait normale à cette époque et encore heureuse.

Cette voix remplie de reproches a grandi avec moi. Malgré son taux d'absentéisme élevé – ses visites étant rares dans ma jeunesse –, son assurance s'est développée plus rapidement que mon aptitude pour les matières académiques. Je n'entends pas par là que j'équivalais à un cancre, mais plutôt que elle, elle possédait vraiment un don pour la torture mentale. Cette voix issue de ma conscience, si je puis m'exprimer ainsi, me narguait et pouvait me menacer des pires catastrophes si je ne me soumettais pas à sa loi.

Ailleurs

Un matin, dans la cour de récréation, alors que je devais rejoindre les rangs et que je sentais qu'il me serait impossible de bouger avant que cette foutue chenille n'atteigne une fissure dans l'asphalte, sous peine de voir ma mère tomber malade, l'institutrice m'apostropha avec virulence. L'épisode se termina dans les rires et les moqueries des autres élèves tandis qu'elle me saisissait par le bras et me traînait sans ménagement vers le bureau du directeur. J'eus beau protester fortement, leurs regards m'indiquaient qu'ils n'étaient pas dupes. Je m'avérais assez connectée à la réalité pour savoir qu'il me fallait taire mes mésaventures avec cette enquiquineuse. La peur m'envahissait, mais heureusement ces ingérences demeuraient peu fréquentes. Je gardais ce désarroi à l'intérieur, ne laissant rien transparaître. Je m'encourageais en pensant que, après tout, certains enfants craignaient bien le croque-mitaine ! Cette histoire constitua un moment spectaculaire de mon enfance. Beaucoup plus tard, la Grande Gueule lui réserverait une place de choix dans son arsenal.

J'avais quinze ans quand tout bascula. La déchirure se produisit dans un chalet à Sainte-Adèle, chez ma copine Andrée. C'était un jeudi. Nous nous étions baignées une partie de l'après-midi et nous avions passé la soirée avec des copains autour d'un feu, à nous raconter des histoires d'épouvante. Je dormais au sous-sol, près d'une fenêtre dont la vue donnait sur le lac. Soudainement, un grondement fendit la nuit et une voix rauque, masculine, lança : « Que fais-tu là ? Tu es en danger ! » Je rabattis précipitamment les couvertures sur ma tête, essayant de me convaincre que je faisais un cauchemar. Immobile, j'inspirais sous perfusion, goutte à goutte, de peur qu'un fou furieux ne se trouve embusqué sous la fenêtre, prêt à m'éventrer. Quand je me risquai finalement à sortir la tête de sous mes couvertures, le cadran numérique indiquait deux heures vingt-deux du matin. Je n'oublierai jamais ces chiffres. Francine, la médium que ma mère consultait, affirmait que dans le tarot ce nombre représentait l'arcane du fou...

Je n'ai jamais raconté cet événement avant aujourd'hui et je reste persuadée que ma folie est née à Sainte-Adèle, P.Q., à deux heures vingt-deux. Cependant, sa vie publique ne se concrétisa qu'à mes dix-sept ans. Cette voix rauque et masculine, la Grande Gueule – G.G. pour les intimes –, fut très maligne. Elle me laissa mijoter dans mon jus pour augmenter ma confusion et, en même temps, pour me donner l'illusion que cet épisode dans le Nord n'avait jamais eu lieu. Malheureusement, une semaine plus tard – de retour en ville et bien réveillée –, alors que je discutais avec ma mère à propos d'une sortie, elle se manifesta de nouveau. J'en fus tellement abasourdie que, encore aujourd'hui, je n'arrive pas à me remémorer ses paroles. Peu m'importait, elle était bien vivante et me foutait la trouille.

Avec elle, les discussions devinrent beaucoup plus vives ; je passais du monologue intérieur à l'exposé oral. La G.G. pouvait entamer sa journée très tôt par un commandement, suivi de commentaires désobligeants :

« Lève-toi, poufiasse, c'est l'heure ! T'as vu sa taille ? Tout juste bonne pour le cirque ! »

– Fous-moi la paix, t'existes pas !

Même en m'enfouissant la tête sous l'oreiller, son fiel s'écoulait.

« Sans blague, alors tu parles toute seule ? T'es folle ! » se moquait-elle.

– Si tu continues...

« Si tu continues, quoi ? Tu me vires, poufiasse ? »

J'avais beau menacer, argumenter, implorer, rien n'y faisait, elle demeurait intraitable. Je n'arrivais plus à endiguer son venin, je devais lui répondre à voix haute. Dans les premiers temps, je la sermonnais en privé, dans ma chambre, la salle de bain. Mais mes paroles s'échappèrent bientôt en public. D'abord un seul mot, puis une phrase...

Famille et psy

Afin de colmater les fuites et de bien encadrer les parcelles de ma vie, il me faut à présent vous présenter ma famille et mes bons docteurs.

Les membres de ma famille tiendraient facilement dans un coupé sport, puisqu'on ne compte que moi et Marie, ma mère. Mon père, Jean, nous quitta à ma naissance et Marie ne s'encombra jamais d'un autre reproducteur. Elle fréquenta bien quelques hommes, mais jamais rien de sérieux, comme s'ils craignaient une certaine forme de contamination. Pourtant, ma schizophrénie en était à l'état embryonnaire dans mon enfance. Un seul autre homme, à part Jean, s'approcha assez près de Marie pour abîmer son cœur : Pierre Major. Mais cela se produisit beaucoup plus tard, quand j'étais ado, entre votre monde et la folie.

Ma mère travaillait comme serveuse dans un restaurant. À une certaine époque, elle prenait un coup solide, tout en demeurant fonctionnelle. Une belle femme, dont j'ai hérité les cheveux auburn, mais qui ne m'a malheureusement pas légué sa taille idéale – un mètre soixante-deux. Ses grands yeux gris sont un cadeau de sa mère. Marie est une femme vaillante, qui a du cœur au ventre, mais un peu fruste. Il faut dire que son travail exigeant lui laissait peu d'énergie pour courir les galeries d'art et les pièces de théâtre. Pour me convaincre de la futilité de ce genre d'activités, elle me rabâchait les oreilles avec sa théorie des faux peintres. C'est simple : quand un tableau est déroutant au point qu'on doit se référer à un texte pour en comprendre le sens ou le thème, c'est qu'on a affaire à un écrivain déguisé en peintre. Vue sous cet angle, sa théorie ne semble pas si bête.

Marie était fille unique et mes grands-parents, Lucie et Paul, sont décédés il y a une dizaine d'années, à quelques mois d'intervalle. Ces deux personnes extraordinaires formaient un très beau couple. Petit pour un homme – un mètre soixante-sept –, mon grand-père n'en dépassait pas moins sa femme d'une bonne tête. C'est dire que mon mètre quarante-sept n'est pas pour surprendre. Paul et moi avions les mêmes yeux et les mêmes pommettes. Lucie possédait un visage rond, des lèvres minces, puis un côté bon enfant, candide. Leur union était une parfaite symbiose et, au fil du temps, ils avaient fini par se ressembler. Ils faisaient preuve d'une grande bonté et de générosité envers nous et contribuaient régulièrement à notre bien-être. Peu fortunés eux-mêmes, ils parvenaient à mettre suffisamment d'argent de côté pour nous offrir des voyages. À leur mort, ma maladie prit son envol, comme si elle s'était nourrie de leur essence, de leurs dernières forces.

Par la même occasion, je me suis retrouvée dans le cabinet du psychiatre Jack Wolf. Cet homme d'une cinquantaine d'années, grand et mince, portait des lunettes légèrement teintées qui décourageaient quiconque de sonder son âme. Sa coupe de cheveux était impeccable. Des favoris poivre et sel glissaient le long de ses oreilles pour s'arrêter à la pointe du lobe. Je ne l'avais jamais vu habillé autrement qu'en complet-cravate. Il partageait sa vie avec deux grands garçons et une très jolie femme du nom de Louise. Diplômé de Harvard, il avait sillonné les États-Unis quelques années avant de rencontrer sa femme et de s'installer définitivement à Montréal.

Tous ces détails m'avaient été confiés par Nicole, infirmière depuis toujours au pavillon C à Prévost. Cette femme regorgeait d'informations et connaissait tout de tous, à croire qu'elle collaborait au grand script cosmique du personnel de l'hôpital.

Un peu plus en aval dans ma vie, on m'assigna un second psychiatre : Berthe Bélaski. Les règles stipulaient qu'un mécanicien de l'âme juvénile n'était pas habilité à réparer l'âme adulte. J'avais dix-huit ans et elle trente lors de notre premier contact. C'était une petite femme dont les immenses yeux bleus étincelaient de curiosité. Une grande bonté intérieure transfigurait ses traits. Au début, je m'étais sentie méfiante et récalcitrante face à cette jeune doctoresse. Cependant, avec le temps, elle sut toucher mon cœur et m'accompagner dans les sombres méandres de mon existence. Depuis maintenant sept ans, je suis une patiente de Bélaski et, malgré ses efforts, ma maladie se porte à merveille.

Husshy

Je conserve peu de souvenirs de ma jeunesse. C'est pourquoi j'ai songé à laisser le soin à Husshy, Maggy et Puck de vous la raconter. Pendant ce temps, j'en profiterai pour mettre de l'ordre dans mon passé d'adulte.

Husshy. Immense chien en peluche, compagnon de route de Rubby pendant cinq ans.

Rubby comptait dix mois et c'était son premier Noël sur terre. Pour l'instant, Marie l'avait emmitouflée et déposée tendrement entre nous deux sur le grand lit. Elle paraissait crevée, la pauvre, on le voyait bien à la façon dont elle caressait Rubby. Ses gestes étaient lents et hésitants comme si elle craignait de la briser. La petite souriait dans son sommeil. Sans doute planait-elle dans son ancien monde au son des cantiques de Noël. Une de ses menottes se perdit dans ma peluche rose. Mes longues oreilles jaunes ressemblaient à celles d'un basset et mon long museau, mes yeux tristes et les deux taches de couleur que je portais au dos accentuaient cette ressemblance.

Je devais la vie à sa mamie Lucie, qui m'avait confectionné à l'aide d'un patron Simplicity, de bouts de tissus, de chiffons ainsi que de bas de nylon recyclés en bourrage. Bref, je pesais une tonne d'amour. Il fallait voir le minois de Rubby lorsqu'elle m'avait aperçu pour la première fois, hésitant entre la peur et l'émerveillement. Finalement, elle avait basculé dans la joie et gargouillé son plaisir ; j'étais adopté.

Nous habitions un quatre pièces et demie, au second étage d'un duplex situé au nord-est de la ville. Le quartier fourmillait d'animation et de vie. Les gens y étaient amicaux et toujours prêts à se donner un coup de main. L'univers de Rubby, ses jeux, ses joies et ses espoirs se forgèrent à même les dédales de ce quartier. Elle vécut là onze ans, à proximité de l'épicerie Germain qui faisait crédit à sa clientèle la plus fidèle. Marie y détenait un compte qu'elle réglait systématiquement tous les deuxièmes jeudis du mois. Germain, le proprio, en pinçait pour elle mais jamais elle ne lui avait ouvert sa porte. Il y avait aussi Firmin, le livreur de service ; beau temps mauvais temps, il chevauchait sa bécane avec enthousiasme. Jouxtant ce commerce, on apercevait la boutique du cordonnier-nettoyeur, M. Saint-Onge.

Du balcon arrière de l'appartement, on voyait l'école primaire de La Visitation qui se découpait à gauche sur l'horizon. Ce grand bâtiment de trois étages en pierres grises avait été érigé au début du XXe siècle. Ses nombreuses fenêtres grillagées au premier étage donnaient l'impression d'une balafre. Rubby ne comprenait pas leur utilité. Qui aurait pu être assez bête pour vouloir entrer dans une école ? À ses yeux, il semblait plus que probable que ces grillages avaient plutôt été conçus pour retenir les enfants prisonniers à l'intérieur. D'ailleurs, étant petite, Rubby croyait que des enfants kidnappés étaient retenus de force dans certaines classes du premier. C'est ainsi qu'elle développa une peur viscérale de l'école.

Un peu plus au nord sur la rue Gouin, une magnifique église dressait fièrement sa silhouette : l'église de La Visitation. Construite en grosses pierres grises, elle était flanquée de deux tours carrées. Les enfants du quartier racontaient une histoire à propos de sa construction. Dans la tour de droite, sous la baie vitrée ovale, se trouvait une pierre appelée « pierre du diable ». Au XVIIIe siècle, pendant les travaux, un splendide cheval noir aurait aidé à transporter le mortier et les pierres.

Ailleurs

En fait, l'histoire dit qu'il s'agissait plutôt du diable, incarné sous cette forme et cherchant à saboter l'édification de l'église. Le curé l'aurait démasqué en lui lançant de l'eau bénite sur le front. L'animal, se tordant de douleur, aurait recouvré une apparence « humaine » en touchant le sol. Satan, vêtu d'une longue cape noire et d'un chapeau à rebord lui cachant le visage, se serait enfui en jurant de se venger. Depuis cette époque, la « pierre du diable » menaçait toujours de tomber et sa stabilité demeurait précaire. Cette légende rendait l'église encore plus fascinante et mystérieuse aux yeux de Rubby. Les cloches actionnées pour le service du dimanche, pour les baptêmes, les mariages et les enterrements l'impressionnaient au plus haut point. Peu importait son occupation du moment, la petite tendait l'oreille en écoutant attentivement cet appel, envahie par un sentiment d'urgence, de solennité, de sacré.

Vers le 18 décembre, Marie avait installé le sapin dans le salon près de la grande fenêtre. Il était tout de guingois parce que la base qui maintenait le pied de l'arbre en place avait connu des jours meilleurs et semblait sur le point de rendre l'âme. Mais, cette année, la mère de Rubby avait d'autres chats à fouetter ; le sapin resta donc incliné. Les boules de Noël côtoyaient les cheveux d'ange et les glaçons, mais à une distance respectable du sol pour éviter que Rubby ne s'en empare. Les décorations se concentraient dans le haut de l'arbre. On aurait dit une grosse bonne femme coincée dans une robe à paillettes deux points trop petite. Nous étions au chaud mais, à l'extérieur, la température avait chuté sous zéro et une mince couche de neige tapissait le sol. Pas suffisamment pour faire des bonshommes de neige ou des châteaux, mais assez pour transformer cette période en féerie.

En cette journée de Noël, l'atmosphère se voulait sereine et empreinte de gaieté. Marie avait dressé la table avec ses plus beaux couverts et sa nappe de dentelle brodée. Un chandelier trônait à chaque extrémité, apportant une touche d'opulence à l'ensemble. Paul et Lucie étaient arrivés à dix-sept heures pile ; la ponctualité constituait une véritable obsession pour

Lucie. Cette phobie lui venait du fait que sa mère avait attendu son futur époux plus d'une heure au pied de l'autel, et Lucie et ses frères et sœurs avaient subi toute leur enfance le ressac de cet affront.

Lucie avait cuisiné la dinde et Marie s'était occupée des victuailles d'accompagnement : atocas, mousseline de pommes de terre, tourtières. Une bûche de Noël bien crémeuse, cadeau de Germain, complétait ce festin. Autour de la table, la conversation allait bon train. Rubby reposait confortablement sur sa petite chaise, entre sa mère et son papy. L'amour que Rubby et sa maman se portaient était presque palpable. Marie avait su transmuter le désespoir lié à l'abandon de Jean en un amour infini pour sa fille. C'était une des belles choses que la séparation avait oubliées derrière elle.

Rubby traversa ce premier hiver entourée de ses grands-parents et de sa mère. Lucie s'avérait une éducatrice hors pair et Paul, un compagnon de jeu formidable. L'imagination de la petite se développa au contact de son grand-père. Entre eux, cette alchimie particulière qui s'était nouée très tôt perdurerait bien au-delà de la mort, j'en étais convaincu. Paul demeurerait toujours son confident.

La prime enfance de Rubby se déroula sous le signe d'une agréable solitude. Déjà, elle préférait la compagnie des adultes. Au parc, elle demeurait en retrait des autres enfants, leur exubérance semblant la contrarier. Elle s'assoyait dans le sable avec ses seaux en plastique de différentes tailles et creusait à l'aide de sa pelle jusqu'à ce qu'elle atteigne la couche humide du sol. Elle remplissait les contenants à ras bord, puis les retournait et tapotait le fond du seau afin de s'assurer que le moule était bien détaché. Dans ce coin de parc, Rubby s'amusait seule pendant des heures, se construisant un univers de châteaux, de montagnes, de pâtés...

Notre complicité dura cinq magnifiques années. Je l'amusais, la consolais. J'assistais à ses premières dents, ses premiers pas, ses premiers mots, ses dernières couches...

Ailleurs

Avec le temps, les lavages et les caresses, ma fourrure devint fragile et friable. Par un beau matin du mois de juin, Rubby me fit ses adieux dans un flot de larmes. Nous nous promîmes de nous retrouver un jour. Elle accompagna Marie jusqu'au conteneur à déchets, derrière l'épicerie, et m'y déposa tendrement. Au même moment, les cloches s'envolèrent...

Maggy

Fillette blonde, petit nez retroussé, sourire agrémenté de fossettes, vit dans les miroirs. Accompagna Rubby jusqu'à l'aube de ses onze ans.

J'ai toujours habité les miroirs, mais Rubby me découvrit lorsqu'elle avait six ans. Il faut dire que le départ d'Husshy creusait un grand vide dans son cœur. Je m'incarnais principalement dans les miroirs mais, à l'occasion, il m'arrivait de me matérialiser dans les vitres. C'était plus difficile parce que mon reflet devenait flou et transparent.

Notre première rencontre eut lieu un jeudi soir vers dix-neuf heures, au moment où Rubby s'apprêtait à se mettre au lit. Elle m'entrevit dans le miroir de sa coiffeuse, accoudée à la fenêtre de ma maison et attendant qu'elle m'adresse la parole. Elle se figea, tourna lentement la tête pour s'assurer que personne n'était entré dans sa chambre. Rubby s'approcha du meuble à pas feutrés et le déclic se produisit. Notre conversation dura jusque tard dans la nuit. Comme Marie s'était retirée tôt dans sa chambre, nous avions laissé la veilleuse allumée.

Avec le temps, Rubby remarqua que sa mère s'endormait souvent dans un drôle d'état. Le verre de vin du souper était maintenant accompagné d'un digestif qui s'éternisait toute la soirée. Parfois, lorsque sa grand-mère allait la cueillir à l'école, elle la questionnait sur les habitudes de sa mère, semblant se douter de quelque chose. La petite tentait d'éluder les questions de son mieux. Elle craignait de trahir sa mère et, par la même occasion, de faire de la peine à Lucie et à Paul. Rubby me confia que Marie semblait vouloir noyer son cœur pour éviter qu'il ne s'embrase à nouveau. Et, du haut de ses six ans, elle assistait, impuissante, au déclin de l'être qu'elle chérissait le plus au monde.

À l'école, après avoir surmonté sa peur, Rubby s'était intégrée et réussissait bien. Ses matières préférées comprenaient le français et la géographie. À cause de sa petite taille, elle était toujours assise dans la première rangée, près du professeur. Donc, pas question de chahuter. D'ailleurs, ça ne faisait pas vraiment partie de son tempérament.

À la maison, après le souper, elle aidait à débarrasser. Lorsque sa mère ne recevait pas d'invité, elle pouvait faire ses devoirs sur la table de la cuisine. Quand elle avait terminé, elle attendait sagement que Marie jette un coup d'œil à son travail et lui permette d'aller jouer dehors ou dans sa chambre. Invariablement, elle choisissait sa chambre et me racontait sa journée par le menu.

Rubby se montrait très sensible ; un mot de travers, une réprimande l'amenait au bord des larmes. Quelquefois, en me relatant un événement qui l'avait touchée, son regard se brouillait. Je savais à la façon dont ses mâchoires se crispaient qu'elle luttait pour ne pas pleurer. Ses stupides larmes coulaient beaucoup trop souvent à son goût et la mettaient dans des situations impossibles. On aurait dit que Rubby captait les énergies autour d'elle, sans pouvoir toutefois s'en protéger. Elle était vulnérable à la peine, à la détresse ou à la haine de son entourage. Les autres enfants la respectaient mais ne l'invitaient pas à participer à leurs jeux. Elle semblait trop différente.

Un jour, elle me confia, dans ses mots d'enfant, qu'elle redoutait moins la douleur physique que psychique. Rubby aurait préféré souffrir dans son corps plutôt que dans son âme.

Ailleurs

Cette réflexion me peina, car elle était trop profonde pour être émise par une enfant de cet âge. Il s'agissait d'une pensée d'adulte qui n'aurait pas dû la préoccuper ni lui faire de mal. Cette maturité précoce m'inquiétait. Dans les pires moments, elle se réfugiait dans les bras de son grand-père qui habitait juste à côté. En dépit de ma bonne volonté, j'étais emmurée et incapable de lui transmettre un peu de chaleur humaine.

En quatrième année, peu après sa mésaventure avec la chenille, Rubby crut enfin détenir une explication logique à « sa voix », ce possible embryon de la Grande Gueule. Monsieur Girard, son professeur d'enseignement religieux, leur apprit que certaines personnes entendaient des voix : l'appel de Dieu. Rubby se rappela alors une visite qu'elle et sa mère avaient faite à l'oratoire Saint-Joseph, à l'occasion de Pâques. Derrière l'Oratoire, on pouvait visiter la maison du frère André. On le voyait, étendu sur sa couche, tentant par ses prières de repousser l'attaque de deux énormes loups noirs. Cette scène demeura à jamais gravée dans son jeune esprit. La légende disait que le saint frère combattait jour et nuit les voix et les tentations du malin. Rubby restait persuadée qu'il faisait partie des élus dont monsieur Girard avait parlé dans son cours.

Après quelques semaines de réflexion, elle dut se rendre à l'évidence que sa voix ne mentionnait jamais Dieu ni la Vierge Marie. Elle semblait davantage préoccupée par des problèmes beaucoup plus terre à terre – du style : t'as un trou dans ta petite culotte, t'es qu'une trouillarde, attention tu vas pleurer... De petites remarques, pas tellement méchantes au début. Avec le temps, cette idée de devenir une élue s'effaça et disparut.

Même si le mal-être de sa mère l'affectait profondément et que, parfois, la voix l'incitait à faire des bêtises – mâcher de la gomme dans la classe de madame Chartrand-le-dragon, chaparder du maquillage à sa mère, boire à même le carton de lait (ce qui était totalement prohibé) –, Rubby traversait les années du primaire sereinement.

Sa cinquième année fut merveilleuse et digne de mention, surtout à cause de madame Legendre, son enseignante. Mince et tout en longueur, cette femme semblait toujours vêtue de couleurs pastel. Il se dégageait de sa personne une tendresse infinie. Auprès d'elle, chaque enfant se sentait unique et important. Elle procédait à des tirages hebdomadaires où chacun avait une chance de gagner, peu importait sa performance de la semaine. Au mur étaient épinglées six abeilles en papier rattachées à une corde horizontale. Les abeilles représentaient des équipes, lesquelles étaient constituées de six enfants. L'abeille de Rubby s'appelait Piqûre et se retrouvait souvent en avance sur les autres. Une belle complicité unissait les membres de l'équipe de Rubby : Kathy, François, Louise, Francine et Michel. Les mathématiques étaient l'apanage de François et Louise ; quant à Rubby et Kathy, elles excellaient en français. Francine dominait en géographie et, finalement, Michel versait dans le social. C'était le charmeur de service. Dans leur équipe, aucun leader ne se démarquait vraiment : six indépendances réunies pour le meilleur.

Madame Legendre s'assurait toujours que chaque enfant ait droit de parole au sein de son groupe. Jamais les élèves d'une classe n'avaient paru à Rubby aussi solidaires. Malgré la compétition qui régnait dans la ruche, un réseau d'entraide s'était tissé finement mais solidement comme une toile d'araignée. L'encouragement, l'écoute et le respect constituaient les pierres angulaires de l'enseignement de son prof. Pour Noël, une journée complète avait été consacrée à la décoration. Une crèche en papier mâché trônait tout près de la porte. Un sapin artificiel croulait sous les décorations faites par les enfants. À ses pieds, trente-six présents attendaient d'être vivement déballés.

Rubby se souviendra toujours de son cadeau : un magnifique journal intime en cuir où brillaient ses initiales gravées en lettres d'or. Même sa propre mère n'aurait pu tomber plus juste. Pendant un an, elle en noircit fidèlement les pages.

Ailleurs

Vers la fin du primaire, en avril, un événement tragique fit basculer Rubby dans une profonde réflexion. Louise, devenue sa bonne amie depuis leur participation à l'équipe Piqûre, fut mortellement happée par un chauffard. Le lendemain de l'accident, monsieur Harvey, le directeur, leur annonça la triste nouvelle. La place vide dans la deuxième rangée, troisième pupitre, parut soudainement engloutir tout l'espace. Plusieurs enfants – Rubby en tête, vu son extrême sensibilité –, fondirent en larmes. Madame Legendre fut dépêchée sur les lieux afin de prêter main-forte à madame Duguay, leur responsable. On renvoya les élèves à la maison plus tôt et certains d'entre eux ne se présentèrent pas en classe le lendemain.

Étant donné que Marie travaillait, Rubby eut la permission d'aller chez ses grands-parents. Paul et Lucie la réconfortèrent de leur mieux mais elle ne cessait de pleurer. Elle apparaissait calme quelques minutes puis, aussitôt qu'elle se remémorait la place vide, les larmes coulaient de plus belle. La douleur persistait, trop vive pour qu'elle puisse penser à autre chose ; cette satanée chaise vide prenait toute la place. Elle insista pour voir Louise et fit promettre à Paul de l'accompagner. Cette promesse apaisa un peu son chagrin. Les nuits qui suivirent furent peuplées de cauchemars où elle entrevoyait le corps démembré de Louise. Jamais auparavant elle ne s'était imaginé qu'un enfant puisse disparaître. La mort devait survenir quand on était grand et vieux, pas petit et jeune.

Le corps de son amie fut exposé au salon Urgel Bourgie, à quelques rues de l'accident. Rubby gravit les marches conduisant à l'entrée au bras de Paul, la main fermement agrippée à la sienne. Louise reposait dans la première salle, étendue dans un cercueil blanc. Il y avait des fleurs partout et leur odeur fade rappela à la fillette le parfum bon marché de madame Dumont, la vendeuse de billets au cinéma Plaza. Cette pensée incongrue à un moment pareil la surprit. Néanmoins, elle réfléchit et se souvint que les fleurs aussi étaient mortes. C'était peut-être ça, l'explication : leur parfum agonisait.

Il y avait beaucoup de monde et Rubby eut l'impression d'avancer au ralenti parmi la foule. Il lui fallut quelques instants pour réaliser qu'elle regardait son amie. L'enfant couchée devant elle avait la peau cireuse et tendue, tandis que la vraie Louise arborait toujours un teint de pêche. Elle en fut choquée. Elle poursuivit minutieusement son inspection comme si sa vie en dépendait. Même ses larmes restèrent bloquées derrière ses yeux bouffis. Après son examen, l'image d'Husshy dans le conteneur à déchets se superposa à celle de son amie. Lentement, ses larmes franchirent le barrage de ses yeux.

La mort de Louise précipita ma disparition – après tout, je n'étais qu'une amie imaginaire. Pour ajouter à la confusion de Rubby, Marie, qui connaissait des problèmes financiers liés à l'absentéisme résultant de son alcoolisme, décida de déménager. Elle avait repéré un loyer de même dimension mais à prix modique sur Henri-Bourassa, plus à l'ouest. Seul avantage pour la petite : elle se rapprochait de l'école secondaire Sophie-Barat. Rubby ne se confiait plus à moi, elle demeurait prostrée. Après plusieurs tentatives infructueuses, je dus me résigner à fermer ma fenêtre.

Puck

Chat de ruelle gris. Observa Rubby jusqu'à ses quinze ans.

J'atterris dans sa vie en plein déménagement. Mon père provenait de l'ouest et ma mère, du sud. Ensemble, ils décrétèrent que ma carrière débuterait dans un terrain vague du nord de la ville. C'est là que Rubby me dénicha et scella notre amitié. Durant son adolescence, elle partagea ses confidences entre moi et Andrée, une copine qu'elle considérait comme sa propre sœur. Je jouissais d'une grande liberté dans son foyer. C'est pourquoi je réussis à la suivre un peu partout dans ses déplacements.

Le déménagement eut lieu en juillet. Monsieur Germain et deux de ses amis firent le travail en quelques heures. Deux jours auparavant, Marie, Lucie, Paul et Rubby avaient repeint tout l'appartement. Rubby avait insisté pour que les murs et le plafond de sa chambre prennent la teinte vert forêt. Étant donné son chagrin, personne n'osa la contrarier et, contre toute attente, le résultat revêtit un certain charme.

La distance qui la séparait de la maison de ses grands-parents devenait plus grande, mais elle pourrait tout de même s'y rendre à pied. Il m'arrivait de l'accompagner un bout de chemin. Cet été-là, Marie multiplia les efforts pour distraire sa fille. Elle se montra plus présente et obtint trois semaines de congé de son patron. Accompagnée de ses grands-parents et de sa mère, Rubby prit la route de la Floride.

Ce voyage – le premier de sa jeune existence – la transporta au septième ciel. Elle contempla avec ravissement le paysage qui défilait sous ses yeux. Elle s'endormit sur l'épaule de Lucie en rêvant d'océan et de palmiers. Arrivés à destination, ils louèrent un emplacement au camping municipal de Fort Lauderdale. Encore là, il s'agissait d'une première pour Rubby, qui n'avait jamais dormi sous une tente. Une amie de sa mère, qui lui était redevable d'avoir obtenu un emploi au restaurant, leur prêtait l'équipement.

Le point culminant de ce voyage fut sans contredit la visite à Walt Disney World. L'enchantement et la féerie du site tirèrent de nouvelles larmes à Rubby. Son esprit n'arrivait pas à enregistrer toutes les merveilles de ce lieu béni. Elle déambulait dans un état second, le sourire soudé aux lèvres, les mains voletant d'un objet à l'autre pour s'assurer de leur réalité.

Le retour en ville se fit sans encombre. Rubby vint me quérir chez monsieur Germain et me raconta son extraordinaire périple avec force détails. Elle se sentait presque honteuse de s'être autant amusée tandis que Louise...

Le baume curatif de son voyage en Floride s'estompa peu à peu, cédant la place à un cauchemar récurrent qui venait hanter ses nuits. Elle rêvait et, soudainement, en plein milieu de l'action, l'obscurité totale lui tombait dessus et l'emprisonnait de toutes parts, la terreur la paralysait ; des centaines de mains la bousculaient et des rires fusaient de partout : derrière, devant, au-dessus d'elle... Elle était aveugle et impuissante. Ce tourbillon de folie l'entraînait jusque sur le toit de l'école Sophie-Barat. Alors, Louise lui apparaissait et la suppliait de venir la rejoindre. Son cri brisait la nuit au moment où elle atteignait le sol. Ce visiteur onirique l'accompagna plusieurs mois. Avec le temps, même s'il provoquait toujours une profonde frayeur chez Rubby, son effet se faisait plus concentré et se dissipait plus rapidement. Elle pouvait même espérer se rendormir et rêver à autre chose.

Contrairement à ses appréhensions, son entrée au secondaire se passa sans anicroche. Le collège était construit en grosses pierres grises, semblables à celles de l'église de La Visitation. Une annexe plus moderne, renfermant les laboratoires de chimie, prolongeait sa partie ouest. Une statue du Sacré-Cœur située au-dessus de la porte d'entrée principale protégeait le bâtiment. Le saint avait pourtant failli à sa tâche en 1929, année où un incendie avait ravagé la presque totalité de l'école. Une très belle tour s'élevait au nord-est. Rubby avait entendu un élève de quatrième raconter que la chaufferie actuelle abritait autrefois une écurie où l'on gardait de vrais chevaux. À cette époque, le collège accueillait des jeunes filles riches d'un peu partout au pays et d'aussi loin que l'Amérique latine. Le boulevard Gouin délimitait son emplacement au sud, tandis que la rivière des Prairies fermait sa frontière au nord. Les rues Georges-Baril et Christophe-Colomb cernaient respectivement ses flancs ouest et est.

Rubby était classée moyenne forte. On pouvait donc supposer que les élèves qu'elle croisait s'intéressaient à autre chose qu'à l'anatomie féminine. La population scolaire était nombreuse mais chacun, peu importait sa taille, parvenait à se dénicher un espace suffisant pour respirer. Bien sûr, sa bulle, son espace vital rétrécissait en entrant à l'école. Toutefois, c'était un tribut minime à payer pour son intégration au milieu étudiant qu'elle avait tant redouté.

En première secondaire, Rubby se lia d'amitié avec Andrée Léger. Les deux filles devinrent bientôt inséparables. Plusieurs points communs les rapprochaient : elles aimaient les mêmes matières et pratiquaient les mêmes passe-temps. Andrée aussi était une enfant unique élevée par une mère célibataire. Raymonde, sa mère, gagnait très bien sa vie en tant que couturière.

Andrée était toujours vêtue avec goût et originalité. Ayant hérité du talent artistique de sa mère, elle excellait dans le dessin et la peinture. Sa force venait de la luminosité des teintes qu'elle choisissait et de la lumière qui émanait de ses œuvres. Quant aux thèmes, on l'aurait plutôt classée dans la catégorie des « faux peintres ».

Andrée obtint rapidement la permission de dîner chez Rubby pendant la semaine. Bien entendu, la petite inspectait toujours l'appartement avant de partir pour l'école. Elle serait morte de honte si sa camarade avait découvert une bouteille de vin ou tout autre indice prouvant que sa mère buvait. Ce secret devait rester un secret, même pour Andrée.

Deux fois par mois, les deux amies s'organisaient une soirée vidéo chez madame Léger. Pour l'occasion, Rubby obtenait l'autorisation de dormir là-bas. Les deux fillettes étaient de ferventes adeptes de films d'épouvante et de suspense. Après l'école, Rubby retournait en courant à la maison. Elle préparait prestement des vêtements de rechange, un pyjama et une brosse à dents, qu'elle fourrait dans son sac de sport bleu gagné dans une tombola. Elle soupait seule, car sa mère travaillait tard le vendredi. Vers dix-sept heures quarante-cinq, elle lui laissait un mot sur le comptoir de la cuisine et partait rejoindre son amie qui l'attendait impatiemment. Raymonde, très consciente de l'importance que revêtait cette soirée, veillait à leur laisser l'appartement libre jusqu'à vingt-deux heures. Andrée était choyée ; elle possédait sa propre télé couleur et son appareil vidéo dans sa chambre. Elles pouvaient donc visionner leurs films jusque tard dans la nuit sans déranger madame Léger. Le lendemain matin, Raymonde leur servait le petit déjeuner au lit et elles avaient même droit à un café déca dilué. Ce cérémonial les enchantait ; elles se sentaient importantes. Avant le dîner, Andrée raccompagnait son amie chez elle. Chemin faisant, elles planifiaient déjà leur prochain week-end vidéo.

Cette première année s'écoula à la vitesse grand V puis l'été s'installa. Comme Andrée passait le mois de juillet à l'extérieur, Rubby en profita pour s'occuper de ses grands-parents.

Ailleurs

Elle les avait un peu négligés durant l'année scolaire. Ils eurent droit à la version intégrale de cette nouvelle et précieuse amitié. Paul et Lucie se réjouissaient de savoir leur petite-fille aussi heureuse et épanouie. Le désarroi de Marie ne semblait pas trop l'atteindre. Depuis longtemps, ils avaient renoncé à la questionner sur le vice de sa mère. Ils demeuraient vigilants et prêts à épauler Marie si elle leur faisait signe ou en manifestait le besoin. Pour le moment, ils acceptaient la situation et compensaient en comblant le moindre désir de Rubby. Malgré son jeune âge, ses demandes demeuraient raisonnables et axées sur des activités où son verbiage continu ne nuirait à personne.

Le mois d'août ramena Andrée au bercail. Voulant lui faire une surprise, elle ne prévint pas Rubby de son retour et se rendit directement chez elle. Lorsque Rubby l'aperçut derrière la fenêtre de la porte d'entrée, le soleil l'aveuglant, elle crut pendant une microseconde qu'il s'agissait de Maggy. Ouvrant la porte à toute volée, elle rit aux éclats de sa méprise, toute à la joie de serrer son amie dans ses bras.

Vers la fin du mois, Marie octroya à sa fille de l'argent destiné à l'achat des fournitures scolaires. Accompagnées de Lucie comme conseillère, les deux amies passèrent une journée inoubliable à dénicher les meilleures aubaines possibles. Elles revinrent fourbues mais équipées de pied en cap pour attaquer leur deuxième secondaire.

Quand j'observais ma jeune maîtresse, heureuse et insouciante, il était difficile d'envisager qu'un mal insidieux couvait parallèlement à cette belle vitalité.

Rubby aborda son année scolaire avec enthousiasme et assurance. Elle compatissait avec les petits de première qui devaient se frayer une place dans la cohue. Lorsque l'occasion se présentait, elle les aidait à se repérer dans le dédale de couloirs. Graduellement, les préoccupations des deux amies changèrent et leur principal centre d'intérêt se porta sur Michel Poirier, leur professeur d'anglais. Les périodes du mardi et vendredi matin, entre neuf heures et neuf heures cinquante, s'écoulaient beaucoup trop rapidement. Dans l'intimité, Rubby et Andrée surnommaient leur enseignant Bobby, car il ressemblait à s'y méprendre à Robert Redford. Étrangement, au lieu de développer une concurrence entre elles, elles partageaient le moindre sourire, regard ou geste de Bobby. Très conscient de l'attrait qu'il suscitait chez ses étudiantes, monsieur Poirier distribuait équitablement ses encouragements.

Les vendredis vidéo reprirent, mais quelques films d'amour s'intercalaient désormais entre *Jaws, Alien, Carrie*... Rubby et Andrée regardaient d'abord les suspenses, afin de pouvoir s'endormir dans le calme et rêver au prince charmant.

Andrée entretenait des liens très étroits avec sa mère. Rubby enviait cette complicité que sa mère lui refusait. Malgré leur amour, une certaine gêne s'insinuait dans leurs échanges. Rubby s'ouvrit à son amie des difficultés que connaissait sa mère. Elles en discutèrent longuement. Une chose leur semblait certaine, l'alcool empêchait la mère et la fille de vivre un rapprochement. Quand Rubby voulait lui parler, elle s'avérait toujours ou trop fatiguée ou dans les vapes ! Sa mère regrettait cette situation mais elle ne semblait pas pouvoir agir autrement. Comme si ses sentiments l'avaient désertée et ne retrouvaient plus le chemin de la maison ! Rubby en était peinée, voire révoltée. Cependant, de s'être en partie confiée à Andrée lui enleva un poids énorme et renforça d'autant leur amitié. Ce soir-là, en brossant ma fourrure, Rubby s'interrogea à savoir si Marie aussi était « particulière » ou si sa « particularité » à elle expliquait l'alcoolisme de sa mère.

Depuis un bon moment, sa voix l'avait larguée et une bienheureuse accalmie s'était installée. Elle espérait que cette paix laissait augurer un bel avenir. Après tout, aucun dérapage majeur ne s'était produit depuis l'épisode de la chenille. Elle était bien quelquefois dans la lune mais cela faisait partie de son caractère ; il n'y avait vraiment pas de quoi fouetter un chat !

Ailleurs

L'événement majeur de l'année fut l'élection d'Andrée au poste de présidente de sa classe. Par affiliation, Rubby se trouva catapultée à l'avant-scène aux côtés de son amie. Cette nouvelle fonction accapara toute leur énergie. Leur plus belle réalisation fut l'organisation d'un échange de cadeaux pour Noël. Afin d'éviter les surenchères, elles fixèrent un plafond de cinq dollars pour le prix du cadeau. Après une négociation ardue, la direction leur accorda une période de deux heures, subtilisée aux cours d'éducation physique et d'anglais, pendant laquelle l'échange de cadeaux aurait lieu. Les deux amies se sentirent très fières de ce tour de force. De plus, elles rallièrent quelques parents qui s'engagèrent à servir un buffet lors du dépouillement de l'arbre, prévu pour le 22 décembre.

Les jours précédant la fête, l'ambiance gagna en effervescence et en excitation. La fête connut un franc succès et même les *outsiders*, la clique d'Henri, le dur à cuire de la classe, félicitèrent les organisatrices. Aucun coup fourré ne perturba le déroulement des activités. Rubby reçut un bracelet en cuir délicatement tressé à l'indienne et Andrée, un agenda. Le congé des fêtes fut le bienvenu et réparateur.

L'année se poursuivit au même rythme avec ses négos, ses espoirs, ses flambées d'enthousiasme. À la maison, Rubby ne remarqua aucune amélioration mais aucune dégradation non plus. Marie sortait peu, recevait très rarement et travaillait beaucoup. Ce mode de vie la maintenait sobre plus longtemps et améliorait son compte en banque. Mais la joie demeurait absente et Rubby comprenait mal qu'elle puisse vivre ainsi, le cœur paralysé.

Le dernier cours d'anglais arriva beaucoup trop vite. L'émotion aidant, les deux filles trouvèrent Bobby plus sexy que jamais. Ses yeux bleus allaient leur manquer cruellement.

Lorsque je rejoignais Rubby dans son lit et qu'elle me caressait derrière les oreilles, je réalisais combien elle s'était joliment transformée en quelques mois. Elle paraissait plus calme, plus sereine ; on sentait qu'une belle personnalité cherchait à s'épanouir. Je remerciais le destin d'avoir permis que nos routes se croisent dans ce terrain vague.

À l'été, pour la récompenser de ses performances scolaires, Marie lui offrit un vélo de course Peugeot rouge. Ses grands-parents contribuèrent en garnissant Sporty – le vélo en question – des poignées au réflecteur arrière : odomètre, sacoche, cadenas... Elle passa les vacances à sillonner la ville. Ce nouveau mode de transport lui procurait une liberté qui l'excitait et la comblait. Lorsqu'elle dévalait une côte, elle adorait lâcher les guidons et étendre les bras. Comme un oiseau prenant son envol, cette sensation de légèreté et de danger la grisait. Elle partait tôt le matin, seule ou avec Andrée, emportant un goûter qu'elle dégustait dans un parc, à la montagne ou dans le Vieux-Montréal.

Entre le soleil et la pluie, l'automne bouscula l'été et l'ère de la troisième secondaire sonna pour les deux adolescentes. Elles glissaient lentement mais sûrement dans le monde des adultes, où la règle veut que les choix de vie se précisent. Rubby apprenait à se projeter dans l'avenir.

Andrée envisageait d'étudier les beaux-arts afin de développer et d'affiner son talent pour la peinture. De son côté, Rubby hésitait entre une profession en relation d'aide, qui nécessiterait de longues études, ou un métier comme celui de coiffeuse qui lui permettrait d'acquérir son autonomie plus rapidement. Les matières scolaires ne lui posaient aucun problème – les perspectives d'avenir étaient donc sans limites –, mais il lui semblait que la deuxième option lui permettrait de mûrir davantage avant de faire un choix de carrière définitif.

En novembre, elle alla consulter, de son propre chef, l'orienteur de l'école. Il lui fit passer des tests d'aptitudes et de préférences. Les résultats la laissèrent perplexe. Selon lui, elle excellerait dans des domaines pour lesquels elle ne ressentait aucune affinité, soit la mécanique, l'aéronautique ou la menuiserie. Elle en discuta avec sa mère, qui se rangea à son avis. Marie l'imaginait très bien dans le rôle de thérapeute ou d'intervenante.

Ailleurs

La maturité de Rubby inquiétait parfois sa mère ; ses propos la surprenaient, ses questions la déroutaient. Elle préférait éviter les tête-à-tête avec sa fille, cela la mettait mal à l'aise. Marie admirait beaucoup Rubby mais ne trouvait pas les mots pour le lui dire et lui faire partager ses sentiments. N'ayant jamais eu de grandes dispositions pour l'école, elle avait quitté très jeune le milieu scolaire. La vivacité d'esprit de sa fille lui faisait d'autant plus réaliser ses limites et ses lacunes. Elle craignait de ne pas comprendre son monde, d'être incapable de répondre à ses attentes puis d'être jugée par sa fille. Voilà pourquoi elle s'évertuait maladroitement à la repousser du bout des doigts, pour l'éloigner de sa propre misère et éviter qu'elle en soit éclaboussée.

Comme cadeau de Noël, Lucie et Paul offrirent à leur fille et à leur petite-fille un voyage à Cuba. Rubby apprit l'heureuse nouvelle le 22 décembre en rentrant de l'école. Les préparatifs s'effectuèrent dans la hâte et, le 24 au matin, madame Léger servit de chauffeur au quatuor. Malgré son appréhension, Rubby, dont c'était le baptême de l'air, exultait et contenait difficilement son exubérance. Son excitation semblait si grande que, n'eût été de son jeune âge, elle aurait sûrement été victime d'un malaise cardiaque ! Lorsque l'avion décolla et que le paysage rapetissa sous les hublots, les maisons devinrent aussi minuscules que celles placées sous l'arbre de Noël. Cette magie émerveilla Rubby et lui fit monter les larmes aux yeux.

Arrivée à Varadero, Rubby fut estomaquée par la splendeur de l'océan. On aurait dit un immense miroir reflétant l'azur du ciel. Elle sentit naître en elle un profond respect pour cette beauté et cette force tranquille. Leur habitation comprenait une chambre au rez-de-chaussée, avec un coin salon, et une autre au second. Leur hutte se situait à proximité de la plage et du complexe central où l'on servait les repas. De sa fenêtre, Rubby pouvait admirer la mer et se laisser bercer par sa mélodie. La semaine s'écoula dans une bienheureuse paresse. Marie rayonnait. De la voir ainsi s'amuser et tenir de longues conversations avec ses parents rassura l'adolescente. Sa mère se confiait à Lucie, et Rubby leur laissait tout l'espace possible.

Ce séjour combla la petite famille. L'harmonie régnait entre eux ; un rapprochement sembla même s'amorcer sur cette plage sablonneuse. Le retour se fit dans le silence, chacun s'absorbant dans ses pensées.

Les cours reprirent et Rubby se concentra encore davantage sur ses études. Elle se prépara soigneusement aux examens du ministère. Rubby considérait cette étape comme un jalon important pour son avenir. Andrée, moins motivée que son amie, s'efforça néanmoins d'obtenir de bonnes notes aux examens. Les deux amies reçurent leur bulletin avec mention. Lucie et Paul organisèrent une petite fête au restaurant pour souligner cet exploit.

Un matin, au retour d'une virée nocturne plutôt agitée, je surpris Rubby recueillie au pied de son lit. Elle demandait à son Dieu de restaurer la magie des vacances à Cuba. Le rapprochement tant espéré avec Marie lui filait entre les doigts. Sa mère l'écoutait certes davantage ; Rubby lui confiait ses secrets mais Marie gardait les siens. Il s'agissait plutôt d'un enlacement à sens unique, comme un demi-baiser ! Peut-être sa mère la trouvait-elle trop jeune pour partager avec elle ses états d'âme. Malgré son questionnement, la petite espérait que la situation évoluerait : un pas à la fois... avec son Dieu pour témoin.

À cause de ma désinvolture, cette journée marqua la fin de notre association. Dans l'après-midi, avant de quitter l'appartement, je saluai Rubby en me frottant contre ses jambes. J'avais en tête de donner une leçon à ce jeune matou prétentieux qui chassait sur mon territoire. Puis, en traversant Henri-Bourassa, je sous-estimai la vitesse d'une Honda rouge... C'est faux de prétendre que les chats ont neuf vies...

Ailleurs

Le plus cruel dans cette histoire, c'est que ma jeune maîtresse ne connut jamais le lieu de ma sépulture. Après l'impact, j'eus tout juste assez de forces pour me traîner dans un terrain vague.

8

Rubby

À quinze ans, on me disait plutôt mûre pour mon âge. Cependant, à la suite de la disparition de Puck, je pleurais pour un rien. Pourtant, ce n'était qu'un chat et rien ne prouvait qu'il soit mort. Peut-être se trouvait-il simplement en cavale ou avait-il trouvé l'âme sœur. J'avais beau me raisonner, je m'ennuyais énormément de lui. Il était mon confident, mon Husshy miniature vivant.

Andrée m'invita à passer quelques jours à Sainte-Adèle dans un chalet loué par Raymonde pour l'été. Ce dépaysement me ferait le plus grand bien et me changerait les idées. J'acceptai donc son invitation.

Le chalet en bois rond se situait au bord d'un lac. Le village se trouvait, quant à lui, à une vingtaine de minutes de marche. Nous nous y rendions tous les jours pour rejoindre les copains d'Andrée au casse-croûte Chez Toé, un endroit à la mode. Andrée possédait un talent naturel pour rassembler les gens et organiser des activités de groupe. Tel un leader démocratique, elle incitait chaque personne à s'impliquer, à découvrir ses forces et à utiliser son potentiel de façon créative. Par exemple, elle accomplit des merveilles avec Sam. Ce garçon malingre, introverti et sans aucun sens de la repartie, devint grâce à Andrée « Sam-le-rallieur ». Ce dernier possédait une mémoire phénoménale et oubliait rarement un anniversaire ou une date importante. En effet, comme il ne se passait jamais rien dans sa vie, il s'intéressait d'un peu trop près à celle des autres. Andrée transforma son « voyeurisme » en journalisme. Il apprit à connaître les habitudes de chacun et à regrouper les copains en un temps record.

En raison de notre amitié, je fus bien accueillie au sein de la bande. Je faisais des efforts de socialisation et j'essayais d'apporter ma contribution. Le temps était magnifique ; nous nous baignions tous les jours. J'adorais m'étendre sur un matelas pneumatique et laisser Sam me servir de moteur. Il me poussait doucement et me faisait tourner sur moi-même. Cette sensation me grisait et me relaxait. Les soirées se terminaient souvent autour d'un feu derrière le chalet. Andrée et moi dormions au sous-sol tandis que sa mère avait sa chambre au premier. Il existait une porte de sortie à notre niveau, ce qui me causait un peu de souci, car qui dit sortie extérieure, dit entrée à l'intérieur... Le sous-sol, complètement décloisonné, comportait une salle commune où se trouvaient trois lits simples et deux bureaux. Cela représentait beaucoup d'espace pour deux jeunes filles, d'autant plus qu'à la campagne il faisait vraiment noir la nuit.

Ce jeudi fatidique resta à jamais gravé dans ma mémoire. Aucun avertissement, aucun signe précurseur. La Grande Gueule débarqua et fit voler ma sérénité en éclats. J'eus très peur, surtout quand je constatai qu'Andrée dormait calmement. J'aurais tant souhaité qu'elle se réveille pour me rassurer. À nous deux, nous aurions su trouver une explication plausible à cette intrusion sonore. Affronter un voleur m'aurait semblé moins terrifiant que l'arrivée de la G.G. Au moins, j'aurais pu me défendre, combattre. Tandis que là, c'était dans ma tête que la guerre avait éclaté.

Le lendemain, je me sentis littéralement affolée. Je craignais par-dessus tout qu'on ne décèle ma panique, mon désarroi. J'avais l'impression que mes yeux me trahissaient. Mes mains tremblaient légèrement. Je m'avérai incapable d'avaler une

Ailleurs

seule bouchée de la journée. Quand je descendis au lac, même Sam n'arriva pas à m'arracher un sourire. L'eau qui, habituellement, m'apaisait, me parut noire et repoussante.

Les copains, les réunions au clair de lune, tout perdit son éclat et sa saveur. L'imminence d'une catastrophe me prenait aux tripes. J'essayais de faire le moins de bruit possible. Ma léthargie ennuierait peut-être la Grande Gueule, qui se désintéresserait de moi ou m'attaquerait avec moins de virulence. Mon cœur gonflé d'inquiétude n'aspirait qu'à une chose : retourner dans le giron maternel. Afin de ne pas éveiller les soupçons et ne pas inquiéter inutilement Andrée, au prix de grands efforts, je parvins à prolonger mon séjour jusqu'au samedi.

De retour en ville, je me précipitai chez moi. Marie n'y étant pas, je finis par atterrir chez mes grands-parents. Paul était seul : Lucie et Marie magasinaient ensemble au centre-ville. Maintenant que je me trouvais à la maison, mon cauchemar du jeudi m'apparaissait moins terrible, moins dramatique. Paul m'accueillit à bras ouverts. Son beau visage reflétait la surprise et son regard m'enveloppa de tendresse. Il m'offrit un café et je lui racontai mes vacances à la campagne avec enthousiasme. Toutefois, ma voix se brisait. Je savais mon grand-père disposé à tout entendre mais les bons mots m'échappaient. Pourquoi l'embêter avec mes bêtises d'adolescente impressionnable ? Attablée devant mon café, je jugeais ridicule d'avoir réagi aussi vivement à une hallucination. Au retour de ma mère, je n'avais encore rien dit ; je m'étais seulement emmurée davantage. Il m'arriva souvent, par la suite, de repenser à ce samedi, me demandant si mon destin aurait été différent si je m'étais confiée à Paul.

Je repris vie et respirai mieux les jours suivants. En repensant à cet événement, j'arrivais même à esquisser un sourire. Mais je n'étais pas assez fantoche pour en rire carrément, au cas où... Et puis, tandis que je discutais avec Marie à propos d'une sortie, la voix se manifesta de nouveau. J'encaissai le coup douloureusement. Tout doute s'envolait, et cela m'abasourdissait, m'atterrait. Ma mère continua de parler mais sa voix semblait embrouillée et provenir de très loin. Je me levai pour préparer du café et dissimuler ma confusion. La bouilloire pesait une tonne et l'eau qui coulait du robinet faisait un bruit infernal. J'étais tendue comme une corde de violon. Tout mon sang reflua vers mes pieds et, n'eût été leur lourdeur qui me maintenait rivée au plancher, j'aurais piqué du nez. Me ressaisissant, car Marie m'interpellait du salon et s'impatientait, je réussis péniblement à la rejoindre et j'écourtai la conversation. Je m'éclipsai aussi vite que possible dans ma chambre en faisant un détour par la salle de bain, pour vomir.

L'été n'en finissait plus. Son enchantement avait disparu. Sporty restait cadenassé à la rampe de l'escalier sous sa bâche. L'énergie pour m'en servir me faisait défaut. La Grande Gueule me harcelait sans relâche, surtout le soir :

« Tu dors, poufiasse ? Fais pas semblant, tu sais que ça sert à rien. Tu te tripotes ? »

Ce dernier mot avait été glissé avec suavité.

– Ferme-la ! sifflai-je, en me plongeant la tête sous l'oreiller et les draps.

« C'est dégueulasse, une poufiasse en mal de bitte ! »

– Tu m'écœures !

« Je l'écœure. Elle est bien bonne celle-là ! Faudrait voir qui est la merde ici... »

– Fous-moi la paix, Dieu du ciel !

Le ton avait monté de plusieurs crans.

« Mêle pas le vieux à tout ça, branleuse de merde ! »

Elle souhaitait sans doute m'affaiblir en perturbant mon sommeil. Ses assauts demeuraient irréguliers ; elle sautait des journées, voire des semaines entières. Parfois, d'autres sons emplissaient ma tête, mais ils se réduisaient à de simples bourdonnements ; la G.G. accaparait tout l'espace disponible. Quelquefois, je perdais mon calme et m'obstinais à voix haute, profitant de l'absence de ma mère pour régler mes comptes.

Ailleurs

À maintes reprises, j'eus envie de me confier à Paul, mais la Grande Gueule devinait chaque fois mes intentions et court-circuitait mes projets en me menaçant : « Vas-y, raconte-lui ! Tu vas l'achever, connasse ! » Cela me faisait perdre mes moyens. Mon sommeil était perturbé et je maigrissais rapidement. Marie tenta à plusieurs reprises de savoir ce qui se passait, car mon comportement l'inquiétait. Je la rassurai de mon mieux et inventai divers maux reliés à ma récente « condition féminine ». L'explication sembla la satisfaire. Elle me proposa une visite chez le médecin que je déclinai poliment. Je ne comprenais rien à ce qui m'arrivait mais mon instinct me soufflait de me tenir loin du médecin...

La rentrée scolaire m'arracha à ma morosité. Les nouveaux cours s'avérèrent passionnants et stimulants. L'ambiance au collège était électrisante. J'appréhendais par-dessus tout qu'Andrée ne devine ma folie. Par chance, je la retrouvai uniquement dans mes cours de français et d'histoire. Trop de promiscuité aurait pu me trahir, et je la tenais en trop haute estime pour la décevoir. Pourquoi l'obliger à s'encombrer d'une amie complètement tarée ? Andrée évita de me questionner ouvertement, mais elle louvoya, me tendit des perches, se montra disponible. De mon côté, j'esquivais, je parlais sans rien dire. Consciente du fait que je blessais mon amie, cela m'apparaissait en vérité n'être qu'un demi-mal puisque lui révéler la vérité aurait été une épreuve terrible et souffrante.

Un après-midi, en sortant du cours d'histoire, Andrée me tendit fièrement une carte : une invitation à une super boum. Elle avait elle-même confectionné les cartons, du beau travail. Au moment où j'allais la féliciter, la Grande Gueule s'interposa : « Vise-moi cette Miss Perfection ! T'es qu'une merde pour elle, un vrai boulet ! Rends-lui cette putain de carte et barre-toi ! » Sous le choc de cette attaque déloyale, j'en échappai l'invitation. J'en demeurai muette, incapable de réagir, et Andrée se pencha pour la ramasser. À contrecœur, je fis la seule chose qui s'imposait pour protéger mon amie : refuser l'invitation. Cela me fit mal. Andrée n'insista pas, mais son regard exprima un trouble plus profond, un douloureux questionnement : pourquoi ? Tout compte fait, la G.G. avait raison : je n'étais qu'une merde !

Le combat inhumain que je menais m'épuisait, me sapait complètement le moral. Andrée s'éloigna de moi sans que je puisse la retenir, comme une silhouette s'enfonçant dans la nuit. Toutes ces années passées à rire, à se confier, à avoir peur, à aimer semblaient si loin, hors de portée, dans une autre dimension. Mon passé m'échappait. Mon bonheur avait été silencieux, contrairement au malheur qui s'était installé avec fracas dans ma vie. Mon seul répit se trouvait lorsque je m'absorbais dans un livre. En effet, j'observais qu'elle surgissait rarement dans ces moments-là. La Grande Gueule aimait apprendre ; elle peaufinait ses connaissances par l'entremise de mes lectures. Du fond de ma solitude, j'essayais désespérément de m'accommoder de cette cohabitation forcée.

Novembre se pointa. Un événement imprévu à mon calendrier scolaire survint : ma grand-mère mourut, tout bêtement. Un mardi, en pleine nuit, le téléphone sonna. Son timbre strident rebondit comme un rire narquois dans toutes les pièces de l'appartement. Quelques minutes plus tard, Marie et moi sautions dans un taxi en route pour l'hôpital Fleury. Aucune parole ne fut échangée. De mon côté, je priais, récitant les mots rapidement, comme une litanie susceptible de conjurer le mauvais sort et d'éloigner le malheur qui s'abattait sur nous. Nous arrivâmes trop tard. Lucie n'avait pu nous attendre ou, simplement, elle avait souhaité s'éteindre avec papy pour seul témoin. Assis à ses côtés, Paul lui caressait affectueusement les cheveux. Ses yeux rougis qui exprimaient son désespoir me fendirent le cœur. Nous tombâmes dans les bras les uns des autres, formant une grosse boule de souffrance. Avec mille précautions, je contournai le lit pour être en mesure de bien voir Lucie et de lui parler en mon for intérieur. « Grand-mère, je t'aime. Pourquoi t'es partie ? On n'était pas bien tous les quatre ? Peut-être que si j'avais étudié plus fort ç'aurait... rien changé, n'est-ce pas ? C'est comme pour cette merdique de chenille. Même si

Ailleurs

je l'avais écrasée, ç'aurait rien changé, pas vrai ? » Je me revis dans la cour d'école, paralysée d'angoisse devant tous ces yeux qui me transperçaient. « T'inquiète pas, petite mamie, je prendrai soin de Paul, promis juré. Tu peux dormir tranquille, je m'en occuperai pour toi. » Je fis un signe de croix sur mon cœur, avec mon pouce, en guise de serment, puis l'embrassai tendrement sur le front. « Au revoir, grand-mère. Je t'aime. Tu sais, Husshy t'a préparé une petite place à ses côtés ; il t'attend. » Son visage calme et serein trahissait une grande paix. C'était beau malgré notre douleur. Du bout des doigts, je parcourus doucement ces fines rides qui emmagasinaient tout le vécu de ma grand-mère. Ce simple geste mit un baume sur ma blessure et m'apporta un peu de réconfort.

Après les obsèques, Marie proposa à mon grand-père de s'installer chez nous. Il refusa, n'étant pas encore prêt à quitter les lieux empreints du parfum de sa tendre épouse. Tous les vendredis, il venait souper à la maison. Deux fois par semaine, après mes cours, je le rejoignais chez lui et nous discutions durant de longues heures.

Paul dérivait au fil de ses souvenirs et m'entraînait dans une merveilleuse odyssée où évoluaient des héros magnifiques : mes ancêtres. Paul avait connu Lucie dans une salle de danse située au sud de la métropole. Il lui avait fait une cour assidue pendant près d'un an. Escortés d'un chaperon – le frère ou la sœur de Lucie –, ils étaient sortis tous les vendredis soir et les dimanches après l'office religieux. En 1938, Paul s'était armé de courage et avait officiellement demandé la main de Lucie. Son futur beau-père occupait une fonction de subalterne dans une grande compagnie. Ce dernier avait profité de l'occasion, du seul moment où il détenait un ascendant sur un étranger, pour faire languir mon grand-père une longue semaine. Décidément, cet homme aimait retarder les noces, y compris les siennes puisqu'il avait fait attendre une heure mon arrière-grand-mère au pied de l'autel. Paul avait promis d'aimer Lucie, de la respecter et de subvenir à ses besoins jusqu'à la mort. Serment qu'il respecta scrupuleusement pendant un demi-siècle.

Les jeunes époux, respectivement âgés de vingt et un et vingt-trois ans, avaient logé pendant dix-huit mois chez madame Denis, qui tenait une pension. Lucie travaillait dans une manufacture de vêtements et Paul, pour l'entretien d'un grand hôpital. En dépit de leur pauvreté, ils avaient connu des moments d'intense bonheur. Comme deux enfants, ils jouaient à « changer la chambre », transformant la petite pièce en chambre à coucher Louis XV, en suite royale du Ritz, en salon oriental de la dynastie Ming...

Parfois, Paul se déguisait en majordome ou en duc et Lucie, en soubrette ou en impératrice. Leurs démarche, maintien et langage se pliaient aux règles du jeu. Ces bribes du passé, en remontant à la surface, métamorphosaient le visage de mon grand-père. Ses rides s'atténuaient et un sourire intérieur éclairait ses yeux. Malgré l'âge, il conservait une grande beauté et une part de lui me rappelait furtivement ma mère. Seule ombre au tableau, aucun bébé n'était venu couronner leurs « efforts ». Ce n'avait été que quinze ans après leur mariage que Marie avait daigné enfin se présenter, les fesses en premier. Cet accouchement difficile avait failli emporter Lucie et décréta ma mère enfant unique.

Puis, au moment où j'allais enfin découvrir l'enfance de Marie, trois mois après la mort de sa femme, Paul alla la rejoindre. L'odyssée resta inachevée et j'échouai sur les récifs de la dépression. Ma mère entoura l'annonce de la catastrophe de mille précautions mais l'épreuve s'avéra trop grande. J'étouffai. L'air n'arrivait plus à se frayer un passage, à franchir le nœud dans ma gorge. Je suffoquai. Le pire, ce fut cette terrible douleur qui me vrilla l'estomac, à l'endroit précis où Husshy, à sa mort, avait commencé à gruger quand j'avais cinq ans.

Aux prises avec sa propre douleur, Marie ne décela pas immédiatement les signes de détresse que j'émettais. Étrangement, cette double perte la ranima alors que, pour ma part, elle m'aspirait en enfer. Ma mère vécut son deuil à froid, sans aucune boisson. Elle tenta de me rassurer, mais elle arrivait quinze ans trop tard : je m'étais barricadée de l'intérieur. Ce

Ailleurs

pèlerinage dans le passé avec mon grand-père constituait à mes yeux son plus bel héritage. Comme une bouée qui me retenait dans votre réalité. Je traversai ce cauchemar en véritable somnambule, ne conservant aucun souvenir du 10 février, jour où je franchis le cap de mes seize ans. Dans cette sombre tourmente, la Grande Gueule resta muette. Ce qui était préférable, car elle m'aurait tuée à coup sûr.

Mes forces déclinèrent. Mangeant à peine, dormant mal, je me sentais toujours sur les dents. Après mon second évanouissement pendant le cours de biologie, l'infirmière de l'école conseilla à ma mère de m'emmener voir un spécialiste. Marie sembla soulagée de pouvoir déléguer cette responsabilité maternelle – ma santé – à un pro. À l'été, j'avais réussi à repousser sa suggestion de consulter, mais je ne pouvais plus l'esquiver maintenant ; j'étais coincée. Jamais il ne fut question de psychiatre, mais après une brève visite chez le généraliste, j'atterris tout de même dans le bureau du docteur Wolf. Dès la première séance, je réalisai à qui j'avais affaire. Cela m'effraya vraiment. À seize ans, il n'était guère rassurant de devoir consulter un pédopsychiatre. Je demeurais sur mes gardes, je filtrais mes paroles afin qu'aucune bêtise ne franchisse mes lèvres. À mes yeux, le bureau de Wolf représentait l'antichambre de l'internement. Un billet pour l'asile si je ne me montrais pas extrêmement prudente. Je lui parlais de choses et d'autres. Comme la Grande Gueule semblait hiberner, rien ne m'obligeait à lui révéler son existence. Après tout, mon cas apparaissait assez simple : une ado d'un mètre quarante-sept en plein bouleversement hormonal qui résistait mal à la disparition de la moitié de sa famille. C'était clair et net, mon alibi tenait la route. Inutile de chercher ailleurs les causes de ma dépression. Il me prescrivit donc de l'Élavil. Ces comprimés miracles devaient me ramener dans les ornières de la normalité, en digérant mes deuils sans effets secondaires. Je suivis religieusement la posologie : vingt-cinq milligrammes le matin, pour éveiller un peu d'humanité en moi, et vingt-cinq milligrammes le soir, pour m'empêcher de rester trop longtemps en contact avec ma souffrance. La médication devait atteindre la G.G., car elle demeura en retrait.

J'accusai désormais un retard à l'école. Marie m'inscrivit donc à des cours de rattrapage deux soirs par semaine. Dans mon groupe, nous étions cinq élèves ; je ne me sentais pas dans mon élément. Les deux autres filles de la classe, réputées, justement, ne pas avoir de réputation, se souciaient bien peu de l'école. Un garçon du nom de Neil aurait, quant à lui, connu davantage de succès dans une école de langue anglaise. Il me confia que ses parents croyaient de façon fervente que l'immersion constituait une méthode d'apprentissage infaillible. De son côté, il sentait carrément qu'il se noyait. Enfin, le cinquième maillon, Yan Simmon, dégageait beaucoup de charme et de charisme, surtout auprès de la gent féminine. Sa réputation était celle d'un dur à cuire. La rumeur voulait même qu'il ait connu des démêlés avec la justice. En effet, une ordonnance du tribunal motivait la présence de Yan dans cette classe.

Cette plongée dans l'univers des exceptions éveilla en moi une grande curiosité. Je passais la moitié de mon temps à observer Yan et son harem. L'autre moitié, j'essayais de me concentrer sur les maths et la chimie. Tout compte fait, ma particularité qui, à ce moment-là, s'apparentait à un « précoma intellectuel », sembla se diluer au contact de ce groupe. Même le professeur agissait différemment de ceux qui donnaient les cours ordinaires. Normalement, on enseignait une matière en fonction des capacités d'apprentissage des élèves. Ici, notre incapacité devenait la norme et justifiait le manque de motivation de l'enseignant. Malgré tout, je réussis à me remettre à flot et à rattraper mon retard.

Entre-temps, Andrée et moi étions devenues pratiquement des étrangères – une séparation à l'amiable, si je puis m'exprimer ainsi. Aucun éclat, aucune bagarre, seulement le vide et l'incompréhension... Je l'enviais d'évoluer avec autant d'aisance dans votre monde. Pour elle, la vie était merveilleuse, remplie de possibilités. Aucun ennemi n'envahissait encore sa jeune existence. Comme le disait Wolf, la mort d'un être cher éprouvait l'homme et le faisait vieillir. Ceci expliquait en partie la sensation d'usure et de lassitude qui m'habitait, le fossé qui

Ailleurs

se creusait entre les adolescentes de mon âge et moi. Parfois, ce raisonnement me portait à croire que, au-delà d'un certain âge, il ne fallait plus subir de deuils, sous peine de mort. C'était ce qui avait dû se produire avec Paul. Soixante-treize ans, était-ce trop vieux pour vieillir encore ?

Tandis que je m'isolais de plus en plus, ma mère atteignait le sommet de sa forme. Elle fréquentait depuis peu un dénommé Pierre Major. Marie avait fait sa connaissance au restaurant, alors qu'elle lui servait le plat du jour. Le lendemain, après une deuxième pointe de tarte au citron, Marie eut pitié de lui. Elle lui donna son numéro de téléphone, avant qu'il ne commande une autre part de tarte. Il faut dire que Pierre avait belle apparence : cheveux bruns, yeux noirs très brillants, lèvres pleines légèrement retroussées aux commissures, petit air moqueur et carrure d'athlète. Son seul défaut : il mesurait un mètre quatre-vingt-deux. Marie, avec son mètre soixante-deux – soixante-dix juchée sur des talons –, s'en accommodait très bien. De mon côté, je trouvais cela insupportable.

Pierre, divorcé et père de deux grands enfants, était venu à quelques reprises à la maison, les bras chargés de fromage, de beurre d'arachide et de pâtes – il travaillait depuis vingt ans chez Kraft. Il se montrait délicat et attentionné à l'égard de ma mère, ce qui surprenait compte tenu de son gabarit. Je m'avouai sincèrement heureuse pour Marie ; l'amour transformait ses traits, les adoucissait. Elle chantonnait en se levant le matin. Elle avait l'air d'une toute jeune fille, soucieuse de plaire mais encore incertaine de son charme ou de son pouvoir, me demandant parfois conseil au sujet de ses vêtements et de son maquillage. Ils formaient un très beau couple et l'avenir paraissait prometteur.

C'était comme si Dieu, en enlevant Paul et Lucie à ma mère, les remplaçait par Pierre. Quelle charmante attention de Sa part ! Mais Il m'oubliait...

J'achevais mes études ainsi que mes consultations avec Wolf. Il semblait très satisfait de mes progrès. Mon sommeil s'améliorait et je reprenais du poids. À ses questions, j'opposais constamment des réponses rassurantes.

– Bonjour, Rubby. Comment va-t-on ? demandait-il en ajustant ses lunettes à l'aide de son pouce et de son index droits.

– Très bien.

Toujours le même préambule et la même question fétiche, censée laisser sous-entendre que nous étions deux dans cette galère. Cela m'agaçait à la fin. D'autant plus que ses lunettes fumées juraient avec le lien copain-copain qu'il cherchait à susciter en employant le « on ».

– Ça se passe comment à l'école ?

– Bien. J'ai rattrapé les étudiants de ma classe. Les maths n'ont plus de secrets pour moi.

– Et les amis, Rubby ?

– Ça va. Je revois Andrée régulièrement au dîner, mentis-je. De plus, j'aide Neil, un étudiant du cours de rattrapage, à se perfectionner en français.

– Tu sembles sur la bonne voie. Et quels sont tes projets d'avenir ?

« Très drôle, pensai-je. Comment ose-t-il parler d'avenir alors qu'existent la pollution, la couche d'ozone, les mines anti-personnel, la famine, la surpopulation, la Grande Gueule, et quoi encore ? »

– Cet été, j'aimerais travailler un peu, ramasser des sous. Peut-être au restaurant où travaille ma mère ou au salon de coiffure Cléopâtre situé en face.

– Parfait, mais vas-y doucement, d'accord ? me recommanda-t-il.

Depuis un bon moment déjà, il m'apparaissait clair qu'un psychiatre n'équivalait pas à un devin. J'avais eu tort de croire qu'il aurait pu lire dans mes pensées. La preuve : il ignorait

Ailleurs

toujours la présence de la G.G. La séance se poursuivit sans anicroche. Malgré tout, je le trouvais sympathique. Ces rencontres me manqueraient jusqu'à un certain point ; je ne connaissais personne d'autre à qui parler.

Je terminai ma quatrième secondaire dans la moyenne. En réalité, je n'avais formé aucun projet pour l'été de mes seize ans.

Au début de juillet, Marie me fit une proposition intéressante. Jenny, une coiffeuse du salon Cléopâtre, qui s'approvisionnait en sandwichs au restaurant, connaissait une cliente qui cherchait une gardienne pour son fils. Elle offrait une bonne rétribution et les journées de gardiennage étaient fixes : soit les lundis, mardis et jeudis de huit heures à seize heures. Par l'entremise de Jenny et munie de mon assentiment, Marie fixa un rendez-vous avec madame Beauchamps. Pauline, une jolie femme dans la mi-trentaine et ayant énormément d'entregent, me reçut avec gentillesse. Elle m'expliqua que le travail de son époux, un ingénieur, le retenait souvent à l'extérieur de la ville. Soudainement, la porte d'entrée claqua et Henri, âgé de huit ans, fit irruption dans le salon, arrêtant sa course juste avant de percuter un pot de géraniums.

— Oups ! S'lut !

— Salut, hasardai-je.

— Je te présente Rubby. Elle va s'occuper de toi, cet été.

— *Cool !*

Se laissant choir sur un pouf, il entreprit de se récurer les ongles.

Fait assez stupéfiant, le visage du garçon ne rappelait en rien celui de sa mère. De tempérament nerveux, il ricanait bêtement et ses traits irréguliers semblaient affublés d'un tic agaçant : le coin gauche de sa bouche se relevait tandis qu'il plissait les yeux toutes les trente secondes. N'y tenant plus, Henri disparut dans la cuisine. Madame Beauchamps me posa un tas de questions sur mon expérience et ma famille. Puisque je gardais occasionnellement les enfants du voisinage, je pouvais donc logiquement prétendre être expérimentée. J'avançai que, sans vouloir me vanter, j'avais toujours eu de bons contacts avec les enfants. Ma petite taille devait y être pour quelque chose, pensai-je intérieurement.

Le deuxième lundi de juillet, je commençais à travailler pour les Beauchamps. Je me rendais là-bas avec Sporty et je déjeunais sur place avec Henri. Je n'effectuais pas l'entretien ménager ni la popote. Pauline préparait les repas à l'avance. Malgré ces avantages, le travail n'était pas de tout repos. Maintenir Henri assis à table plus de dix minutes relevait purement et simplement de l'exploit. Lorsqu'il se salissait, par exemple en pataugeant dans la boue, et qu'il devait se changer, ma tâche se transformait en un véritable enfer. L'opération nécessitait plus d'une once de doigté et dégénérait assez souvent en conflit armé. J'en glissai un mot à Marie. Elle m'indiqua que certains enfants demeuraient prudes, surtout en présence d'étrangers. « Avec du temps et de la patience, tu gagneras sa confiance. Ne t'en fais pas », me rassura-t-elle.

Néanmoins, je m'amusais bien avec le petit qui, à certains égards, me ressemblait. Lui-même dépourvu d'amis, j'avais surpris certains enfants se moquant de lui au parc. Ils se vantaient entre eux qu'« Henri-la-nouille » leur payait des bonbons. Pour un gamin de son âge, Henri avait toujours beaucoup d'argent sur lui. Une partie de son argent de poche servait ainsi à acheter des sucreries... et un semblant d'amitié. Monsieur Beauchamps, véritable père-fantôme, apparaissait au domicile quelques jours par mois, les bras chargés de présents coûteux, puis disparaissait de nouveau. Henri l'adulait et m'en parlait continuellement, vantant à qui mieux mieux ses mérites. Pourtant, il s'avérait rarement présent lors des compétitions de natation ou des visites à la clinique. Je jugeais mon cas préférable au sien. Mon père n'était pas là pour me faire des promesses vides qui me briseraient le cœur. Il y avait une limite aux déceptions qu'un gamin pouvait encaisser. Plus tard, le cynisme risquait de devenir un compagnon de route fidèle. Cela m'attristait et m'inquiétait lorsque je songeais à l'homme qu'Henri allait peut-être devenir un jour.

Contrairement à mes prévisions, l'été fila à toute allure. J'économisai suffisamment d'argent pour m'ouvrir un compte d'épargne qui faisait ma fierté. Mon contrat chez les Beauchamps prit fin le 30 août. Pauline, très satisfaite, ne cessait de me louanger. Je reçus une fine chaîne en or en guise de cadeau d'adieu. Je me sentis heureuse et confuse, ce geste me touchant profondément. J'y enfilai mon signe du zodiaque, offert par Paul à l'occasion de mon treizième Noël. Le jour de mon départ, Henri refusa de se joindre à nous au salon. Je comprenais et je partageais sa douleur. Je remis à sa mère une carte de baseball représentant Babe Ruth, accompagnée d'un petit mot : *Tu seras toujours mon champion. Rub.*

À la maison, Pierre Major s'intégrait désormais au décor. Malgré la qualité de notre relation, je conservais mes distances. Je ne savais trop comment agir en sa présence ; je manquais de pratique. Quant à Marie, elle filait le parfait bonheur et élaborait des projets d'avenir.

9

Yan Simmon

Yan Simmon entra dans ma vie par effraction un 12 septembre et y fit des dégâts considérables. Tout commença en ce samedi après-midi où je magasinais aux Galeries d'Anjou. Je fouinais chez La Baie, dans le rayon des appareils électriques, à la recherche d'un téléviseur pour ma chambre que je comptais acquérir à l'aide d'une partie de mes économies. Les dizaines de modèles disponibles compliquaient mon choix. Tous les téléviseurs prétendaient diffuser l'image la plus claire et la mieux définie. Un peu plus loin, au comptoir des radios, quelques personnes attroupées discutaient ferme. Quelle ne fut pas ma surprise – et le mot est faible – en entendant prononcer mon nom. Je levai la tête et aperçus Yan Simmon. Il pointait un index dans ma direction et m'invitait à le rejoindre. En m'approchant du groupe – deux vendeurs, Yan et trois autres clients –, ma respiration s'accéléra. Plusieurs baladeurs jonchaient le comptoir et Yan invectivait un jeune commis. J'entendis distinctement les mots « surprise ratée », « incompétence », « calomnie » et « atteinte à la réputation ».

– Vous saurez que jamais je n'ai « chapardé » quoi que ce soit, cher monsieur, s'insurgeait Yan en insistant sur le « cher ». Ma réputation pour un baladeur ? Sans blague ! Ça va pas la tête ?

Le commis tentait désespérément de calmer Yan. Il hochait la tête et ouvrait les mains, les paumes tournées vers le ciel, en signe de résignation.

Quand j'arrivai à sa hauteur, Yan m'entoura d'autorité les épaules de son bras. L'air outragé, il remit un baladeur au vendeur. Il fit volte-face en m'entraînant avec lui et jura de ne plus jamais remettre les pieds dans ce magasin.

Nous nous éloignâmes rapidement sans souffler mot. À l'extérieur du La Baie, nous bifurquâmes dans une allée transversale. Yan s'arrêta et me montra un baladeur neuf, dissimulé dans la poche intérieure de son blouson. Il m'effleura les lèvres d'un baiser, me remercia en riant et disparut dans la foule. Cette scène n'avait duré que quelques minutes. Je n'avais même pas ouvert la bouche, sauf de stupéfaction.

J'étais estomaquée. Je repérai un bistrot un peu plus loin sur ma gauche. Je m'y engouffrai et commandai un double espresso. Sans y avoir jamais goûté, j'étais persuadée que ce café conviendrait parfaitement à ce genre de situation. Mes idées partaient dans tous les sens et je tentai, en vain, de les rassembler. La sensation qu'on m'avait peut-être suivie et qu'un agent de sécurité se trouvait tapi dans un coin, prêt à m'arrêter, me collait à la peau. La peur et la honte me submergeaient à la fois ; j'étais embarrassée et, à mon grand désarroi, sous le charme. Au moment où Yan m'avait entourée de son bras, une décharge électrique m'avait parcouru l'échine. Son baiser me brûlait encore les lèvres. J'en rougis de confusion.

Malgré moi, j'admirais la façon dont Yan s'était attiré la sympathie et l'approbation muette des autres clients. Il avait tourné le jeune vendeur en dérision, profitant du désordre général pour commettre son larcin. Yan avait-il planifié son vol en m'apercevant dans le magasin ou ma présence fortuite lui avait-elle servi d'alibi ? D'une manière ou d'une autre, en m'utilisant ainsi, il me rendait complice de son méfait. Tout de même, me révoltai-je, je ne pouvais pas porter la responsabilité de son geste. Mon sens poussé du sacrifice finirait par me convaincre que j'étais l'instigatrice du vol si je ne cessais mes divagations.

Ailleurs

Je quittai les lieux aussitôt que me le permirent mon cœur, mes jambes, ma respiration et ma tête, ce qui ne se concrétisa que deux heures plus tard.

Le lundi, même si mon premier cours débutait à huit heures trente, je me rendis à l'école pour huit heures. Subtilement, je glanai des informations à gauche et à droite sur Yan Simmon. Ce type me fascinait et m'intriguait avec ses yeux pers, sa mâchoire volontaire et ses cheveux bruns, délicieusement bouclés. Son petit air frondeur, à la limite de l'insubordination, le distinguait de la masse. Il aimait provoquer et, fort de son mètre quatre-vingts, il suscitait le respect. À sa façon, il était une grande gueule...

Personne ne semblait l'avoir aperçu à l'école depuis la rentrée scolaire. Patsy, une des filles de ma classe de rattrapage, mentionna que Yan avait fêté ses dix-huit ans le 30 août. Légalement et judiciairement, cela le libérait du bagne scolaire et elle aurait été – je cite – « hyper surprise s'il ramenait ses baskets à l'école ». Du coup, la vie étudiante devint beaucoup plus étourdissante qu'intéressante. J'allai à mes cours, choisis surtout en fonction de mon inscription au cégep, sans grand enthousiasme. Parfois, je subissais encore quelques relents de ma dépression : le vague à l'âme. De son côté, la G.G. n'engagea aucune nouvelle manœuvre pour m'embêter. Mes efforts pour me convaincre de l'utilité de m'investir dans mes études demeurèrent vains. Je me retrouvais seule sur mon île et Paul, mon Robinson, n'était plus là pour m'encourager.

Parfois, je croisais Andrée dans les corridors, mais nous en étions réduites à un simple salut de la main. La même déchirante interrogation habitait son regard. Je ne me sentais pas le courage de lui expliquer la situation, et je n'avais aucun droit de l'entraîner dans mon cauchemar. La G.G. attendait sûrement un moment favorable pour se réveiller et charger... Bientôt, nos vies prendraient des tangentes différentes, se sépareraient, et ce cruel rituel prendrait fin.

Un midi, à la suite d'une de ces pénibles rencontres, mon moral frôlait son plus bas niveau. J'errais sans but dans les couloirs et je finis par aboutir à la porte du « repaire ». En cinq ans, je n'avais jamais pénétré dans cet endroit. On le taxait de lieu de perdition. D'ailleurs, pour s'y rendre, il fallait emprunter des couloirs interminables, au plafond bas. J'inspirai profondément et poussai la porte. La grande salle, enfumée, comportait de nombreux stores dont un seul demeurait ouvert, ce qui rendait l'atmosphère un peu glauque. Quelques élèves de cinquième et de quatrième se trouvaient disséminés çà et là, autour de tables basses. Une radio portative dispensait un peu de musique. Dans l'ensemble, l'ambiance me plut. Personne ne faisait attention à moi et je me sentais à l'abri. Une vingtaine de minutes plus tard, je quittai le repaire pour me rendre à mon cours de chimie. Je me promis toutefois de renouveler l'expérience dans un avenir rapproché.

Le rêve occupait une part de plus en plus importante de ma vie. J'élaborais toutes sortes de scénarios où Yan et moi jouions le rôle des héros. Je nous imaginais en Robins des Bois des temps modernes, dépouillant les bien nantis pour redistribuer leurs richesses aux démunis. On nous adulait partout où nous allions. Dans mes rêveries les plus folles, nous faisions l'amour dans des endroits sauvages où les animaux veillaient paisiblement sur nous.

Trois ou quatre histoires différentes alimentaient, selon mon humeur, mes fantasmes. Chaque scénario était repensé, des éléments nouveaux ajoutés, l'intrigue améliorée. Je m'attardais longuement sur les scènes d'amour et en précisais les moindres détails, en fonction de mes connaissances purement théoriques, bien sûr. Mon cours de biologie et une encyclopédie de la sexualité qui traitait des relations physiques et affectives constituaient mes seules sources de renseignements. N'ayant aucune amie avec qui échanger sur la « chose », j'ignorais si mes idées étaient saugrenues. Concordaient-elles avec la réalité et les jeunes de mon âge ? Au repaire, j'entendais bien des histoires concernant les relations sexuelles mais je n'arrivais pas à faire la part des choses.

10

Patsy

J'adoptai l'habitude de me terrer au repaire tous les jours, sur mon heure de dîner. Au début d'octobre, Patsy m'invita à sa table ; deux garçons l'encadraient : Tim et Jean. Elle me présenta Tim comme étant son petit copain. Blond, mince et à peine plus grand qu'elle, il avait de beaux yeux bleus, rieurs. Dans son regard perçait une douce tendresse.

– Pour Yan, chez La Baie, c'était sympa de ta part, me dit Patsy.

– Hum !

Aucune repartie plus intelligente ne me vint à l'esprit.

– T'as dîné ? (Elle fouilla dans son sac à dos et en extirpa un sandwich.) On partage ?

– Merci, j'ai déjà mangé, refusai-je, un peu surprise par la tournure des événements.

Ma propre témérité m'étonna. L'Élavil, mon super médicament, devait être plus efficace que prévu...

Jean ouvrit un paquet de cigarettes et en offrit à la ronde. Tim en saisit une au passage. Personne ne me posa de questions indiscrètes, ce qui était fort agréable. On m'acceptait telle quelle. À cause de ma rencontre avec Yan, je faisais officieusement partie du groupe. Patsy me confirma que Yan s'intéressait à moi. Il lui avait rapporté notre aventure. Selon elle, il admirait mon sang-froid, ma maîtrise et ne semblait pas indifférent à ma personne. « Elle est mignonne, la petite, et audacieuse », lui avait-il confié. Ces confidences s'imprimèrent en lettres de feu dans mon esprit et me touchèrent droit au cœur. Malgré l'effet explosif de ces paroles, je pus, grâce à l'éclairage tamisé, dissimuler ma gêne et mon enthousiasme. Ce soir-là, aussitôt mes devoirs achevés, je choisis mon meilleur scénario. Je m'endormis très tard dans la nuit, le visage fendu d'un sourire extatique.

À la maison, ma mère laissait planer la possibilité d'aller habiter chez Pierre. Son cottage, situé dans le nord-ouest de la ville, possédait une grande cour et une piscine hors terre. Vivre sous le même toit serait plus économique que d'assumer chacun de son côté les coûts d'un loyer et d'une maison. Les arguments de ma mère étaient valables, mais je ne percevais pas ce déménagement d'un très bon œil. Je restais sur mes gardes. J'aimais bien Pierre. Cependant, si jamais les choses tournaient mal entre nous, que m'arriverait-il ? J'aurais tout juste dix-sept ans à l'été et je me sentais très vulnérable. Monsieur Major se montrait gentil et attentif envers moi, mais il agissait encore tel un invité dans notre appartement. Si nous emménagions chez lui, son statut de propriétaire lui monterait peut-être à la tête. Habituée à mener ma barque seule, j'espérais que Pierre ne s'entêterait pas à jouer le rôle de pseudo-père. De toute manière, octobre commençait à peine et beaucoup d'événements pouvaient survenir d'ici l'été. Je reléguai donc cette éventualité et me concentrai sur le moment présent, soit Yan Simmon.

Désormais, je m'affichais ouvertement avec Patsy. Nous avions un seul cours en commun : éducation physique. Nous formions un drôle de duo. Patsy mesurait un mètre soixante-douze ; ses cheveux bruns, coupés à la garçonne, et ses yeux gris, légèrement en amande, lui conféraient un charme fou. Elle portait toujours un jeans très serré ainsi qu'un blouson en cuir noir. Patsy ne marchait pas, elle déambulait. Quand elle

Ailleurs

circulait dans les couloirs, inévitablement, les mâles rampaient dans son sillage. Fort consciente de ce pouvoir, elle en usait pour épater la galerie. Étonnamment, sa démarche excluait toute forme de vulgarité.

Aux côtés de Patsy, je me sentais forte et importante. Ma relation avec elle se distinguait de celle que j'avais partagée avec Andrée. Au seuil de sa majorité, Patsy tirait sa force de son apparence, de sa complexion de femme. Elle opposait une arrogance crasse aux étrangers qui la dévisageaient. Par contre, elle témoignait une extrême gentillesse envers ses amis. Elle aussi se croyait différente des autres adolescentes, sa vie n'étant pas simple et dorée comme la leur. Cette distinction l'avait incitée à m'aborder au repaire. Son intérêt m'avait d'abord intriguée ; je ne m'identifiais pas à sa « race ». À mes yeux, elle s'apparentait à la pire des dévergondées, la candidate idéale au décrochage ; bref, elle incarnait le mal. Mon obsession pour Yan avait fait pencher la balance en faveur d'une ouverture pour Patsy et son gang. J'avais baissé ma garde avant de m'aventurer dans leur monde fascinant. Parfois, quand je me retrouvais seule à la maison, je me questionnais sur le choix de mes amitiés. Y avait-il du danger ? Était-ce raisonnable de m'affilier à eux ? Et puis, je me rassurais en me disant que personne ne me retenait de force. Après tout, je devais reconnaître que leur compagnie me procurait du bonheur. Depuis la mort de Paul, je me sentais vivante pour la première fois. Ça valait donc la peine de prendre des risques.

De son côté, Marie demandait encore des nouvelles d'Andrée. J'avais beau lui expliquer que nos visions de l'avenir ne concordaient plus, que notre amitié appartenait maintenant aux bons souvenirs du passé, elle affichait un scepticisme agaçant. Elle croyait en une réconciliation possible et semblait souffrir pour moi. Il est vrai que je parlais rarement de Patsy – ma mère n'aurait pas tellement apprécié son genre. Donc, elle m'imaginait seule dans cette faune estudiantine et s'inquiétait pour moi. Pourtant, il n'y avait vraiment pas lieu. Depuis les révélations de Patsy à propos de Yan, je vivais, bien entourée, sur mon petit nuage. Mon amie représentait toujours une énigme ; son lourd bagage sexuel m'effrayait. Je n'étais pas vraiment certaine de bien saisir les méandres de sa vie. Lorsqu'elle percevait ma confusion, au lieu de se moquer, elle souriait gentiment et aiguillait la conversation sur un autre sujet. En privé, je me hasardai quelquefois à lui demander de préciser certains faits. Elle se montra très compréhensive et attentionnée. En seulement quelques semaines, mes connaissances centuplèrent. Ainsi renseignée, je me crus très maligne.

La vie n'avait pas fait de cadeau à Patsy. Elle rêvait de quitter le toit familial et d'emménager avec son copain. Elle habitait un trois pièces et demie avec son père et sa belle-mère. Son frère Rock, âgé de seize ans, vivait dans un centre d'accueil, les affrontements entre son père et lui étant devenus de plus en plus violents. La travailleuse sociale avait décidé qu'il valait mieux, pour le bien de la famille, séparer le fils du père. Mon amie souffrait énormément de son absence, malgré le fait qu'elle le visitait régulièrement. Un lien puissant les unissait, renforcé par la mort de leur mère, survenue cinq ans plus tôt. Malheureusement, son père l'avait remplacée dans son lit par une autre, avant même son décès. Elle détestait sa belle-mère, sentiment que cette dernière partageait. Son père, littéralement subjugué par cette femme, se soumettait à sa domination. En sa présence, il perdait tous ses moyens et sa dignité, ce qui écœurait profondément Patsy. Elle attendait d'atteindre ses dix-huit ans le 10 décembre, puis comptait mettre les voiles la journée même.

Soucieuse de parfaire mon éducation, Patsy ajouta une « initiation aux drogues douces » en guise de complément à mon programme scolaire. Je connaissais quelques rudiments sur la question, sans en avoir expérimenté l'usage. Des odeurs qui ne trompaient pas se répandaient parfois dans certains recoins sombres de l'école, comme aux toilettes du gymnase, où l'on m'avait déjà offert un joint. Il était assez facile de se procurer du hasch ou de la marijuana au collège. D'ailleurs, le

Ailleurs

repaire était réputé en ce sens et Tim s'avérait un intermédiaire de premier ordre. Ma copine demeurait intraitable sur un point : pas question de toucher à la cocaïne ni à l'héroïne, deux drogues qu'elle considérait comme hors de prix et destructrices. Par contre, un bon joint relaxait et n'entraînait aucune conséquence fâcheuse. La mari devait d'ailleurs m'aider à m'extérioriser et à surmonter ma timidité. Patsy m'assura que fumer ne représentait aucun danger. Et que, à tout prendre, la cigarette et l'alcool se révélaient plus nocifs pour la santé. Les vieux buvaient, les jeunes fumaient. Mais comme les lois étaient édictées par des vieux, le joint conservait son aspect tabou. L'important consistait à se procurer de la bonne herbe, à un prix raisonnable. Le colombien, très recherché, comportait des effets doux mais corsés. On planait gentiment et tout devenait OK, même Latreille, le directeur.

Nous avions convenu que je découvrirais les bienfaits thérapeutiques du cannabis le soir de l'Halloween. Un méga *party* devait réunir un tas de gens intéressants chez Jean. Et Yan Simmon figurerait fort probablement dans le lot. Cette nouvelle me chavira et m'excita au plus haut point. Fini les scénarios bidons, la réalité promettait de dépasser la fiction. Il me restait à peine quelques jours pour obtenir l'accord de ma mère.

Les journées précédant la fête s'écoulèrent interminablement. Incapable de me concentrer sur les matières scolaires, les protons et les atomes s'infiltraient dans mes théorèmes mathématiques ; c'était l'anarchie. Je devais remettre un travail de poésie dans deux jours et je n'avais encore rien écrit. Pas une seule ligne. Une seule idée m'obsédait : impressionner Yan afin qu'il s'intéresse à moi.

À la maison, Marie remarqua ma fébrilité et l'attribua à cette invitation. Elle n'avait pas complètement tort. Sauf qu'elle ne se doutait pas de l'ampleur de ce qui se jouerait pour moi ce soir-là : un petit ami en perspective et de nouvelles expériences à vivre. J'obtins facilement la permission d'aller à la soirée. Elle m'autorisa à rentrer à deux heures et me donna même de l'argent pour revenir en taxi.

11

Halloween

Patsy devait passer me prendre en voiture vers vingt heures. Marie m'avait confectionné mon déguisement : une robe des années 1920, rappelant l'époque du charleston, en lamé or, avec cinq rangées de franges d'un ton plus soutenu. Coudre les rangs à égale distance et les intercaler, sans nuire au mouvement des franges supérieures, exigeait un grand doigté. Pourtant, il s'agissait d'un talent étranger à ma mère. Je réalisai qu'elle avait dû travailler fort afin de me faire plaisir. Tout son amour pour moi se reflétait dans sa création et j'en fus touchée. C'était bête, mais nous n'arrivions pas à nous le dire avec des mots. Comme si notre capacité à exprimer nos sentiments, rouillée et incapable de reprendre du service, avait été déplacée sur une voie d'évitement. Toutefois, l'amour demeurait toujours présent ; il s'exprimait silencieusement à travers de petits gestes quotidiens.

Pour compléter ma tenue, je chaussai des talons hauts, passai à mon cou deux colliers de perles m'arrivant à la taille, ceignis mon front d'un bandeau puis enfilai un minuscule sac à main en paillettes déniché chez un brocanteur. Je m'avouai sans fausse honte que ce déguisement m'avantageait. La robe m'arrivait à mi-cuisses et les fines bretelles mettaient mes épaules en valeur. Quand Patsy m'aperçut, elle siffla d'admiration. Mon amie se trouvait quant à elle déguisée en vampire.

Étant donné sa taille de mannequin, même vêtue d'un pyjama informe, elle aurait été *sexy*. Une cape noire pouvait paraître moins menaçante et compromettante qu'un jean et un blouson de cuir. Je profitai donc de l'occasion pour présenter Patsy à ma mère.

– Maman, voici Patsy.

– Bonsoir, firent-elles en écho.

– Ton costume est superbe, la complimenta Marie.

– Merci, madame. Une saignée ?

Joignant le geste à la parole, ma copine dévoila deux longs crocs. D'un geste théâtral, elle dissimula le bas de son visage sous sa cape. Ma mère sourit.

– Tu étudies au même collège que Rubby ?

« Et c'est parti pour un interrogatoire en règle ! » me dis-je.

– Oui, même école, même année, mais pas le même foyer. Votre fille est trop « bolée » pour moi.

– Vous avez le temps de boire un café ?

– Impossible, intervins-je, le *party* est déjà commencé. Une autre fois, promis.

Les recommandations et mises en garde d'usage faites, nous quittâmes la maison vers vingt heures quinze. Nous débarquâmes chez Jean à vingt heures trente précises. Ses parents étant absents pour le week-end, la fête promettait d'être grandiose. Une vingtaine d'invités – clowns, ballerines, sorcières – investissaient déjà les lieux. Le déguisement était obligatoire, autrement une équipe de maquilleurs – des armoires à glace recrutées parmi les joueurs de football – se chargeait du rebelle. Patsy me présenta à la ronde. J'admirais et enviais son aisance. Elle connaissait la plupart des gens et me chuchotait un commentaire sur chacun. Entre autres choses, j'appris que Pierre avait couché avec Fanny, pendant qu'il fréquentait Lucie, et que toute l'école le savait, sauf la principale intéressée. Que

Ailleurs

Louisette était une salope de première ! Les intrigues se nouaient et s'étalaient sur la place publique. J'en ressentis stupidement de la gêne pour les protagonistes.

Plus mon amie souriait à une connaissance, moins elle semblait estimer cette personne. Patsy m'avait recommandé de bien l'observer afin de pouvoir repérer les fauteurs de trouble et les éviter. Je trouvais l'ambiance bonne et la musique rythmée. Mais aucune trace de Yan. Patsy se rendit compte de ma déception et me taquina gentiment. Sans lui avoir avoué explicitement mes sentiments, elle connaissait mon emballement pour lui. Elle observait toujours la plus grande discrétion quand elle en parlait. Se connaissant depuis la petite enfance, on aurait presque pu les croire frère et sœur. On observait chez eux les mêmes mimiques, la même façon de s'exprimer et de bouger les mains quand ils parlaient. Une grande tendresse les unissait. J'espérais devenir leur intime à tous les deux – tout en accordant, bien sûr, une place de choix à Yan. Je me souvins que, lorsque je les avais connus à mon cours de rattrapage, je m'étais méprise sur leur relation. Patsy s'était esclaffée quand je lui avais demandé si elle et lui étaient... Cette question l'avait aussitôt renseignée sur les sentiments que j'éprouvais envers Yan. Et, depuis ce temps, elle me donnait régulièrement des nouvelles du beau Yan.

Tim nous demanda de le rejoindre au salon. Confortablement installé par terre sur des coussins, il nous ménagea une place. Patsy se nicha au creux de son épaule et me désigna un coussin à sa droite. Tim entreprit alors de rouler un joint. Il travaillait vite et s'appliquait à récupérer chaque miette de la précieuse herbe. Il alluma le joint, en tira une bouffée et le tendit à Patsy. Nerveuse, je priais pour que les choses se passent bien. Les autres détenaient un avantage considérable sur moi : ils fumaient la cigarette tandis que mes poumons n'avaient jamais réclamé autre chose que de l'oxygène et du monoxyde de carbone. Évidemment, dès que j'aspirai la fumée, j'étouffai net. Assaillie par de violents haut-le-cœur, la poitrine en feu et des larmes plein les yeux, je me sentis virer au pourpre. Patsy alla me chercher un verre d'eau et me tapota le dos. À part quelques légers sourires, personne ne se moqua. Pendant mon agonie, le joint poursuivit sa course en sautant discrètement mon tour. Après coup, je réalisai mon erreur : il m'aurait fallu respirer doucement et graduellement la fumée plutôt que de l'aspirer avec la ferveur d'un pêcheur de perles. Pour quelqu'un qui désirait passer inaperçu, c'était raté.

Afin de me changer les idées, mon amie m'entraîna dans la salle à manger, où l'on avait aménagé une piste de danse. Les pas de danse pratiqués devant mon miroir ces derniers jours s'avérèrent totalement inutiles. Coincée entre Dracula, R2-D2, Popeye et autres, mes mouvements se limitaient à un piétinement sur place. Toutefois, le *party* battait son plein ; la musique était assourdissante et endiablée à souhait.

Comme j'allais me rasseoir – on jouait *Unchained Melody* –, un diable m'intercepta. Je faillis m'évanouir en constatant que Yan Simmon me tenait dans ses bras. Ma surexcitation dégageait probablement un très haut voltage et palliait le fait que je me sentais aussi souple qu'un pylône électrique. Yan me serra doucement contre lui et m'imprima son rythme. Je ne portais plus à terre. Tous mes rêves se concrétisaient à travers cette danse. J'avais la tête vide et le cœur gonflé de bonheur. L'enchantement prit fin sur une note langoureuse. Yan nous fraya un chemin dans la marée humaine et mouvante. Mon émotion était si forte que je vacillais sur mes jambes. Heureusement, Yan me tenait ferme.

Quand Patsy nous aperçut, elle bondit au cou de son copain. Elle me jeta un coup d'œil entendu et je lui retournai un sourire. À son tour, Yan sortit une pochette de cuir contenant de la mari. Il se pencha à mon oreille et murmura :

– Tu m'as manqué, petite fée.

Je crus que mon pauvre cœur allait défaillir. Je souris bêtement en égrenant les perles de mes colliers, incapable d'aligner deux pensées cohérentes. La drogue circula de nouveau. Cette fois-ci, j'espérais bien traverser l'épreuve avec

Ailleurs

brio. Devant Yan, c'était pour moi une question de vie ou de mort. J'avais bien observé les autres et enregistré la technique. Il suffisait de tenir le joint entre le pouce et l'index, avec fermeté. Par contre, une trop grande pression écrasait le filtre et c'est ainsi qu'on pouvait se brûler les babines. En même temps qu'on aspirait la fumée, on laissait entrer un peu d'air. C'était là l'astuce. Le joint en main, j'en tirai une bouffée. La fumée me brûla d'abord la gorge, puis une douce euphorie m'envahit. La tête me tourna légèrement, sans que cela soit désagréable. Extrêmement fière de moi-même, je participai à trois tournées sans m'étouffer. Patsy leva le pouce, en signe de triomphe. Louisette, une admiratrice inconditionnelle du beau Yan, s'approcha de notre groupe. Revêtue d'un déguisement de religieuse, elle susurra quelques mots à l'oreille de mon diable. Patsy intervint prestement :

– Hé ! Où as-tu largué ton curé ? lança-t-elle, ironique.

– Dans les toilettes du premier. Il approfondit ses notions de bio, surtout ce qui concerne l'appareil digestif. (Elle mima quelqu'un qui vomissait.)

– Tu pourrais lui donner un coup de main !

– T'inquiète, c'est un grand garçon.

Louisette semblait vouloir s'incruster, ce qui rendit Patsy furieuse. Je crois qu'elle l'aurait volontiers mordue. Après tout, les vampires et les soutanes ne faisaient habituellement pas bon ménage... « Elle va gâcher ma soirée », pensai-je. Bizarrement, mes raisonnements s'effectuaient au ralenti, comme si je me trouvais abrutie de fatigue. Mes membres s'engourdissaient peu à peu. Si je ne bougeais pas bientôt, je me désintégrerais. Du moins, j'en avais l'impression...

Patsy m'aida à me remettre sur pied et m'entraîna dehors. La soirée était fraîche, le ciel étoilé. Mon cerveau se réactiva ; le grand air lui plaisait. Nos compagnons nous rejoignirent peu après. Ils avaient troqué leur déguisement contre un jeans et un t-shirt.

– J'ai r'filé sœur Sourire à Popeye, lança Tim joyeusement.

Patsy lui donna un baiser retentissant sur le front.

– Qui est partant pour une pizza ? proposa Yan.

Tout en me consultant du regard, Patsy répondit :

– Parfait, on crève de faim !

– C'est parti. Restez là, mes belles, on récupère les bagnoles.

Sur ce, ils traversèrent la pelouse en courant et se volatilisèrent dans la nuit. Au restaurant, notre quatuor mangea avec voracité. Yan régla la note pour la tablée. Il suggéra de me ramener chez nous. Après une brève hésitation, j'acceptai courageusement sa proposition.

Yan stationna sa Ford à quelques rues de l'appartement. Puis il m'embrassa tendrement sur la bouche. Ses lèvres se faisaient à la fois pressantes et gourmandes ou tendres et voluptueuses. Ce tempo s'avéra agréable et douloureux à la fois. Jamais je n'avais connu pareille sensation. Une puissante chaleur se répandit dans mes entrailles en me ravageant délicieusement. Ses mains explorèrent mon corps tandis que je me lovais, pantelante de désir, contre sa poitrine. Des sanglots naissants moururent dans ma gorge tant mon trouble était grand. Sa tendresse me faisait mal. Le temps, l'espace, tout se figea. Seuls Yan, moi et notre désir mutuel existaient. Avec une infinie délicatesse, il me repoussa et plongea son regard dans mon âme.

– Ma petite fée, tu es si belle. Je t'aime... Je te veux toute à moi.

Ses paroles me transpercèrent le cœur, pulvérisant mes dernières défenses. Il m'emmena chez lui, ce qui émoussa quelque peu mon désir. La peur et l'indécision profitèrent du déplacement pour se frayer sournoisement un chemin dans mes pensées. Cependant, dès que Yan m'approcha, ces doutes se désagrégèrent. Mon corps se consumait, ma tête abdiquait. J'étais prisonnière de mes sens et de Yan Simmon. Tout en me

Ailleurs

dévêtant, il me couvrit de baisers. Il me souleva dans ses bras et me déposa sur le lit. La sensation de nos corps nus se pressant l'un contre l'autre m'apparut insoutenable, telle une véritable torture. Ses caresses éveillèrent en moi un désir viscéral. Sa bouche fouilla avidement chaque parcelle de mon corps. Il empoigna mes seins et mordilla leurs bouts. Mon corps se cambra en réponse à cette exquise douleur. Tout mon être quémandait son amour. Je sentis son sexe dur et immense contre mon ventre. Il m'écarta les cuisses et me pénétra. Son membre remua avec de plus en plus d'ardeur et de frénésie. La douleur enfla au rythme de ses coups de reins. Yan déchira ma jeunesse et se répandit en moi.

Cette nuit-là, je rentrai au bercail vers quatre heures, perplexe et rompue. Malgré mon mal, j'en redemandais. Patsy m'avait prévenue que les premières fois pouvaient parfois être éprouvantes, mais que ce léger déplaisir en valait le coup et s'atténuait avec le temps. Je devais lui donner entièrement raison ; les prémices surclassaient tous les scénarios que je m'étais imaginés. Marie avait laissé une lumière allumée. Sitôt la porte franchie, j'enlevai mes souliers afin de ne pas la réveiller. Alors que je me démaquillais, devant ma coiffeuse, la Grande Gueule m'apostropha.

« Vise-moi cette salope ! Elle a forniqué avec Satan. »

– Non ! non ! non ! criai-je à tue-tête, sans plus me soucier de réveiller ma mère, complètement atterrée par cette attaque perverse.

« T'as vu ses fringues ? Une vraie Marie-couche-toi-là ! (Et poursuivant d'un ton moqueur :) Petite fée, je te veux ! »

Écroulée sur mon lit et la tête enfouie sous l'oreiller, je mordis mon poing en pleurant pour ne pas hurler ma détresse. Un gouffre sans fond m'attirait. J'adressai une supplique silencieuse à Paul afin qu'il me sauve. « Grand-père, aide-moi, je t'en prie. Elle me tue. » Elle me punissait d'avoir fait l'amour avec Yan. J'aurais dû le prévoir. Pour atteindre plus efficacement son but, elle attaquait quand j'atteignais un sommet, la chute causant plus de dégâts ! Son assaut dura une longue heure. Vers cinq heures, le sommeil parvint à soutirer une trêve à la G.G.

-12-

L'après-Halloween

Je passais beaucoup de temps chez Yan. Il venait me prendre à l'école après mon dernier cours. Nous fumions souvent et j'étudiais rarement. Mon rendement scolaire s'en ressentit un peu. Ma mère se faisait du mauvais sang pour moi, je le voyais à son air préoccupé. Des cernes soulignaient ses beaux yeux gris. Un soir de novembre, n'y tenant plus, elle m'arrêta à la porte de ma chambre.

– Rubby, tu as une minute ? J'aimerais te parler.

– Bien sûr, laisse-moi juste déposer mes bouquins. Je te rejoins dans la cuisine.

Lorsque j'y entrai, elle préparait du café.

– La secrétaire de monsieur Latreille m'a appelée au restaurant, ce matin.

Elle me tendit une tasse et s'assit avec la sienne, face à moi.

– Madame Sévigny ?

– Oui. Tu aurais manqué deux cours sans autorisation.

Cette remarque, chargée d'inquiétude, ne contenait pas véritablement de reproche.

– Bio et lab. Rien de majeur.

– Et peut-on savoir où tu étais ? (Déjà, le ton semblait moins conciliant.) Ou est-ce trop demander ?

Mes yeux vagabondèrent de son visage à ma tasse. Comme si le liquide brunâtre pouvait détenir la réponse à cette question ! Je décidai de plonger.

– Chez Yan, mon *chum*.

Le beau visage de Marie prit la teinte de ses yeux. Elle porta la tasse à ses lèvres puis se ravisa. Ses mains tremblaient imperceptiblement.

– Yan comment ? fit-elle avec un filet de voix.

– Simmon, Yan Simmon.

Aucun éclat, aucune réprimande. Marie encaissa le choc avec cran. Un observateur moins bien renseigné que moi l'aurait jugée totalement indifférente. Mais je savais qu'il en était tout autrement. Mon intention n'avait jamais été de lui annoncer cette nouvelle aussi brutalement, sans pouvoir nuancer ni atténuer l'impact de cette révélation. Pour une mère, ce genre de situation s'acceptait difficilement. Surtout si elle entrevoyait qu'un décrochage scolaire potentiel pouvait en résulter. Je me fis le plus rassurante possible. Je m'en voulais de devenir une source d'angoisse pour ma mère.

Depuis ce jour où j'avais croisé Yan chez La Baie, toute ma vie semblait se dérouler à une vitesse vertigineuse. Ainsi, je prenais maintenant la pilule. L'infirmière de Sophie-Barat m'avait assuré la plus grande discrétion. Je m'étais résolue à entreprendre cette démarche à la suite d'une recommandation de Patsy. Dieu la bénisse ! Parfois, le soir, seule avec mes pensées et l'autre, je croyais perdre le contrôle. La G.G. ne me ménageait pas :

« Secret professionnel, mon cul ! Tu y crois, conasse ? Allume, elle t'a enregistrée dans son livre de rendez-vous. »

Cette foutue voix parvenait à me faire douter.

« T'as peur qu'elle le dise à maman ! Tu réponds pas ? Pucky chéri a bouffé ta langue ? »

Ailleurs

– T'es vraiment dégueulasse.

Répandant ses toxines dans tout mon organisme, elle devenait insupportable.

« T'es vraiment dé-gueu-lasse », scandait-elle.

– Ta gueule !

« Dé-gueu-lasse, dé-gueu-lasse, dé-gueu-lasse... »

Je promis à Marie de ne plus sécher de cours. Elle m'accorda la permission d'aller chez Yan à condition que je la prévienne. Elle voulut également faire sa connaissance au plus tôt. On planifia donc un souper en bonne et due forme pour le début de décembre. Ma mère angoissa et me consulta au moins une dizaine de fois quant au menu : veau avec pâtes ? poisson et riz ? peut-être de l'italien ? Finalement, elle réagissait bien ; cela calma ma conscience.

De mon côté, je tentai d'en apprendre davantage au sujet du garçon que je fréquentais, mon équilibre en dépendait – trop de zones d'ombre obscurcissaient sa vie. Mes priorités avaient effectué un tête-à-queue digne des meilleures cascades. Je frisais l'obsession : je pensais à Yan, je vivais pour Yan, j'envisageais mon avenir en fonction de Yan. C'était insensé mais je n'y pouvais rien. Je comprenais maintenant pleinement le sens des termes « coup de foudre » : sentiment amoureux débilitant, renversant et combien merveilleux.

Mon *chum* habitait place Meilleur, un coin tranquille situé dans un cul-de-sac. Son appartement était tel un nid douillet où je me sentais bien. Ce quatre pièces et demie comprenait deux chambres à coucher, un salon et une grande cuisine. Un cinéma maison trônait dans le salon. La couleur du mobilier de cuisine et de la chambre à coucher, en bois de rose, cadrait bien avec son tempérament de feu. Les lignes étaient pures, sans fioritures. Aucune plante. Un seul cadre. Un grand laminé de Charlie Chaplin, fleurs à la main et se languissant de sa bien-aimée, accueillait les gens dans le vestibule. Cette image me plaisait. Yan me disait qu'il se sentait pareil à Charlot en mon absence.

La seconde chambre servait de mini-entrepôt ; des boîtes traînaient un peu partout. Yan connaissait un certain Frank qui travaillait chez Sears à l'expédition. Il récupérait des articles de luxe – télé, radio, vidéo – et les refilait à Yan. Ensuite, il lui envoyait des clients triés sur le volet et ils partageaient les bénéfices soixante/quarante. Frank prenait davantage de risques, il s'octroyait donc la plus grande part du magot. Il volait de petites quantités à la fois et espaçait prudemment ses coups. Frank et Yan faisaient preuve d'une patience exemplaire ; ils grignotaient leur fromage tranquillement. Yan ne se percevait pas comme un voleur. Il se plaisait à dire qu'il nivelait les richesses terrestres : un peu moins pour Sears et un peu plus pour lui. Yan ne cherchait pas à s'attaquer aux individus. Il ne lésait personne et ne faisait de mal à quiconque. D'après lui, il rendait même service aux acheteurs en ne réclamant pas les taxes...

Cette activité ne constituait qu'un à-côté. Yan travaillait quatre nuits par semaine dans une manufacture ayant pignon sur la rue Saint-Laurent. Responsable de l'entretien, il aimait beaucoup son emploi car il n'avait pas de comptes à rendre à un supérieur immédiat. Il accomplissait ses tâches à son rythme et de manière autonome. Il s'agissait d'un boulot relativement bien payé, peu exigeant et peinard.

Honnêtement, en mon âme et conscience, je réprouvais son mode de vie. Cependant, je m'efforçais de respecter son choix. J'espérais que, à mon contact et grâce à mon amour, il se rangerait. Aujourd'hui, je réalise à quel point ce garçon m'obnubilait. Mais à l'époque, ma jeunesse et ma très grande naïveté faisaient de moi un être fortement influençable.

Le jour fatidique du souper approchait. Auprès de Yan, j'insistais sur la nécessité de faire bonne impression. Je l'aimais tellement ; j'aurais voulu que la terre entière partage mon bonheur et mon admiration. Surtout Marie et Pierre. Je tenais à tout prix à les rassurer. À l'orée de mes dix-sept ans, je souhaitais leur prouver ma maturité et les forcer à reconnaître que je pouvais désormais prendre mes propres décisions concernant ma vie amoureuse.

Ailleurs

Cette idée de souper ne réjouissait pas Yan. Les faux-semblants et les chichis lui déplaisaient. Je réussis finalement à le gagner à force de persuasion.

– J'y vais pour toi, petite fée, parce que je t'aime.

– Tu es un amour ! Je jure que tu ne le regretteras pas.

J'allai vers lui et l'embrassai avec fougue.

– N'essaie pas de m'acheter, je résisterai jusqu'à ma mort, dit-il en faisant mine de me repousser, les yeux au ciel.

– Tu crois ça ? fis-je en lui caressant l'entrejambe.

Je sentis sa résistance vaciller et son jeans rapetisser. Quel pouvoir hallucinant que celui des sens ! Yan parvenait désormais à me transporter vers des sommets d'extase lorsque nous faisions l'amour. Ses mains se transformaient en catalyseur de jouissance. C'était époustouflant. On aurait dit que je développais une dépendance à ses mains et à sa bouche...

Le samedi 3 décembre, ma mère dressa la table avec le service hérité de grand-mère – Lucie l'utilisait uniquement pour les grandes occasions. Cette attention me toucha.

J'espérais ardemment que Yan répondrait aux attentes de ma mère. Pierre arriva vers dix-sept heures trente, une demi-heure en avance. Il nous complimenta sur nos tenues. Le même feu brûlait toujours dans les yeux de Marie à la vue de son amant. C'était beau et encourageant. Yan se présenta vingt minutes plus tard. Il portait un pantalon de velours côtelé et un col roulé noir. Un tricot rouge, sans manches, mettait en valeur sa musculature. À mon étonnement et à ma plus grande joie, il offrit à ma mère une bouteille de vin et des fleurs. Cette initiative lui remporta la faveur de ma mère et de Pierre, qui sembla aussi apprécier cette attention.

La soirée se déroula dans la bonne humeur et la détente. Le souper – salade césar, paupiettes de veau, gratin dauphinois et mousse au chocolat – s'avéra digne d'un roi. Tout le monde lui fit honneur, ce qui ravit Marie. Le repas fut bien arrosé sans être inondé. Yan prit congé vers vingt-deux heures, après avoir longuement remercié son hôtesse. Il m'embrassa « convenablement » et rentra chez lui. Aussitôt que sa Ford eut tourné le coin de la rue, les commentaires fusèrent.

– Ouais ! Beau bonhomme, et sympathique en plus de ça, lança Pierre en me faisant un clin d'œil. Et toi, qu'en penses-tu ?

Il s'avança vers Marie et encercla sa taille.

– À voir l'étincelle dans tes yeux, j'ai l'impression d'avoir de la concurrence, pas vrai ?

– Hum ! fit Marie, rêveuse. Si j'avais quinze ans de moins, monsieur Major, vous vous retrouveriez au tapis.

– Tu es témoin, Rubby, dit Pierre en se tournant vers moi, l'air faussement abattu. À peine neuf mois d'amour et la voilà déjà prête à m'échanger contre une nouvelle paire de chaussettes. Ingrate ! souffla-t-il à l'oreille de ma mère.

– C'est la vie, commentai-je, défaitiste.

Nous éclatâmes de rire. À la façon dont ils me taquinaient à son sujet, j'en déduisis que Yan leur plaisait. Cela me rendit folle de joie.

Le vendredi suivant, à minuit précis – heure symbolique –, nous montions la garde chez Patsy. Elle tenait à quitter son foyer exactement au moment où elle franchirait le cap de sa majorité. Lorsque nous arrivâmes, Tim, Yan et moi, Patsy nous attendait dans le hall d'entrée. Elle se tenait très droite, deux sacs à poubelle à ses pieds. On aurait dit deux vieux crapauds gonflés à bloc. Dix-huit ans de souvenirs entassés dans ces baluchons : neuf ans par crapaud. Malgré son sourire et son port de tête guerrier, on décelait un brin de tristesse sur son visage. Tourner le dos à son passé, sans jeter un regard en arrière, exigeait beaucoup de courage et de force. On fêta une bonne partie de la nuit chez Tim, le nouveau foyer de Patsy. D'autres copains se joignirent à nous.

Ailleurs

Patsy ayant quitté le collège pour des motifs de « cruauté mentale », comme elle se plaisait à le dire, je me sentais bien seule. Je me levais tôt pour étudier et, tous mes moments libres, je les passais à la bibliothèque pour éviter d'apporter du travail à la maison. Ainsi, je libérais mes soirées et je pouvais voir Yan. Nous fumions beaucoup ; je possédais même des réserves personnelles. Quand la Grande Gueule se faisait trop envahissante, je consommais un peu plus. La mari ne la perturbait pas vraiment, par contre ça me rendait tolérante, un rien bravache. Je devenais *cool* et, par le fait même, son emprise diminuait. Un soir où je me prélassais devant la télévision, mon tortionnaire dégaina. Heureusement, Marie travaillait.

« Eh ! pouffiasse, ça gaze au collège ? Ta pute-vampire s'est tirée ! »

– Fous-moi la paix ! Tu m'auras pas.

J'allai récupérer vite fait un joint dissimulé sous ma table de chevet.

– Regarde un peu ce que j'ai là !

« Conasse, t'as intérêt à écraser. »

– T'as peur, Grande Gueule !

Je jouis de plaisir en allumant mon joint ; il me garantissait une miniemprise sur la Grande Gueule.

« Un cancer ! Tu vas choper un cancer ! »

– T'as peur de crever, Grande Gueule ? Va au diable !

Je demeurai totalement concentrée sur mon « opération de délivrance ».

« T'es qu'une merde paumée ! » conclut-elle.

Le temps des fêtes approchait et l'absence de mes grands-parents me pesait. Dans mes bons moments, je les imaginais circulant, main dans la main, dans des paysages féeriques. Là-haut, ils s'étaient sûrement fait plein d'amis et se préparaient à fêter Noël en amoureux. Mais, ici-bas, le réveillon ne serait plus jamais le même. Heureusement, il me restait Yan, Marie et Patsy.

L'achat de cadeaux consomma toutes mes économies. Pour Marie, j'avais dégotté une très belle paire de boucles d'oreilles dans un marché aux puces. De fines chaînes retenaient à l'attache des demi-cercles en or dix carats où se balançait un chérubin assis sur un cerceau représentant la lune. Pour Pierre, je n'avais rien trouvé de mieux qu'une cravate, dans des tons de bourgogne. Patsy appréciait beaucoup les parures. Je comptais lui offrir un bracelet en argent constitué de maillons en forme de losanges et de minuscules pierres incrustées dans chaque pointe de losange. Au soleil, le bijou lançait des flammèches : ça lui donnait un attrait supplémentaire. Enfin, pour mon amoureux, mon choix s'était arrêté sur une montre sport numérique, affichant mille et une fonctions.

Mon programme du temps des fêtes s'organisa en tenant compte de ma mère et de Yan. Je ne voulais brimer ni blesser personne. Je prévoyais passer le réveillon avec mes amis et le souper de Noël en famille. Pierre devait nous recevoir chez lui et nous présenter ses enfants : François, vingt-trois ans, et Alice, vingt-cinq ans. Ma mère tenait à ce que nous dînions seules toutes les deux le jour de Noël. Mes sentiments frôlaient à la fois la fébrilité et la peur. Depuis que j'avais introduit Yan dans la famille, Marie m'abordait différemment. Je me sentais sur un pied d'égalité, comme si j'avais rattrapé les quinze centimètres qui me faisaient tant défaut. Nos conversations englobaient un éventail beaucoup plus vaste de sujets. Bien sûr, les études figuraient toujours au centre de nos échanges ; cependant, nous abordions aussi de nouveaux thèmes tels que l'amour, le travail et la famille. Ces idées et ces mots s'immisçaient graduellement dans notre quotidien. Les présences respectives de Pierre et de Yan dans nos vies nous éloignaient physiquement, mais elles nous rapprochaient psychologiquement.

Ailleurs

Le collège ferma ses portes du 22 décembre au 4 janvier. Ma bonne moyenne me permettrait de m'inscrire au cégep en février. J'éprouvais beaucoup de satisfaction envers moi-même et je me sentais libre de profiter de mes vacances puisque tous mes travaux pratiques étaient terminés. L'absence de mes amis à l'école comportait un bon côté : je travaillais plus. J'avais aussi accès à une bonne matière première : la bibliothèque et monsieur Sirois, le sympathique bibliothécaire. Celui-ci adorait son travail et il m'apportait une aide précieuse dans mes recherches ; il ne comptait jamais ses heures. Monsieur Sirois me rappelait madame Legendre et mon grand-père. D'ailleurs, son timbre de voix ressemblait à celui de Paul : bas et chantant. Je crois qu'il m'affectionnait – c'était réciproque. Je regrettais presque de ne pas avoir fréquenté ce lieu plus tôt. Mais c'était grâce au repaire que j'avais rencontré Patsy et sa bande...

Le 24 décembre, Yan passa me prendre vers vingt heures trente. Frank recevait des gens et nous étions invités. L'idée ne me plaisait pas tellement. Pour apaiser mes réticences, Yan me promit d'écourter notre visite. Son ami « l'expéditionniste » habitait une maison fort luxueuse, bien plus que ne pouvait se le permettre un manutentionnaire employé chez Sears. Beaucoup de gens investissaient déjà les lieux à notre arrivée. Je ne connaissais absolument personne et je ne me sentais pas à ma place. De plus, pour mal faire, Yan s'éclipsa avec son complice pendant une grosse heure. Un type m'accosta gentiment et m'offrit une ligne de coke. En raison du fait que Yan et moi avions partagé un joint et bu une bière avant de partir, mes réflexes se révélaient un peu plus lents. Je refusai son offre apparemment sans grande conviction, puisqu'il insista. À mon second refus, il sembla saisir le message. Mon *chum* arriva sur ces entrefaites en s'excusant.

– Désolé, petite fée, Frank me faisait une proposition du tonnerre. Tu m'en veux beaucoup ?

Trop imbécile pour lui dire le fond de ma pensée, je le rassurai :

– Non, non, on s'est bien occupé de moi.

Ce qui, à mon sens, sonna totalement faux. Avec Yan, il m'arrivait souvent de répondre « à côté de la plaque ». Puisque je craignais de lui déplaire et de le blesser, je lui servais la réponse qu'il désirait entendre. À force d'agir ainsi, j'effaçais une partie de moi. Une telle accumulation de concessions apparemment anodines créerait tôt ou tard un monstre.

Vers vingt-trois heures, on prit congé et l'on rejoignit Patsy et Tim. On profita de cette intimité pour développer les cadeaux. Mes amis m'offrirent une bourse-portefeuille en cuir qui se portait à la taille, très pratique pour mes sorties et mes balades avec Sporty. Yan me donna une bague en or marquée d'une croix égyptienne. J'affectionnais particulièrement ce symbole – je me représentais mentalement les grands prêtres transmettant ce sceau à travers les âges. À mes yeux, il symbolisait l'amour et la sagesse. Ne sachant quoi offrir à Tim, j'avais contribué avec Patsy à lui acheter un chandail de laine. De son côté, elle adora le bracelet que je lui offris et l'attacha immédiatement à son poignet. Yan parut ravi de sa montre ; il la passa à son bras avant de m'embrasser. À voir mes amis aussi heureux, j'eus du mal à contenir mes larmes.

Passé minuit, nous rejoignîmes des copains chez Jean, qui savait organiser des *partys* fort courus. La nuit s'écoula dans l'euphorie. L'aube nous surprit et me rappela à l'ordre : je devais honorer un dîner important.

Le bruit que faisait Marie en s'affairant dans la cuisine me tira de mon sommeil. Mes neurones mirent quelques secondes à s'activer. Je me dirigeai en trombe vers la douche et saluai ma mère au passage. Lorsque je la rejoignis, elle achevait les préparatifs. Une belle table pour deux trônait fièrement au milieu de la pièce. Des fruits, des fromages, du pain, des pâtés et des viandes froides s'y amoncelaient. Les couleurs, les formes et les odeurs, tout contribuait à faire monter l'eau à la bouche.

– Magnifique ! Tu es une vraie magicienne.

Ailleurs

Me remerciant d'un sourire heureux, elle me tendit un mimosa – savoureux mélange de champagne et de jus d'orange – et porta un toast.

– À nous deux et à nos amours !

– À nous deux et à nos amours ! répétai-je mécaniquement, surprise, en faisant doucement tinter ma coupe contre la sienne.

Jamais je n'aurais cru entendre ces mots dans la bouche de Marie. Ils m'émurent profondément et j'éprouvai un puissant élan d'amour pour elle. La gêne ou l'idiotie, ou les deux, m'empêchèrent de me lever pour l'embrasser. J'engloutis un petit pain pour voiler mon embarras. Marie me sourit et m'encouragea à manger. Remarquant ma confusion, elle s'efforçait de m'y soustraire. Elle choisit ce moment pour me donner mon cadeau : un magnifique Mont-Blanc. Je demeurais pétrifiée ; ce stylo valait une fortune et signifiait probablement que ma mère s'était privée pendant des lunes pour m'offrir ce précieux objet.

– Tu écriras tes mémoires, il est garanti à vie, lança-t-elle timidement.

Je me levai, la serrai dans mes bras et lui remis son cadeau : des boucles d'oreilles. Son visage s'éclaira lorsqu'elle ouvrit la boîte. Elle caressa pensivement les boucles où se balançaient des chérubins, se leva à son tour et m'embrassa tendrement sur le front. Cette journée de Noël fut une des plus belles de ma vie. Entourée d'autant d'amour, je ressentais distinctement la présence de mes grands-parents. Comme si Marie lisait dans mes pensées, elle murmura :

– Je pense que Paul et Lucie ne sont pas tellement loin. Sens-tu leur présence ?

– Pour sûr, dis-je, la gorge nouée.

Marie proposa un second toast :

– À Lucie et Paul ! Vous nous manquez...

– À Lucie et Paul, mes amours.

Je vidai ma coupe d'un seul trait. La tête me tourna légèrement. Marie suivit aussitôt mon exemple. Elle se servit du foie gras et en tartina un croûton de pain.

– D'après toi, qu'aurait dit ton grand-père en nous voyant manger de la sorte ? s'enquit-elle d'un ton sérieux.

Je souris et nous récitâmes en chœur :

– La gourmandise est un amour déréglé du boire et du manger qui rend l'homme semblable à la bête et souvent le fait mourir !

L'usage dictait que ce sermon soit débité d'un seul souffle.

Marie s'esclaffa et faillit s'étrangler. Pour ma part, je me tordis de rire. Ces bons souvenirs étaient comme le repas : unificateur et chargé d'émotion.

La G.G. ne rata pas une pareille aubaine !

« Écrire ses mémoires... Pfff ! Faut d'abord en avoir une, une foutue mémoire, conasse ! »

J'hésitai à allumer un joint. Ma mère venait tout juste de se coucher, l'odeur l'alerterait. Je sautai sur mon baladeur et mis le volume dans le tapis.

« À nos amours ! Faut pas réveiller les morts, petite fée. C'est pas recommandé. »

– Ferme-la !

« En passant, conasse, ton cadeau pour Marie, c'était à chier ! Une vraie merde ! »

À quoi bon discuter ? Ce que je disais ou faisais lui importait peu. Elle poursuivit donc son monologue d'injures.

Pierre habitait une fort jolie maison unifamiliale, située près du boulevard Gouin, quelques rues à l'ouest de l'Acadie. Sa taille était modeste, comparativement à certains domaines

Ailleurs

du coin. Pierre nous accueillit entouré de sa fille Alice, de son petit-fils Sam, de son gendre Louis et de son fils François. Tout ce beau monde me parut fort sympathique. Tandis que Pierre préparait les apéros, François nous fit faire le tour du propriétaire. La demeure, plus vaste qu'elle n'y paraissait de l'extérieur, offrait des pièces joliment aménagées et décorées avec goût. La cuisine, la salle à manger et le salon étaient à aire ouverte. Un puits de lumière, situé au salon, éclairait cet espace dégagé. Au soleil couchant, la couleur orange brûlé des murs parut s'enflammer.

Très solennel, Pierre se leva et porta un toast à la ronde. Les coupes s'entrechoquèrent à la santé de tous. L'atmosphère demeura détendue et les conversations allèrent bon train. J'appris que François et Louis, informaticiens de profession, travaillaient chez Burroughs. Alice profitait quant à elle d'un temps d'arrêt pour élever son fils. Elle souhaitait obtenir son diplôme de comptable agréé dans un avenir rapproché. Assis aux côtés de François, Yan entretint une discussion passionnée sur les jeux vidéo.

Noël tirait à sa fin et ce premier contact avec ma famille élargie était de bon augure. Mon amoureux m'avoua qu'il trouvait ma famille sympathique. Comble de bonheur, mes deux amours s'entendaient bien. L'avenir annonçait des jours heureux et harmonieux.

Le déclin

L'école reprit et mit fin aux festivités. Je fumais beaucoup et cette habitude commençait à m'inquiéter. Parfois, au beau milieu d'un cours, l'envie d'un joint me prenait. Rien d'alarmant, mais ces pensées fugaces se renouvelaient souvent. De son côté, la Grande Gueule se faisait plus présente. Un jour, je voulus aborder le sujet avec Yan. À la dernière minute, le courage me manqua. « Que pensera-t-il de moi ? Que je suis une folle tout juste bonne à plaquer ! » Son amour m'était trop précieux pour risquer le coup. Je ne survivrais pas à notre rupture. Gardant donc mon secret, je continuais de lutter seule contre ce mal qui me grugeait l'âme. Sans m'en douter, je précipitais ma perte en fumant de l'herbe – n'importe quel psy confirmerait que les drogues accélèrent le processus psychotique. Naïvement, je cherchais des munitions contre la Grande Gueule.

Le 4 février, date anniversaire de la mort de Paul, les spectres de mes grands-parents se profilèrent à l'horizon. Malgré mon récent bonheur et mes bonnes notes, je sentais sourdre un malaise en moi. Ma joie dissimulait en fait un fond de chagrin indéfinissable. J'évitais les lieux surpeuplés ; les gens m'y semblaient suspects et dangereux. Par exemple, un jour, au centre commercial, je connus un moment de panique inexplicable. J'ignore ce qui provoqua cette sensation, cette tension au niveau des tempes et du cœur. Subitement, sans raison apparente, je sentis une menace planer sur moi. Mon pouls s'accéléra, mes mains devinrent moites et j'eus la désagréable sensation de manquer d'air. Le monde m'apparut hostile, trop pressé. Même à l'extérieur du complexe, ce sentiment continua de me pourchasser. Avec le temps, il s'atténua, mais sa présence ne disparut pas complètement. D'autres épisodes semblables surviendraient ainsi, sporadiquement, dans ma vie.

Les attaques répétées de la G.G. me portaient à me montrer plus souvent tendue et irritable envers les gens de mon entourage. Par chance, ma mère et Pierre sortaient beaucoup. Cela m'évitait de tenir compagnie à Marie et de devoir lui dissimuler mon trouble. Au collège, je ressentais la même gêne qui m'oppressait dans les endroits publics : je trouvais que certains élèves me regardaient avec un peu trop d'insistance. Ce manège, que je ne remarquais pas auparavant, m'apparaissait maintenant évident. Lorsque je me rendais à la bibliothèque, quelqu'un s'assoyait immanquablement en face de moi. Rarement le même individu. Ce qui me troublait encore davantage. Je me demandais combien d'individus me pourchassaient !

Ces pensées absurdes possédaient une vie propre et je ne détenais aucune espèce d'emprise sur elles. Elles surgissaient de nulle part et se développaient. Mon désarroi augmenta. Je tentais de dissimuler mon trouble de mon mieux. Je sortais peu et mon baladeur restait collé à mes flancs. Je priais Paul de m'aider à démêler cet écheveau. Seule, j'avais peine à m'y retrouver. Cette situation existait-elle réellement ou s'agissait-il uniquement du fruit de mon imagination ? Était-ce le fait de fumer de l'herbe qui engendrait ce genre de monstre, cette paranoïa ? La Grande Gueule y était-elle pour quelque chose ? Je ne savais plus...

Pour commémorer la mort de Paul, je choisis de me rendre à l'oratoire Saint-Joseph. J'y trouvais toujours un bienheureux réconfort et, par les temps qui couraient, j'en ressentais véritablement le besoin. Mon grand-père avait adoré ce lieu et ma grand-mère et moi l'y avions accompagné à quelques reprises dans mon enfance. De mon côté, je ne me considérais pas tellement pratiquante. Paul avait quant à lui profondément admiré le frère André, ce petit bout d'homme acariâtre. Il le surnommait affectueusement sa mère Teresa en soutane.

– Tu vois ces béquilles ? C'est le frère André qui a guéri tous ces gens malades.

– Je peux toucher, papy ?

Paul m'avait alors soulevée dans ses bras pour me rapprocher des reliques.

– Celles-ci, avait-il dit en désignant d'autres béquilles plus petites, appartenaient sûrement à un enfant.

Il avait regardé ma grand-mère, cherchant son appui.

– Il guérit les enfants, le frère Teresa ?

Paul et Lucie avaient échangé un sourire tout en m'incitant à baisser le ton.

– Bien sûr, il guérissait les enfants. Il a même soigné mon petit frère Bobby.

À ces paroles, son regard s'était fait lointain.

– Elles sont où, ses béquilles, à Bobby ?

Et j'avais poursuivi sur ma lancée, incapable de me rassasier. Les lampions, telles des sentinelles, éclairaient la sépulture du saint homme, spectacle qui m'avait beaucoup impressionnée. Les flammes dansaient, soudées à leur vase, et semblaient se chuchoter des secrets. Elles projetaient leur lumière sur les murs, créant des ombres chinoises menaçantes.

À seize ans, l'Oratoire et ses sanctuaires me fascinaient toujours autant. Ce lieu m'inspirait un profond respect et conservait une aura de magie, empreinte de mystère. Je me recueillis sur le tombeau du frère André, laissant les images de mon enfance envahir ma mémoire. Je me sentis à l'abri et protégée sur ce territoire sacré où la Grande Gueule, je l'espérais, ne pouvait s'aventurer. Avant de partir, j'allumai trois lampions : un pour Paul, un pour Lucie et le troisième pour ma sauvegarde.

Ma prière fut entendue et, comme un murmure de l'âme, une voix me souffla : « Ne t'inquiète pas, je suis là. » Ces paroles rassurantes jaillissaient du néant. Dans mon énervement, je m'écriai à voix haute :

– C'est pas possible ! Combien êtes-vous ?

Une femme entre deux âges, toute de noir vêtue, me jeta un bref coup d'œil, mélange d'étonnement et de crainte. Même si le message se voulait réconfortant, je demeurais pétrifiée. « C'est pas vrai, c'est sûrement mon imagination. Je suis trop fatiguée. Il faudrait que j'arrête de déconner. Plus de mari, promis ! » J'imaginais un chœur d'hommes, de femmes et d'enfants sans visage. Une armada de voix prêtes à m'attaquer de tout bord et de tout côté. Je délirais ! La Grande Gueule avait-elle de la compagnie ou me jouait-elle un mauvais tour ? Je sortis précipitamment de l'Oratoire. Le bruit de la circulation sur Côte-des-Neiges m'assaillit, telle la bande sonore tirée d'un film de science-fiction.

Rapidement, je me souvins de Puck. Je l'avais rencontré sur un terrain vague, alors que je m'approchais d'une affiche endommagée qui avait attiré mon attention. Le chaton, tout tremblant, se dissimulait, recroquevillé sous le panneau. Un ange ornait le coin supérieur gauche de l'écriteau et l'on pouvait y lire : Dana saura vous proté... Le reste de la publicité avait disparu. Puck n'avait pas encore été sevré et j'avais dû le nourrir au biberon. Il l'avait échappé belle. Dans mon for intérieur, je m'étais toujours imaginé que « Dana » avait sauvé Puck. Convaincue qu'elle représentait une espèce d'ange protecteur qui saurait me préserver des attaques de la G.G., je nommai instinctivement cette nouvelle voix Dana.

Malgré ma confusion grandissante, des passages ensoleillés et des percées de bonheur pouvaient encore surgir de cette grisaille !

Mes seize ans atteignaient leur phase terminale et Yan envisageait de les enterrer en grande pompe à Québec. Je ne voulais pas lui déplaire en refusant sa proposition, lui qui se faisait une telle joie de me piloter à travers cette ville qu'il affectionnait particulièrement. Marie donna son aval au projet. J'espérais que tout irait bien, que je ne succomberais à aucune attaque de panique. Entourée de mes copains, je m'apprêtais à endosser ce risque. Il était convenu que nous partions le vendredi en fin d'après-midi et devions revenir dans la soirée du dimanche. Le carnaval atteindrait son apogée le jour de ma fête.

Patsy et Tim nous accompagnèrent et partagèrent les frais de covoiturage. Notre petit groupe quitta Montréal à dix-sept heures et le pont de Québec se profila à l'horizon à dix-neuf heures vingt exactement. Il s'agissait de ma première visite à la Vieille Capitale. Le site du Parlement, du château Frontenac et des plaines d'Abraham valaient le déplacement.

Le cégep Limoilou accueillait les visiteurs et des sacs de couchage et des couvertures occupaient le moindre millimètre disponible. Des centaines de jeunes venaient s'y réchauffer et s'y entasser pour la nuit.

Le plus gros des festivités se déroulait dans la Haute-Ville, près des plaines. En cette soirée de février, on affronta le froid intense. L'air sec rendait le temps plus supportable. Pour se réchauffer, on courut dans les rues, main dans la main, en formant une minichaîne humaine. Au fil de notre ascension vers les plaines, de nombreux maillons s'ajoutèrent. Un type du nom d'Arthur, deux mains derrière Patsy, entonna des chansons à répondre : *V'là le bon vent, L'arbre est dans ses feuilles...*

À bout de souffle, je criai à Yan :

– Je suis crevée. Stoppe les machines.

Il se tourna vers moi, me souleva et me fit tournoyer dans les airs. Il me déposa sur un banc de neige et m'embrassa longuement. En nous voyant, les badauds applaudirent et sifflèrent bruyamment. Je me sentais épuisée, gelée et au paradis. Tim suggéra de rejoindre un groupe de jeunes qui discutaient autour d'un feu.

– On peut se réchauffer ? s'enquit Yan.

– Pas de problème, répondit un grand rouquin.

Ils resserrèrent les rangs pour nous permettre de nous approcher des flammes. Patsy sortit son paquet de cigarettes et en offrit à la ronde. Seul le rouquin en prit une. À la façon dont il la lorgnait, on comprenait qu'elle lui plaisait. Tim se rapprocha de sa blonde pour signifier au prédateur que la place était déjà prise.

Plus tard, tandis que nous nous dirigions vers le cégep, j'entendis Tim sermonner Patsy :

– Tu parles d'un monsieur-je-veux-tout-savoir. Pas question qu'il pose de nouveau les yeux sur toi, la carotte.

– T'énerve pas, mon amour, le calma Patsy. Y a que toi qui m'intéresses, tu sais bien.

Cela me surprit ; je ne croyais pas Tim aussi possessif. Je ne savais pas si je devais admirer ou craindre, pour ma copine, ce trait de caractère... En route, je remarquai que Tim la serrait d'un peu trop près. Patsy devait se plier à la cadence qu'il lui imposait.

Vers une heure du matin, on dénicha un coin pour dormir. On sommeilla quelques heures avant que l'aube ne se pointe. Le samedi, après s'être rafraîchis avec les moyens du bord, on partit en quête d'un endroit où dîner. À peine la porte d'entrée franchie, on tomba sur Nick – le rouquin. Il s'invita à nous accompagner en cherchant à gagner la sympathie de Yan.

Tim ne quitta pas Patsy d'une semelle. De son côté, Nick parla exclusivement à Yan. L'animosité qu'il suscitait ne semblait guère le préoccuper. Il devait être soit inconscient, soit suicidaire. Son petit jeu jeta une ombre sur notre week-end, mais Yan ne s'en rendit pas compte. Nick maintenait ses distances par rapport à Tim, et l'atmosphère se détendit et la gaieté revint au milieu de l'après-midi. Après le défilé de nuit, on se rendit chez l'ami de Nick sans avoir réellement réfléchi à la suite du programme.

Ailleurs

L'appartement se situait au dernier étage d'un entrepôt désaffecté. Des vitres couvraient toute sa devanture. La fragilité du verre fumé contrastait avec la robustesse des poutres d'acier. Celles-ci se trouvaient dispersées à des endroits stratégiques de l'immeuble et transperçaient le loft, telles des échardes monstrueuses. L'effet était assez troublant.

Assis côte à côte sur mon sac de couchage, Yan et moi, fumions tout en discutant avec un autre couple. Soudainement, nous aperçûmes Tim projeter Nick contre le mur. Celui-ci riposta en lui assenant un coup de poing au visage. Tim fonça tête baissée sur son rival. Une échauffourée s'ensuivit. Aidé d'autres invités, Yan parvint à séparer les belligérants. Nul besoin de préciser qu'à la suite de cette escarmouche, on nous pria poliment de quitter les lieux.

– Bravo, lança Yan, furieux, à l'adresse de Tim. C'est réussi. On se les gèle. T'as une idée pour la suite ?

– On retourne au cégep, c'était pas si mal, répondit Tim, penaud.

– Pourquoi on retournerait pas à Montréal ? suggéra Patsy. La fête est finie, et y a pas un chat sur l'autoroute à cette heure-ci.

– C'est pas bête, appuya Tim.

– Je préférerais encore prendre la route, plutôt que de retourner au collège, fis-je en bâillant.

– OK, voté à l'unanimité. On se tire d'ici, conclut Yan.

Sur le chemin du retour, Tim appuya la tête sur les cuisses de sa blonde. Déjà, son œil enflait et prenait une teinte bleutée. Patsy arborait un air las et triste.

Depuis quelques semaines, mes affrontements avec la Grande Gueule prenaient une ampleur démesurée. Ses assauts quotidiens étaient sans merci.

« C'est sa faute ! Tout juste bonne à foutre la pagaille, beugla-t-elle un jour. T'as vu à Québec ? Trop conasse pour prévenir Yan. »

– Tais-toi ! Fiche-moi la paix ! sifflai-je en pressant mes mains sur mes oreilles.

« Poufiasse, t'as foutu Tim dans la merde ! »

– C'est faux, je pouvais rien faire.

« Pauvre petite fée, l'idiote du quartier. Une simple chenille l'empêche d'avancer », se moqua l'autre méchamment.

– Ça suffit, la Grande Gueule ! Ferme-la !

Je criai ces mots la rage au cœur. De quel droit se permettait-elle de me détruire ainsi ? Pourquoi s'attaquait-elle à moi ? Son venin se répandait dans ma vie en doses massives, m'incitant à m'isoler de plus en plus. À la maison, j'évitais Marie comme la peste. Quand elle rentrait du travail, nous causions quelques minutes et ensuite je me barricadais dans ma chambre. Yan demeurait mon seul point d'ancrage. Cependant, ses nouveaux engagements auprès de Frank lui prenaient beaucoup de temps.

Dana s'était tue et ne m'avait contactée qu'une seule fois depuis mon pèlerinage à l'Oratoire. Lors d'un contrôle écrit en géographie, je n'arrivais plus à me souvenir du nom de certaines capitales. Pourtant, je connaissais très bien ma matière. Plus les minutes s'égrenaient, plus mon angoisse grimpait. Dana était intervenue : « Calme-toi ! Tu connais les réponses. Tu vas y arriver ! » Cette bienveillante intrusion avait déverrouillé ma mémoire comme par magie.

Toutefois, dans l'ensemble, ma situation se détériorait. Monsieur Sirois me convoqua à son bureau et ne cacha pas son inquiétude.

– Bonjour, Rubby. Ton travail en histoire avance bien ?

– Pas de problème, mais c'est un plus gros travail que prévu.

Ailleurs

– Tu as besoin d'un coup de main ?

– Non, c'est gentil, je me débrouille bien.

J'évitai son regard, car j'avais l'intime conviction qu'il pouvait lire dans mes pensées. S'il apprenait que je fumais de l'herbe, je me mériterais une suspension.

Il poursuivit sur le ton de la confidence :

– Si jamais tu avais un problème, même un truc qui ne concerne pas les études, tu sais où me trouver, n'est-ce pas ?

– Bien sûr, mais rassurez-vous, tout va bien. Je suis un peu fatiguée peut-être. C'est normal, les examens approchent.

– Mets la pédale douce et souviens-toi de mon offre !

Je le remerciai et quittai son bureau. Monsieur Sirois était très sympathique, toutefois il devenait un tantinet curieux à mon goût. À l'avenir, je m'efforcerais de prendre garde et me méfierais un peu plus.

Un après-midi, comme je m'installais à ma table habituelle à la bibliothèque, je tombai sur un magazine. Un article sur les ovnis suscita grandement mon intérêt et éveilla en moi un sentiment de déjà-vu. J'entrepris de creuser la question. Les semaines suivantes, je plongeai dans la lecture de tout ce qui traitait du sujet. Livres, revues, journaux : ma soif était immense. J'appris que, aux États-Unis, des regroupements venaient en aide aux victimes d'enlèvements par des extraterrestres. Ces personnes prétendaient avoir été kidnappées dès leur prime enfance. Lorsqu'elles atteignaient l'âge adulte, les étrangers leur rendaient régulièrement visite. Une femme affirmait même qu'elle avait assisté, impuissante, à l'enlèvement de son conjoint. Dans son cas, les étrangers avaient provoqué une forme de léthargie chez elle. Grâce à l'hypnose, les victimes retrouvaient le souvenir de ces traumatismes enfouis dans leur subconscient. De nombreux scientifiques mettaient en doute ces témoignages. Ils alléguaient que cette méthode, lorsque mal utilisée, parvenait à inculquer de faux souvenirs. Les suggestions émises par l'hypnotiseur pouvaient amener le patient à se forger une expérience fictive et à la faire sienne.

Il existait une littérature abondante sur les hommes en noir. Ceux-ci connaissaient bien les phénomènes extraterrestres. Leur mission consistait à empêcher le public d'accéder à ces preuves. Ils travaillaient de concert avec les gouvernements et les étrangers.

L'Europe, la Belgique en particulier, faisait davantage preuve d'ouverture dans ce domaine. Souvent, les témoignages étaient corroborés par les forces de l'ordre. Les informations circulaient dans les journaux sérieux et pas seulement dans les torchons. J'appris que les monts Saint-Hilaire et Saint-Bruno figuraient parmi les endroits les plus fréquemment visités par les ovnis au Québec. J'effectuais mes recherches à la bibliothèque du quartier. Personne ne me connaissait ; ainsi, j'évitais d'éveiller la curiosité de mon entourage. Je commençais à mieux comprendre qui étaient les visiteurs, les visités et les « effaceurs ». Aussitôt que la Grande Gueule se rendit compte que je m'intéressais sérieusement à ce sujet, elle sortit son arsenal. « T'as vu cette cinglée ? Elle croit aux petits hommes verts. Des ovnis, des soucoupes ! Rubby la soucoupe ! Rubby la soucoupe ! » Elle chantonna ce refrain interminablement. « T'as vu comme elle se maîtrise bien, la petite fée ? Pas de réaction. » Je saisis mes écouteurs et mis à fond le volume de mon baladeur. « Sale petite tar... » Le reste du message fut enterré par un déversement de hard rock.

Depuis peu, je planifiais mentalement mes journées. Au début, je prévoyais *grosso modo* mes activités. Au fil des semaines, ce procédé prit cependant de l'ampleur, s'apparentant de plus en plus à de la compulsion. Je devais passer et repasser dans ma tête la plupart de mes faits et gestes avant de les exécuter dans la réalité. Ce super *planning* m'épuisait mentalement et tuait dans l'œuf toute étincelle de créativité ou de spontanéité. Si un élément nouveau se présentait, je devais aussitôt l'intégrer à ma toile d'araignée mentale. Parfois, cet imprévu agissait comme un virus et foutait toute ma programmation en l'air.

Je me sentais épuisée et démoralisée. Tous les jours, je déployais des efforts titanesques pour demeurer fonctionnelle. Je m'étais inscrite aux cégeps Montmorency et Maisonneuve en soins infirmiers. Ce projet m'apparaissait très lointain et d'un avenir incertain. Le matin, je ne pouvais m'extirper du lit avant d'avoir cogité une quinzaine de minutes. Je consacrais toute mon énergie à mes études et à Yan. Il ne m'en restait plus pour autre chose.

Je décidai de ne pas assister au bal de fin d'études. Plusieurs raisons motivaient cette décision. D'abord, je n'en ressentais ni la force ni l'envie, et je ne partageais aucune affinité avec les étudiants de mon foyer. Par ailleurs, Yan gardait un fort mauvais souvenir de Sophie-Barat et il n'avait pas l'intention de rouvrir cette plaie. Marie réagit très mal à cette annonce. Elle ne comprenait pas que je puisse demeurer indifférente à un tel événement. Je lui avouai que je préférais fêter avec mes amis, dans l'intimité.

— Mais Rubby, tu te souviendras de ce bal toute ta vie, argumenta-t-elle, complètement démontée.

— J'aurai mes photos et mon diplôme pour ça.

— Une photo sans bal, c'est qu'un souvenir figé !

Cette remarque résonna telle une plainte.

— Tu as peut-être raison, mais ça ne m'intéresse pas.

— Je voulais t'offrir ta robe, une magnifique robe en lin.

Marie s'obstinait, marchant de long en large dans le salon.

— Tu serais si jolie.

— Tu es gentille, mais Yan non plus n'est pas très chaud...

— Je savais bien que cette idée venait de lui ! Toi...

Je lui coupai aussitôt la parole :

– Ne l'accuse pas, il n'y est pour rien. Je suis assez vieille pour prendre mes propres décisions.

– Ne te fâche pas, battit-elle en retraite. Je voulais seulement te faire plaisir.

Toute sa vigueur la déserta d'un coup. Je n'osai pas affronter son regard, sa blessure m'infectait. Cette situation, que je déplorais et qui me sapait le moral, minait mes relations avec ma mère. Je comprenais sa réaction, elle qui n'avait pas eu la chance de terminer son secondaire. À ses yeux, un bal de fin d'études clôturait dignement cinq années d'efforts et l'on se devait de fêter ça avec éclat.

Quand je racontai à Yan ma discussion avec Marie, il se montra d'abord furieux. Puis il me rassura de son mieux :

– Te casse pas la tête, elle s'en remettra. On peut pas toujours plaire à nos vieux. L'important, c'est que je t'aime.

La tête appuyée sur sa poitrine, je sanglotais. Ses paroles me réconfortaient grandement et apaisaient ma tourmente. Elles formaient un bouclier contre l'incompréhension de ma mère.

Ce soir-là, je décidai de passer la nuit chez Yan. Je dormais rarement chez mon *chum* quand j'avais des cours le lendemain. Mais sa présence et sa protection m'apparaissaient indispensables. À mon grand étonnement, la Grande Gueule n'émit aucune protestation, tout au plus quelques mots inintelligibles. Comme si elle craignait que Yan ne l'entende. Ce fut une nuit de rêve dans tous les sens du mot.

Les dernières journées de classe furent terribles. La surexcitation et l'agitation des élèves m'écorchaient les nerfs. Tout le monde me paraissait douteux. Monsieur Fritz, mon prof de biologie, conservait presque son calme et se permettait même de blaguer. De toute la session, c'était la première fois qu'il déployait sa dentition au grand complet. Le même

Ailleurs

phénomène se produisit avec mon prof de chimie, monsieur Crevier, qui se préoccupait soudainement de savoir si nous avions compris ses explications. Habituellement, il balançait ses formules de sorcier sans se soucier des réactions qu'elles provoquaient au laboratoire ou dans nos petites têtes. Nous approchions de la mi-juin. Je me consolais en pensant que mon calvaire achevait.

L'été s'installa glorieusement, détrônant profs et examens. Ma première journée de vacances fut consacrée à Morphée. Marie travaillait, donc l'appartement m'appartenait à moi seule. Je me levai très tard et me fit couler un bain moussant. J'y trempai au moins une heure en fumant un bon joint. Quel pied ! Je n'avais rien à planifier ou à prévoir. Les visages inquiétants que j'avais affrontés chaque jour au collège semblaient loin derrière.

Par la suite, tout se bouscula. Les dernières journées de juin servirent à classer, emballer et déménager nos effets chez Pierre. Marie et lui y consacrèrent une semaine de leurs vacances. Comme deux enfants ayant obtenu la permission de dormir chez un copain, ils éclataient de fébrilité et ricanaient à propos de tout et de rien. Pierre n'osait pas toucher à mes affaires. Il m'accorda carte blanche pour décorer ma chambre. À la fin du mois, nous vivions sous notre nouveau toit.

-14-

L'enfer

Le 6 juillet, vers treize heures, je reçus un coup de fil qui m'anéantit. Yan me téléphonait de la prison de Bordeaux. Je crus comprendre qu'il y était incarcéré pour vol et recel. Je plongeai en plein cauchemar. Je reconnus à peine Yan, qui parlait avec précipitation et violence.

– C'est affreux, Rub ! Ils m'ont interrogé pendant vingt heures d'affilée, les chiens. C'est l'enfer, dans ce trou à rat. Il faut que je sorte d'ici sinon je vais crever.

La rage collait à chaque mot de cette tirade chargée d'angoisse, décuplant ma confusion et ma peur. Debout à côté de l'appareil, je tenais le combiné du bout des doigts. Je craignais qu'une bête immonde ne s'en échappe et me dévore. Yan poursuivit :

– Ce salaud d'enfoiré a disparu. Toutes les charges pèsent contre moi. Faut que tu trouves Frank... Y peut pas me faire ça !

Je risquai timidement :

– Mais comment ? Qui peut m'aider ?

– Va chez lui avec Tim. Y finira bien par se pointer. Tu le feras ? Promets-moi !

– Oui, j'irai.

Je déglutis péniblement, ma salive ayant déserté ma bouche.

– Peux-tu sortir ?

– Pas pour l'instant. Trouve Frank et dis-lui que j'ai pas l'intention d'écoper pour lui. Faut que j'y aille, mon temps est écoulé. Tu iras ?

Ces deux petits mots transpiraient le désespoir. C'en était pathétique.

– Promis, mon amour..., eus-je le temps de dire avant que la communication soit coupée.

Je m'effondrai sur le divan, incapable de réagir. Comment était-ce possible ? Yan, emprisonné avec des criminels, ça semblait tout à fait invraisemblable. Il allait sûrement me rappeler pour me dire qu'il s'agissait d'une blague stupide, une mauvaise farce de collégien.

Vers quinze heures, un rayon de soleil chatouilla mon visage et me tira de ma torpeur. J'appelai Patsy à ma rescousse. Elle m'emmena à son appartement. Je lui expliquai de mon mieux la situation. Tout au long de ma narration, elle demeura immobile, ses mains tenant les miennes, son regard rivé au mien. Une étrange communion s'installa entre nous. Ses yeux captaient mes mots. Les paroles franchissaient mes lèvres et se diluaient dans le gris profond de ses pupilles. À la fin de mon récit, elle se leva, m'entoura de ses bras et me berça doucement. Tout comme le faisait Paul pour calmer ma douleur, il y avait de cela fort longtemps.

Quand Tim rentra et fut mis au courant, il ressortit aussitôt. Je frôlais littéralement l'affolement. Je n'arrivais pas à contrôler le tremblement de mes mains. Patsy me tendit deux comprimés bleus et un verre d'eau, puis m'encouragea à les avaler. Ce que je fis sans poser de question. Tim réapparut quelques heures plus tard avec des nouvelles fraîches :

– Ils l'ont arrêté chez lui y a deux jours de ça. L'appartement a été fouillé et vidé. Son avocat, Vincent je crois, promet

Ailleurs

de le sortir de là dans une quinzaine contre deux briques. Avec deux mille dollars, y peut lui avoir une probation et un sursis. Sinon, Yan plonge pour seize mois.

Sur ces mots, il s'affala sur le divan. Je ne comprenais strictement rien. Les pilules bleues avaient calmé une partie de mon angoisse, tout en neutralisant mon intellect et en me rendant calme et niaise. Les paroles prononcées par Tim représentaient une série de lettres amputées de leur charge émotive. Je n'aurais pas réagi autrement à l'annonce de la fin du monde.

Tout au fond de ma conscience, un nom se baladait dans tous les sens : Frank. Je finis par lâcher :

– Faut aller chez Frank !

– Pas question, riposta Tim, les « bœufs » sont passés avant nous. Je serais pas surpris s'ils surveillaient toujours. C'est trop risqué.

Il poursuivit, mais je me trouvais déjà hors circuit :

– Demain, j'irai voir un copain. Y saura où trouver de l'aide.

Pendant les deux semaines que dura l'absence de Yan, je vécus en parallèle de votre monde. À l'intérieur de mon corps, la vie demeurait suspendue : j'attendais Yan. Ma paranoïa ne s'étendait pas qu'à mon entourage immédiat, les hommes en noir venaient de débarquer ! Je les soupçonnais d'être responsables de l'emprisonnement de mon *chum*. J'imaginais un vaste complot fomenté dans le but de l'éloigner de moi. Ils m'avaient sans doute repérée : j'étais peut-être marquée depuis ma naissance, sans le savoir. Ces hommes devaient être très puissants ! Je me méfiais même de Pierre et de Tim.

Au second téléphone de Yan, nous convînmes d'établir notre quartier général chez Patsy. Ainsi, nous éviterions que Marie ou Pierre n'intercepte accidentellement un appel venant de Bordeaux. Tim prit la direction des opérations. Il me parlait de choses et de gens que je ne connaissais pas. Il ressemblait à un général envoyant ses troupes au combat. Ses yeux rieurs détonnaient au milieu de tant d'assurance. Cependant, je devais reconnaître son efficacité. Il prenait toutes les décisions sans nous consulter ; nous n'avions même pas voix au chapitre. De toute manière, je ne parvenais pas à réfléchir convenablement. Je me laissais entraîner, espérant que mon guide connaissait le chemin.

L'effervescence occasionnée par notre emménagement chez Pierre couvrit ma fuite. Mon étrange comportement, mon mutisme, ma détérioration physique furent attribués au déménagement. Je fis le moins de vagues possible, pour ne pas trop éveiller la méfiance de ma mère.

La nuit n'arrivait pas à chasser mes fantômes. Les démons de mon âme grattaient à la porte de ma conscience. Je sombrais dans le désespoir. La Grande Gueule, toujours de garde, m'apostrophait : « Vise-moi cette poufiasse, accro d'un tôlard ! Franki chéri s'est barré ? » Son abject réquisitoire ne suscitait plus aucune réplique de ma part, j'encaissais...

Le 21, à dix-neuf heures trente, Yan sortit de prison. Dans la voiture, il observa un silence morose. J'en eus le cœur brisé. Chez Tim, ils se retirèrent tous les deux pour discuter en privé. La discussion devint rapidement orageuse et le ton monta. Patsy essaya tant bien que mal de me dérider mais je la sentais aussi touchée que moi par la tournure des événements.

Cette nuit-là, Yan me fit l'amour avec rage et passion. Ses mains empoignaient ma chair sans merci. Au moment où j'atteignais l'orgasme, il éjacula sa haine et s'enfonça profondément en moi, m'arrachant un cri de douleur. Il se reprit aussitôt et s'excusa en me couvrant de tendres baisers. Malgré ses paroles, je sentais sa violence palpiter, prête à bondir sournoisement.

Ailleurs

L'attitude de Yan m'inquiétait ; tendu, irritable, il semblait telle une bête traquée. Parfois, il parlait comme si ses jours étaient comptés. Il recevait des appels à toute heure du jour et de la nuit. Disparue, sa belle assurance ; sa souffrance était contagieuse. Un après-midi, un inconnu sonna à la porte. Quand mon *chum* ouvrit, son visage devint livide en apercevant un type dans la trentaine, costaud et très intimidant. Yan sortit sur le palier et referma la porte. À peine quelques minutes s'écoulèrent et il réapparut, atterré, des gouttes de sueur perlant sur son front. Il s'approcha de moi et me serra très fort contre lui. Je sentis sa poitrine se soulever par à-coups, comme un homme en train de se noyer.

Puis, soudainement, ma vie bascula. À la fin du mois d'août, je me retrouvai en quête de mon premier client, abandonnée sur mon bout de trottoir à la hauteur de Saint-Laurent, n'arrivant pas encore à comprendre comment ma situation avait pu dégénérer à ce point. Comment avais-je pu tomber aussi bas ? Paul, tout là-haut dans son paradis, devait me maudire. Et pourtant, rien, pas même la perte de ma dignité, ne parvenait à endiguer l'amour que je portais à Yan ! J'aurais été en enfer pour lui. La Grande Gueule avait raison : j'étais une tarée, une moins que rien, une salope de première.

Comment était-ce possible ? Il y avait eu ce costaud menaçant, puis la peur de perdre définitivement Yan. Cette foutue dette à rembourser qui gonflait à vue d'œil. Son désespoir et sa suggestion, à peine voilée, de me vendre pour lui. Ses yeux me suppliaient de le sauver. Patsy me rassura, puis m'initia aux mystères de la prostitution. Je la savais délurée, mais j'étais loin d'imaginer qu'elle « faisait la rue ». Elle tenta de me convaincre que ce choix lui appartenait, cependant je me remémorai les gestes brusques et les paroles blessantes de Tim à son égard. Je doutai de sa liberté ; son *chum* possédait une trop grande emprise sur elle. Déçue, j'eus le sentiment d'avoir été trahie et d'avoir placé trop d'espoir en Patsy. Finalement, malgré l'arrogance qu'elle affichait, elle aussi s'avérait vulnérable. Étions-nous enchaînées sur une même galère où seule notre résistance déterminerait la durée du voyage et sa destination ?

Selon ses recommandations, je devais éviter de consommer de l'héroïne ou de la cocaïne, considérées trop dangereuses. Pourtant, je prenais tellement de capsules et de comprimés que j'en perdais le compte. Sa mise en garde m'apparaissait donc futile. J'ignorais ce qui était le plus risqué : la coke, les tranquillisants ou mes amis ? Terrorisée et impuissante, je demeurais toutefois prête à tout pour sauver mon amour.

Cette horrible nuit d'humiliation me laissa brisée. Je revis défiler ces visages sans nom, proférant des insanités ou me fixant sans retenue. Ces hommes avides de m'empoigner et de satisfaire leurs bas instincts. Errant sans but aux petites heures du matin, des policiers m'interpellèrent depuis leur voiture. Je me sentis incapable de leur répondre. J'étais ailleurs. J'avais rejoint la Grande Gueule et les hommes en noir ; le monde trouble de la psychose.

Au poste, ils dénichèrent l'adresse et le numéro de téléphone de Pierre griffonnés sur un bout de papier, dans mon sac à main. Marie et Pierre débarquèrent dans la demi-heure. Un agent les questionna :

— Êtes-vous les parents de cette jeune fille ?

Assis derrière son comptoir, il me désignait du doigt.

— Je suis sa mère et Pierre est un ami très proche.

Marie s'approcha de moi, affolée.

— Rubby, que se passe-t-il ? Réponds-moi, je t'en prie !

Elle s'accroupit à mes côtés et rejeta les mèches rebelles de ma tignasse, afin de libérer mes yeux. Transie sur mon orbite, mon regard percevait une autre réalité. Un univers mal défini qui interférait avec le réel. Découragée, elle demanda au policier :

Ailleurs

– Que lui est-il arrivé ? Où l'avez-vous trouvée ? Est-elle blessée ?

Il l'invita à le suivre dans un bureau.

– Nous serons plus tranquilles pour discuter.

Pierre leur emboîta aussitôt le pas.

L'angoisse de Marie était légitime : elle ne m'avait pas vue depuis une dizaine de jours, me croyant en camping avec mes amis. De retour à la maison, elle me bombarda de questions. Pierre s'interposa gentiment :

– Laisse-la souffler un peu, nous y verrons plus clair dans quelques heures.

J'aurais bien voulu rassurer ma mère, mais cette pensée s'englua au fond de ma conscience : trop anémique pour faire surface. Son ombre m'effleura, sans parvenir à se transformer en paroles ou en gestes.

15

Albert-Prévost

Peu de temps après mon incursion dans le monde du « libre-échange », je me retrouvai dans le bureau de Jack Wolf.

– Alors, Rubby, comment vas-tu ? Ta mère s'inquiète beaucoup à ton sujet !

La G.G. choisit ce moment pour s'en mêler : « T'as vu ? Le bon docteur emploie le "tu". Il laisse tomber le "on". Elle doit être très malade, la petite fée, pour qu'il veuille se dissocier de ses malheurs ! » Dans ma tête, ces paroles dominaient la mêlée générale, tout se confondait. Je sentais que je ne devais pas regarder Wolf : c'était peut-être un homme en noir. Je courais sûrement un grand danger ; si nos yeux se croisaient, il volerait mes pensées, comme monsieur Sirois l'avait fait. La G.G. s'impatienta, crevant de peur : « Réponds-lui, petite conne, sinon il va nous découvrir. Lève la tête et réagis, pauvre enfoirée ! » J'entendis le hurlement d'un chien au loin. Son cri enfla et se transforma en une complainte lugubre. Ça devait être un signe du destin. Je chuchotai à la G.G. :

– Faut pas le regarder ! T'as pas entendu le chien hurler, idiote ?

– À qui parles-tu, Rubby ? Il n'y a que toi et moi dans ce bureau.

C'était au-dessus de mes forces ; mon secret devenait trop lourd à porter. J'éclatai et vomis un tas de mots. Une vraie diarrhée verbale où il était question de la G.G., d'ovnis, de chenilles... Des mois de bile accumulée et de pensées infectées déferlèrent sur Wolf. Il demeura impassible et prescrivit un antidote qui résonna comme une sentence : l'internement.

Les premiers jours de mon hospitalisation demeurent flous dans ma mémoire. En premier lieu, on dressa un bilan de santé – ou de dommages, selon l'angle d'observation. Le médecin mit en place un protocole de sevrage visant à atténuer les effets secondaires provoqués par l'arrêt brusque de la prise de médicaments. Ce *car wash* physiologique me laissa affaiblie. Je dormais peu, j'étais agitée et je souffrais de crampes d'estomac. En raison de mon intoxication à divers tranquillisants, Wolf ne put établir de diagnostic précis. On me considérait folle, répertoriée mais non encore classifiée.

Puis je quittai l'urgence pour le pavillon des adolescents. Suivant les recommandations des infirmières de mon département, Marie me prépara un « kit de survie » : quelques vêtements et des produits d'hygiène. L'aile, petite malgré ses trois étages, se situait légèrement en retrait du bâtiment principal. On aurait dit un cube de pierre laissé négligemment de côté par un géant, tandis qu'il édifiait les autres pièces de sa construction. L'entrée du côté est était basse. Trois tuyaux de plomberie échappés du sous-sol couraient le long du plafond, réduisant d'autant sa hauteur. Ayant le moral à plat, le mur lézardé de l'escalier menant au second étage renforçait mon sentiment de rupture. L'épaisse porte métallique de ma chambre, trouée d'une petite fenêtre d'observation, augmentait ma panique. Elle réveillait une vieille peur, celle d'être séquestrée et oubliée. L'infirmière qui m'accompagnait remarqua mon hésitation et s'empressa de me rassurer :

– N'aie aucune crainte, elles ne sont jamais verrouillées. Sauf en cas de mesure exceptionnelle...

Ailleurs

Étant la dernière arrivée, je dus partager une chambre double. La minuscule pièce contenait deux lits, deux bureaux, deux chaises et une lingerie double. Une fenêtre, pourvue d'une moustiquaire grillagée, s'ouvrait de quelques centimètres seulement, par mesure de sécurité. Ce détail souleva mon indignation et me fit venir les larmes aux yeux : on contrôlait même l'air dans cet espace clos. Toutes les chambres se trouvaient à cet étage : huit au total. Il y avait aussi deux salles de bain, le poste des infirmières, une cuisinette et un salon communautaire où l'on apercevait un téléviseur. Au premier étaient aménagées une salle de billard, des salles de cours et une salle de lavage. Les bureaux des professionnels s'appropriaient tout le second palier.

J'émergeai enfin de ma léthargie et repris lentement contact avec mon environnement. L'adaptation s'avéra ardue. La G.G. ne me lâchait pas et je redoutais toujours les hommes en noir. Wolf dut reconnaître que, même sans drogue, ces parasites continuaient à m'ennuyer et à me faire la vie dure. Il me prescrivit de l'Haldol, un antipsychotique souvent prescrit contre la psychose schizophrénique. Je me soumis à ce traitement sans poser de questions. Mon abrutissement m'empêchait de comprendre l'implication de cette ordonnance.

Diane, ma compagne de chambre, se révéla très sympathique. Âgée de seize ans, couronnée de magnifiques cheveux noirs, ses yeux couleur charbon semblaient pouvoir percer n'importe quel secret. Elle se montra pleine de sollicitude envers moi. Elle m'expliqua les règlements de l'unité et m'aida à me familiariser avec les lieux. Un vendredi soir, alors que la plupart des patients bénéficiaient d'un congé de fin de semaine, elle me raconta son histoire.

« Depuis la séparation de mes parents, il y a quatre mois, je vis avec ma mère, Clara. Il y a quatorze mois, ma jeune sœur Sophie s'est noyée dans le lac Coulombe, face à notre chalet. Lors de l'accident, j'étais partie faire des courses avec mon père à la quincaillerie du village. À notre retour, le voisin complètement affolé nous a annoncé que Sophie avait disparu au milieu du lac. Ma mère et lui ont plongé à plusieurs reprises, en vain. Ma mère s'est assise en tailleur au bout du quai. À travers ses larmes, elle prononçait le nom de ma sœur en silence. Cette absence de son rendait sa détresse encore plus dramatique. J'aurais préféré qu'elle hurle sa douleur ou qu'elle maudisse le ciel.

« Depuis cette journée fatale, la relation entre mes parents s'est détériorée. Je crois que mon père en voulait secrètement à ma mère de ne pas avoir réussi à sauver Sophie. Jamais il ne l'a accusée de quoi que ce soit, mais son refus de parler du drame a empêché maman d'exorciser ses démons. Elle est restée seule, rongée par la culpabilité. La mort dans l'âme, elle est devenue l'ombre d'elle-même. Ma mère a toujours été dépendante de mon père ; le divorce n'a fait qu'augmenter sa vulnérabilité.

« J'ai pensé que si je rejoignais Sophie, mes parents auraient peut-être une chance de refaire leur vie. Ils seraient libres de tout effacer et de repartir à zéro, chacun de son côté. Je n'aurais plus à affronter leurs regards qui semblaient me reprocher d'être en vie. »

Sa tentative de suicide ayant été jugée sérieuse, elle se retrouva ici. Pour le moment, Diane demeurait à l'unité même les week-ends puisque ses parents n'étaient pas en mesure de lui offrir le soutien nécessaire.

Elle adorait écrire et se préoccupait beaucoup du sort réservé aux femmes dans certains pays. Le manque d'autonomie de sa propre mère expliquait en partie son attachement à cette cause. Diane voulait devenir thérapeute et elle lisait tous les ouvrages de psychologie qui lui tombaient sous la main. Ses confidences me bouleversèrent profondément. Son expérience de vie me permit de dédramatiser ma situation. De mon côté, je ne me sentais pas encore prête à dévoiler mes hantises. Ma copine respecta ma pudeur, sans se sentir offusquée pour autant.

Parfois, j'entrevoyais la trame de mon délire. L'imminence d'une invasion par les extraterrestres semblait moins présente et menaçante. Pendant mes consultations avec Wolf, j'arrivais à lui jeter des regards furtifs sans craindre qu'il ne vole mes pensées. La Grande Gueule se faisait plus petite. Ma convalescence s'annonçait longue mais, avec Diane à mes côtés, les obstacles m'apparaissaient surmontables.

Marie et Pierre me visitaient régulièrement les mardis et jeudis soir. Ils étaient réglés comme du papier à musique. Ils m'apportaient des nouvelles de l'extérieur ; je trouvais cela rafraîchissant. Jamais ma mère ne parlait de Yan ou de Patsy. Peut-être les tenait-elle responsables de mon état. Je m'ennuyais beaucoup de mes amis, toutefois mes sentiments à leur égard étaient mitigés. J'émergeais du brouillard et je ne savais pas jusqu'à quel point ma mère devinait mes autres vies : hôte de la G.G. et hôtesse de bas étage ! Qu'est-ce que j'avais révélé à Wolf ? Qu'avait-il transmis à Marie ? Savait-il pour la rue et ces hommes qui m'avaient obligée à avaler mon dégoût et leur perversion ? Pouvait-on attraper des MTS ou, pire, le sida, par la bouche ? Des centaines de questions se bousculaient dans ma tête et grignotaient le peu d'énergie qu'il me restait.

Certains jours, je souhaitais ressembler à Louisette. Cette patiente de seize ans, une grande aux cheveux roux et aux yeux bruns, affichait une belle assurance et n'exprimait aucune inquiétude face au sexe. D'ailleurs, elle était très active sur ce plan et ne s'en cachait pas. Elle occupait une chambre située à côté du poste de garde afin que le personnel puisse mieux contrôler ses allées et venues. Elle échangeait ses faveurs contre des cigarettes et des produits d'hygiène. Un jour que je lavais mon linge au premier, elle m'aborda sans détour :

– Salut Rubby, t'aurais pas une « smoke » ?

Elle se hissa sur le sèche-linge et se balança les jambes en suivant le rythme de la radio.

– Je ne fume pas, désolée, m'excusai-je en rougissant.

– C'est ce que je pensais, ma chérie, mais on peut tenter sa chance, pas vrai ? T'aurais pas, par le plus grand des hasards, d'autres sortes de « cig » ?

– Non !

Louisette m'intimidait. J'avais hâte de me réfugier dans ma chambre, à l'abri de sa curiosité.

– Tu me fais penser à Suzie, la petite blonde qui « bad tripe » sur la CIA. Un vrai phénomène ! Elle est persuadée que la CIA en a après son cerveau. Elle prétend connaître toutes les combinaisons de tous les coffres-forts de tous les gouvernements. Elle contrôle tout l'argent en circulation. C'est pas une mince affaire, hein ? Elle vole haut, notre Suzie !

– Pour sûr que c'est extravagant... Mais en quoi je lui ressemble ?

– T'entendrais pas des voix, toi aussi ? L'autre soir, je t'observais au salon et t'agissais comme Suzie quand la kermesse débarque. Elle dit entendre des tas de gens rire et parler dans sa tête, comme dans une fête foraine. Souvent, elle penche la tête de côté et tend l'oreille, comme si elle écoutait quelque chose. Nous savons alors que la kermesse est en ville. C'est rigolo ! Et toi, c'est comment ton cirque ?

Dans cet endroit, ma folie semblait tout à fait acceptable. Je tentai donc le coup et lui parlai de la G.G. À la fin de mon récit, elle s'exclama :

– Super ! J'avais raison. Bienvenue à bord, ma chérie !

Sur ce, elle sauta en bas du sèche-linge en disant :

– Faut que je me pointe, sinon le sergent Marc va sonner l'alarme. À tantôt !

Elle partit en courant et je l'entendis gravir les marches à toute vitesse pour se rapporter au préposé.

Aussitôt que Diane me rejoignit dans la chambre, je lui racontai ma rencontre avec l'ouragan Louisette. Elle me rassura :

– T'en fais pas, c'est pas une méchante fille. Peut-être un peu trop curieuse et centrée sur sa petite personne, mais tout de même gentille. Louisette est maniaco-dépressive, elle oscille régulièrement entre la dépression et la manie. Elle m'a confié qu'elle flippait pendant ses *highs* et qu'elle adorait cette sensation de toute-puissance. Même sous contrôle médical, elle déplace beaucoup d'air, tu trouves pas ?

– Oh oui ! Une vraie tornade !

Et je pouffai de rire. Je profitai de ce moment privilégié pour me confier. Je déballai toute mon histoire : de la chenille à la rue. Cette confession représentait un premier pas vers la guérison : j'en étais convaincue et mon amie aussi.

Cela faisait maintenant deux semaines que je me trouvais internée à Albert-Prévost. Afin de me sentir plus en confiance, je m'informai de chaque patient. Contrairement à la G.G., je montrais des signes d'éveil et je ressentais le besoin d'être rassurée. De plus, certains comportements m'intriguaient et j'ignorais comment réagir. Un samedi après-midi magnifique, Diane répondit à mes attentes. Installées sur une couverture, face à la rivière, j'entrepris de la questionner. Un patient en particulier m'intéressait plus que les autres. Diane commença ainsi son récit :

« Luc est un garçon très sensible. T'as remarqué qu'il se porte continuellement à la défense d'Armand, son compagnon de chambre ? Il le considère un peu comme son petit frère. Luc a subi une dure épreuve il y a peu de temps. Très amoureux d'une fille appelée Stacy, il bâtissait avec elle des projets d'avenir. Ils se connaissaient depuis l'âge de quatorze ans ; il en a dix-sept maintenant. Tout allait bien entre eux et avec leurs familles respectives. Vers la fin de l'année scolaire, le père de Stacy l'a retrouvée inconsciente dans sa voiture, dans le garage. Le véhicule fonctionnait et un boyau était raccordé au tuyau d'échappement. Le gaz mortel s'était infiltré dans l'habitacle qui devint le tombeau de sa fille. Elle n'avait laissé aucune lettre, aucun message. Le geste est demeuré inexpliqué. Stacy a disparu en emportant son secret et le cœur de son amoureux.

« Luc n'a plus aucun projet de vie, il est en attente, comme un futur transplanté ! Sauf que, dans son cas, seul un être vivant pourra lui insuffler la vie de nouveau. Il se trouve parmi nous depuis deux mois déjà. Ses yeux bleus magnifiques sont beaucoup trop pâles. La joie de vivre n'y est plus. L'autre jour, j'ai surpris un éducateur qui disait à Aline, l'infirmière : "Ses yeux demeurent bloqués dans le passé, ils s'effacent un peu tous les jours." Je crois qu'il parlait de Luc. Il sortira d'ici quand ses yeux seront plus bleus ! »

Diane prononça ces mots les yeux rivés sur la rivière. La compassion transformait son beau visage. Je fis un effort pour chasser l'image de Stacy et Luc se promenant main dans la main afin de ne pas pleurer.

– Tu veux que je poursuive avec Armand ou Harry ? demanda Diane.

– Armand, il m'est plus sympathique ! répondis-je.

– Armand Gusdorf a quatorze ans et il est fils de médecin. Ce point est important puisque son père s'avère responsable, en partie, de son mal. Il est arrivé il y a quelques semaines à la suite d'une mononucléose virulente. Cette affection dissimulait un trouble plus sérieux : une grave dépression. Quand il est arrivé ici, il a dormi trois jours d'affilée. Il était tendu à l'extrême. Il parlait en vitesse accélérée ou très très lentement, c'était plutôt cocasse. C'est un super crack, très sérieux en plus. Il vient de terminer sa première année en sciences de la santé au cégep. Il veut suivre les traces de ses ancêtres. Son avenir est planifié dans les moindres détails. Comme tu as pu le constater, son physique n'a pas évolué au même titre que son mental ; on jurerait un petit vieux dans un corps d'ado. Petit pour son âge, il en semble très perturbé. Pourtant, son cas n'est pas désespéré, il est en pleine croissance...

Diane réalisa tout à coup que ces paroles pouvaient me choquer, vu ma petite taille. Elle posa sur moi un regard inquiet.

– Pas suivi l'évolution de son mental, hein ? fis-je, l'air faussement outré. Cet affront te coûtera une barre de chocolat !

Ailleurs

Mon amie acquiesça de bon gré et enchaîna :

– Le père d'Armand lui a inculqué le syndrome de la performance. Au niveau des relations humaines, Armand manque totalement d'assurance. Par chance, il a été jumelé avec Luc, qui l'a pris sous son aile. Armand l'admire beaucoup. Tous les deux s'entraident, ils forment une belle association.

Le soleil déclinait et l'heure du repas approchait. Les histoires d'Armand, de Luc et de Diane donnaient à réfléchir. Le mal pouvait provenir d'une source extérieure et nous tomber dessus sans avertissement. Cette vérité revêtait à présent un sens à mes yeux. Il ne s'agissait plus d'une idée abstraite. Dans mon cas et celui de Suzie, nous portions en nous le germe de nos déboires. Le drame des autres parviendrait-il à calmer mes angoisses ? Toutes les hypothèses que j'élaborais me compliquaient l'existence. Je demandai donc à mon amie de suspendre son récit jusqu'au lendemain, le temps de reprendre mon souffle.

La soirée se passa à jouer au billard avec Luc et Armand. Nous n'étions que quatre – Aline, l'infirmière de jour, nous appelait les quatre mousquetaires – à être consignés au pavillon pour la fin de semaine. Grâce à Aline, l'internement pesait moins lourd. Elle rassemblait toutes les qualités du monde et adorait son métier. Elle nous soutenait et nous rassurait. Elle proposait, sans jamais imposer quoi que ce soit. La façon dont elle adressait ses requêtes évitait toute confrontation. Même Harry, surnommé Rambo, finissait par obtempérer malgré son sale caractère. Costaud pour ses quinze ans, il arborait un crâne rasé et des sourcils épais et rapprochés qui lui donnaient l'air mauvais. Toute sa personne transpirait l'hostilité et l'agressivité. Diane ne connaissait pas la raison de son internement, mais elle le soupçonnait d'être un psychopathe en devenir. Il se vantait d'avoir été expulsé des cadets qui, selon ses dires, constituaient un regroupement de larves et de mauviettes. Il rêvait de joindre les rangs d'une organisation paramilitaire américaine. Il ne ratait jamais une occasion de ridiculiser Armand, sa tête de Turc. À plusieurs reprises,

Luc et Harry s'étaient affrontés à cause de cela. Dans ces moments-là, les yeux de Luc reprenaient vie. La haine pouvait-elle remplacer l'amour et engendrer la vie ? Cela m'inquiétait pour lui !

Durant les week-ends, l'unité devenait presque accueillante, intime. Aucun éclat de voix ne troublait le calme des lieux. L'atmosphère s'imprégnait de mystère, surtout le soir. Les fantômes des anciens patients hantaient encore l'endroit. Parfois, sans raison, je me sentais oppressée ou étrangement sereine. Diane croyait que l'énergie possédait une durée de vie propre et pouvait imprégner certains lieux. Ce qui, à son avis, expliquait mes états d'âme. En effet, vu l'intensité des expériences que nous vivions, cela me portait aussi à croire qu'elles devaient laisser des traces de leur passage.

Quand nous abordions de tels sujets, Armand perdait pied. Cela dépassait son entendement ; il ne pouvait concevoir le monde que sous un angle scientifique. Luc, plus ouvert, aimait prendre part à nos élucubrations. Cela nous faisait du bien et nous changeait du quotidien. Le préposé nous autorisait à allumer des chandelles au salon. À la lueur des bougies, nous nous sentions plus près les uns des autres. Cette ambiance favorisait les échanges et le rapprochement.

Cette soirée mystique avait apaisé mes craintes et déclenché ma soif. Je souhaitais avidement en connaître davantage sur Gertrude, Ève et Philippe. Après le déjeuner, Diane se chargea de combler ma curiosité.

« Ce matin, j'ai pensé que cela t'aiderait davantage si je te situais dans le temps. Comme tu le sais, Louisette la tornade est l'aînée du clan. Arrivée il y a cinq mois, à la mi-avril, elle est en phase de réinsertion et devrait nous quitter dans quelques semaines. Rambo la suit d'un mois. Vient ensuite Suzie – et sa CIA. Elle est ici depuis la fin du mois de mai et son état ne s'améliore guère. Je crois qu'elle répond mal à la médication.

Ailleurs

Quant à Ève et Gertrude, elles sont arrivées au début de juin, à quelques heures d'intervalle. À la fin du même mois, Luc fut interné, après avoir tenté de rejoindre Stacy...

« J'ai eu l'honneur d'être hébergée à Prévost au début de juillet. Je suis donc le numéro 6, étant donné que Gertrude et Ève occupent simultanément la quatrième position. Armand a rejoint l'équipe à la fin de juillet. Philippe était le benjamin, jusqu'à ce que tu lui ravisses son titre. Il est arrivé à la mi-août. »

Le tableau, très précis, m'éclaira un peu plus. Je me demandais pourquoi Philippe occupait une chambre seul, alors que Luc, plus ancien que lui, se voyait jumelé. Diane m'expliqua qu'on lui avait offert une chambre privée mais qu'il avait refusé, à cause d'Armand. L'équipe soignante abondait dans le même sens, car le jumelage s'avérait bénéfique pour les deux adolescents.

Diane reprit son récit :

– À présent, tu auras une meilleure vue d'ensemble de notre petite famille. Je n'ai pas grand-chose à te dire concernant Philippe. Il a dix-sept ans et a été hospitalisé à la suite d'une tentative de suicide. Il avait ingurgité des somnifères et de l'alcool. Il se mêle très peu aux autres, il semble méfiant. D'après ce qu'il a laissé filtrer lors des séances de thérapie de groupe, il en arrache avec son père.

« Ève, la benjamine en âge, a treize ans et souffre d'anorexie. Elle fait pitié à voir. Elle raconte que son problème l'a amenée à être hospitalisée à maintes reprises depuis son enfance. Cependant, c'est la première fois qu'elle échoue en psychiatrie. Tout son physique, de ses yeux gris à ses cheveux bruns ternes, respire la mort. On a l'impression qu'elle se tient au crépuscule de sa vie, qu'il n'y aura pas de lendemain pour elle. À mon avis, sa situation est dramatique. La seule personne qui puisse l'approcher, c'est Gertrude. Elles sont à peu près du même âge. Gertrude est Française. Elle est arrivée ici il y a deux ans et souffre du mal du pays. Lors des réunions, elle parle comme si elle se trouve en visite au Québec et retournera prochainement en France. La réalité est tout autre. Elle semble toujours triste et à fleur de peau. Voilà, je pense avoir fait le tour. »

À présent, mon amie paraissait épuisée et lointaine – quelque part entre sa petite sœur et la rivière peut-être ! Je n'osai interrompre son recueillement. Dans ces lieux, il y avait trop peu de moments où l'on pouvait demeurer seul avec ses secrets. J'en profitai pour faire le point.

Aucune nouvelle de Yan ou de Patsy ne parvenait jusqu'à moi, comme s'ils n'avaient jamais existé. Yan pouvait-il se comparer à une espèce d'esprit malin qui m'aurait possédée au moment où j'étais vulnérable ? Lorsque j'essayai de lui téléphoner, le numéro se déclara hors service. M'avait-il jamais vraiment aimée ? Était-il conscient du mal qu'il m'avait fait ? Et des limites qu'il m'avait contrainte à franchir par amour...

Il me restait au moins Marie et Pierre, eux me soutenaient. Ma chambre demeurait inviolée, prête à me recevoir. Cela me réconfortait de savoir qu'ailleurs, un petit coin pour moi m'attendait. Sur le plan psychologique, je me sentais encore engourdie, la G.G. aussi. Mon délire perdait de sa consistance. J'arrivais presque à en parler avec détachement, comme si ces problèmes appartenaient à quelqu'un d'autre ! Dana demeurait silencieuse. Il s'agissait sûrement d'un bon signe, autrement elle m'aurait rassurée.

Mon intégration au programme de l'hôpital commença le lundi. Mon nom figurait au tableau d'activités, installé en face du poste de garde. On mettait ce dernier à jour tous les dimanches soir. Ainsi, chaque patient connaissait son emploi du temps. Ce tableau me rappela madame Legendre et mon abeille Piqûre. Sauf que, ici, on ne travaillait pas pour des cadeaux, mais bien pour notre survie mentale !

Ailleurs

L'audiovisuel s'avéra l'activité la plus intéressante à mes yeux, mis à part nos temps libres bien sûr. Le cours se déroulait le vendredi de neuf heures trente à onze heures trente. Aline, l'infirmière appréciée de tous, et François, un psychologue, animaient ce cours et le groupe se constituait de Luc, Armand, Diane, Gertrude, Ève, Philippe et moi. En début de semaine, ils nous rencontrèrent puis nous exposèrent les grandes lignes du programme. Nous devions trouver un thème et le soumettre à l'approbation des animateurs pour le vendredi.

Armand trouva l'idée de base. Il s'agissait d'un jeu de rôle baptisé « S.O.S. on coule ». Nous représentions six naufragés dans une embarcation dérivant sur la mer. La première semaine, chaque ado jouerait son propre rôle. Par la suite, nous endosserions la personnalité d'un membre du groupe. Pour survivre, il nous faudrait jeter un homme par-dessus bord de façon régulière. Chacun devrait donc défendre sa peau et tâcher de convaincre les autres naufragés de son utilité à bord. Le septième patient assumerait le rôle de juge et c'est à lui qu'incomberait la tâche de désigner un proscrit ; celui que la majorité rejetait. Le noyé-proscrit deviendrait alors, en tirant au hasard, l'ange gardien d'un des naufragés restants. Il n'aurait pas droit de parole mais pourrait discuter avec son protégé et l'aider à se défendre. La séance durerait soixante minutes et supposerait deux noyés-proscrits. La deuxième heure du cours serait consacrée au visionnement de l'activité et à une discussion. Puis, avant de partir, nous prendrions connaissance de notre future personnalité en la choisissant au hasard encore une fois. Chaque patient aurait sept jours pour intégrer sa nouvelle vie. Un défi de taille, car cela nous forcerait à observer et à discuter avec notre double afin de bien cerner sa dynamique.

Je trouvais l'idée bonne, mais je craignais qu'elle ne blesse Diane. Je décidai de lui en toucher un mot :

– Une embarcation, des noyés, c'est un peu tiré par les cheveux, tu ne trouves pas ?

– Peut-être, mais le concept est intéressant. Je vais devenir toi, t'imagines !

– Dieu t'en préserve !

Mon amie me regarda en souriant. Elle percevait mon malaise.

– C'est l'idée des noyés qui t'embête ?

– Y a un peu de ça, admis-je, soulagée.

– T'en fais pas, je ne fais aucun rapprochement avec ma petite sœur. Par contre, l'atelier devrait nous apprendre à nous défendre. On en aura grand besoin pour affronter l'extérieur.

– T'as entièrement raison. Si cela te va, je suis partante.

Le samedi précédant notre première séance, nous obtînmes l'autorisation de préparer la salle de cours. Le père d'Armand nous fournit même un vrai Zodiac. Nous le gonflâmes et l'installâmes au milieu de la pièce. Un banc surélevé à l'aide de cubes de bois dominait le pneumatique. Ce banc ferait office d'estrade pour le juge. On régla quelques détails de la mise en scène. Pour faciliter l'intégration des personnages, tous les naufragés porteraient une cape noire. On inscrirait le nom de chacun sur un carton. Pendant le jeu, il faudrait le porter bien en évidence sur la poitrine. Avant chaque noyade, Aline se chargerait de faire jouer le thème de la bande sonore du film *Jaws*. Finalement, Luc vérifia l'équipement audiovisuel et François accepta la responsabilité de filmer l'exercice. Tout était au point.

La première séance faillit tourner à la catastrophe. Philippe tenait le rôle du juge. Il n'arrivait pas à susciter l'intérêt des joueurs ni à les inciter à s'engager. Gertrude s'exposa, en vantant ses qualités d'astronome amateur, mais personne ne renchérit ou n'attaqua son argumentation. Un silence pesant s'installa. Puis soudain, alors que seulement dix minutes s'étaient écoulées depuis le début de l'exercice, Ève se jeta d'elle-même à l'eau, surprenant tout le monde. Le juge n'eut d'autre choix que d'accepter sa décision. Son geste en disait long sur l'estime qu'elle se portait. Elle devint mon ange gardien. Ève s'installa à l'extérieur du Zodiac, juste derrière moi. Sa présence me déstabilisa et me donna l'impression de traîner un cadavre à ma remorque ! J'eus du mal à suivre le déroulement du jeu.

Un peu plus tard, un second incident se produisit. Armand voulut savoir si l'activité n'affectait pas trop Diane. Soucieux, il lui demanda :

– Cela ne te fait rien que l'on parle de noyé ?

– Aucunement. C'est juste un jeu, faudrait quand même pas charrier. De toute façon, je ne vais pas en vouloir à ma mère... à *la* mer pour ça.

Un silence pesant s'abattit sur le canot.

– Qu'est-ce que tu as dit ? releva candidement Armand.

– J'ai dit que je ne vais pas en vouloir à la mer pour autant, lança Diane beaucoup trop précipitamment.

– Non, non, insista l'autre naufragé, toujours aussi pointilleux. T'as dit *ma* mère et non *la* mer. Voilà un lapsus très révélateur.

– T'es sourd ou quoi ? J'ai dit *la* mer. Tu peux te le coller au cul ton lapsus. J'en ai rien à foutre !

La voix de Diane se cassa.

Armand devint tellement rouge et confus qu'il menaçait de virer au mauve. Je voulus défendre mon amie, aussi j'ajoutai :

– Elle a dit la mer ! T'as compris ou y faut t'expliquer ?

Diane m'interrompit en me touchant le bras. Elle secoua lentement la tête, de gauche à droite. Ses beaux yeux se brouillèrent de larmes. J'éclatai en sanglots en même temps qu'elle. Nous nous serrâmes l'une contre l'autre. Au bout de quelques minutes, Aline intervint :

– Si vous continuez de la sorte, vous allez submerger l'embarcation et il ne restera plus un seul naufragé à filmer !

Je reniflai un bon coup et pouffai de rire. Une brèche s'ouvrit dans la tempête et la gaieté revint. L'atmosphère se détendit et la séance se termina dans la bonne entente.

Septembre fuyait face à la pluie et au froid. Le dernier week-end du mois, Louisette fut confinée à l'unité à la suite d'une réprimande. On l'avait surprise dans les toilettes accompagnée d'un patient adulte du pavillon central. Ayant perdu toute vigueur, elle errait comme une âme en peine. Elle craignait que sa conduite ne retarde sa sortie. Nous l'encourageâmes de notre mieux. À notre grand étonnement, la soirée mystique l'intéressa. Elle y participa avec un sérieux que nous ne lui connaissions pas. À la lueur des bougies, Louisette nous confia ses croyances dans l'au-delà – la vie après la mort...

Tout doucement, je m'acclimatais à cet endroit qui naviguait hors du temps. Un mardi soir, Marie vint me visiter seule, car Pierre travaillait. Dans le salon, Philippe et sa mère discutaient. Sa mère venait toujours seule ; le père de Philippe ne se manifestait jamais. Dans notre coin, Marie m'entretint du restaurant et des clients. Elle me décrivit leurs habitudes, à grand renfort de mimiques et de gestes. J'appréciais ce que Marie faisait pour moi. D'autant plus que mon attention vagabondait souvent. Parfois, je déployais des efforts considérables de concentration pour paraître intéressée. Marie ne se décourageait pas. Je l'admirais et la remerciais pour cette marque d'amour.

À l'autre bout de la salle, le ton monta d'un cran. Philippe lança rageusement à sa mère :

– Il a honte de son fils ! Il préférerait me voir mort.

– Ne dis pas de bêtises, il était retenu au bureau.

– Mon œil ! Il ne mettra jamais les pieds dans un asile, ce serait beaucoup trop dégradant. Dans un cimetière peut-être, mais pas dans une maison de fous.

Ailleurs

À ce moment-là, un étrange phénomène se produisit. Marie et moi ne pouvions détacher notre regard de la scène. Assis l'un contre l'autre, Philippe et sa mère se fixaient avec une telle intensité, un tel désir, que cela engloutissait leur relation mère-fils. Leurs mains étroitement liées prolongeaient leur intimité. Philippe jouait avec l'alliance de sa mère. Un malaise indescriptible m'envahit. Marie secoua sa torpeur et se leva en disant :

– Et si tu me montrais ta chambre ?

Elle me prit par le coude et m'entraîna dans son sillage sans attendre ma réponse.

Dès que j'en eus l'occasion, malgré ma gêne et ma confusion, je racontai l'incident à Diane. Mon histoire manquait de cohérence. Mon cerveau répugnait à analyser les images que mes yeux avaient captées. Mon amie saisit l'essentiel de la situation. Il n'y avait rien à ajouter...

Cette semaine-là s'avéra riche en rebondissements. Le lendemain, à l'heure du souper, Harry fut emmené au bunker, c'est-à-dire aux soins intensifs, où se trouvaient les chambres d'isolement. Il se trouvait assis à côté de Louisette dans la cafétéria lorsqu'un patient d'une trentaine d'années s'avança puis murmura quelques mots à l'oreille de l'adolescente. Elle baissa la tête, sa crinière rousse faisant paravent aux paroles blessantes de l'inconnu. Harry se leva pour éloigner l'intrus. Celui-ci l'ignora et continua de plus belle à écorcher Louisette. Elle tremblait et, au désespoir, se couvrit les oreilles de ses mains. Harry succomba à une rage folle. Il sauta sur l'homme et le roua de coups. Luc se précipita pour tenter de maîtriser son compagnon mais il ne parvint pas à l'approcher. Harry s'acharnait sur sa victime avec délectation. Le pauvre type gisait par terre, à moitié assommé, baignant dans son sang. Deux gardiens de sécurité intervinrent. L'homme profita de cette diversion pour trouver refuge dans le giron d'une infirmière. La scène relevait du cauchemar. Des patients pleuraient, d'autres riaient, certains encourageaient Rambo tandis que d'autres continuaient de s'empiffrer sans réagir. Le clan des ados se regroupa instinctivement. Harry se déchaînait et balançait aux gardes tout ce qui lui tombait sous la main. Son visage était méconnaissable, défiguré par la fureur et la haine. Une deuxième équipe fut appelée. Entretemps, des infirmières et des préposés s'évertuèrent à vider la cafétéria. En sortant, je vis les agents se saisir d'Harry et le plaquer au sol. Quelques secondes plus tard, on entendit un hurlement de bête sauvage. Ce cri me glaça le cœur. Harry ne réapparut que le lundi suivant, abruti par les médicaments.

Remise de ses émotions, Louisette nous expliqua que le type de la cafétéria était celui-là même qui lui avait valu d'être réprimandée et confinée à l'unité pour le week-end. À cause d'elle, lui avait-il dit, l'on repoussait à une date ultérieure son congé de l'hôpital. Ce dernier promettait de se venger et « de lui défoncer le con avec un pieu » !

À la suite de cette bataille, des places spécifiques nous furent assignées à la cafétéria. Les administrateurs pensaient ainsi éviter d'autres dérapages. Avec diplomatie, les responsables de notre pavillon nous firent comprendre que nous serions plus en sécurité et que cette restriction nous éviterait d'être continuellement harcelés.

Le vendredi matin, notre jeu de rôle prit une tournure dramatique. Ève, qui incarnait Luc, me demanda à brûle-pourpoint si j'avais apprécié la visite de ma mère. Je jouais le rôle de Philippe. La question, à mes yeux, cachait une menace. Ève savait-elle pour Philippe et sa mère ? Se doutait-elle de quelque chose ou ses propos équivalaient-ils à une simple entrée en matière ? J'hésitai avant de répondre :

– Oui, bien sûr !

Le vrai Philippe intervint en me regardant droit dans les yeux :

– Tu es certain, t'avais l'air fâché ?

Sa réplique me porta un coup. Je sentis la tempête prête à se lever. Que lui arrivait-il ? Était-il tombé sur la tête ? S'apprêtait-il

Ailleurs

à se montrer à découvert ? Je ne voyais pas où il voulait en venir exactement. Je ne savais que répondre. Il poursuivit d'un ton narquois :

– Ta mère t'a consolé ?

C'en était trop. Je cherchai désespérément un appui. Je me tournai vers Armand, le juge, mais il ne saisissait pas l'urgence de la situation. Même phénomène du côté de l'infirmière et du psychologue. En désespoir de cause, j'implorai Diane du regard. Comme elle représentait la fragile Ève, elle n'était pas censée être au courant. Elle haussa les épaules en signe d'impuissance.

Mes joues s'enflammèrent. Je me sentais au bord d'un précipice, le sol s'effritant dangereusement sous mes pieds. Entraîné par sa propre destruction, fiévreux, Philippe enchaîna en crachant une brève tirade :

– Elle te réconforte comment, ta mère ? Hein ? Pourquoi tu ne réponds pas ? Elle achète aussi ton silence, ta pute ?

De plus en plus embarrassée, je songeai sérieusement à servir de repas aux requins. Le thérapeute voulut désamorcer la crise mais Philippe ne lui en laissa pas l'occasion. Il bondit sur ses pieds et lança à tue-tête :

– Tu aimes la toucher ? Tu aimes sa peau ? T'es rien qu'un enfant de bâtard !

Puis il s'effondra dans les bras de François, lui martelant la poitrine de ses poings.

Tout le monde déserta le vaisseau. Le silence bourdonnait de la détresse de Philippe. Aline nous rassembla et nous accompagna jusqu'à la salle adjacente. Nous laissâmes François et Philippe en tête-à-tête. À partir de ce jour, il demeura au pavillon les week-ends.

Cette nuit-là, le sommeil se déroba. Tout en fixant les portes du placard, j'y devinai des silhouettes et des visages fantasmagoriques. Le bois me fascinait depuis mon plus jeune âge.

Il évoquait la chaleur, le réconfort et recelait dans ses fibres les mystères de sa forêt natale. Encore secouée par les récents événements dont j'avais indirectement subi l'assaut, j'appelai Paul à ma rescousse :

« Grand-père, pourquoi ton âme s'est-elle enfuie loin de moi ? Où es-tu ? Pourrai-je jamais entendre de nouveau ta voix, sentir tes grandes mains réconfortantes sur mes épaules ? Mes yeux sont-ils condamnés à scruter l'obscurité à ta recherche ? Tu sais, tous ces jeunes souffrent terriblement. Ils surnagent dans un abysse de tourments. L'amour les trahit et les meurtrit. Je cherche à comprendre ce qui m'arrive et pourquoi. Qui est responsable de tout ce gâchis : moi ? la G.G. ? Dieu ? »

Pendant que je me lamentais et cherchais un bouc émissaire, je vécus une expérience fantastique, surnaturelle. Étendue sur le dos dans un état second, les yeux fermés et le corps paralysé, j'entendis soudainement la voix familière de mon papy qui me parvenait de derrière moi sur ma droite. Émue et excitée, mon cœur battit la chamade. Chaque parcelle de mon corps se trouvait en état d'alerte, de surexcitation. En concentrant ma volonté et poussée par le désir de revoir Paul, je réussis à tourner la tête à droite. Je vis alors un être lumineux légèrement penché au-dessus de moi. Tel un décalque de mon grand-père, la silhouette grandeur nature étincelait de lumière. La luminosité était si intense qu'elle s'échappait de son moule. L'être pétillait d'énergie. Une tendresse infinie s'en dégageait. J'atteignais le septième ciel, le comble du bonheur. J'en oubliai mes récriminations et mon apitoiement. Papy disparut et fut remplacé par une sphère de lumière constituée de pièces de verre, comme un vitrail. Mon esprit baptisa cette vision « soleil de cathédrale » puisque l'astre du jour semblait captif de cet objet. Elle brillait et miroitait de mille feux. Je pouvais l'admirer sans me blesser les yeux. Puis elle s'évanouit à son tour.

J'ouvris mes yeux physiques et j'entendis la respiration de Diane à l'autre bout de la pièce. Un sourire s'épanouit sur mes lèvres. Un sentiment de paix et d'amour m'envahit, une sensation qu'il m'était donné de vivre pour la toute première fois de ma jeune existence. J'en remerciai Dieu et Paul. Je m'endormis paisiblement. J'acquis ainsi la certitude que mon aïeul veillait sur moi, m'encouragerait et me réconforterait au besoin. Il me suffirait d'ouvrir mon cœur. Cet ange me soutiendrait si je trébuchais. Il serait là pour toujours.

Mes rencontres avec Wolf prirent une tournure différente. Maintenant que mon délire, en panne d'inspiration, se calmait grâce aux médicaments, je devenais plus disponible et réceptive. Pour l'instant, je croyais la G.G. muselée et les hommes en noir, fondus dans le néant. Un nouveau terme s'introduisit dans le discours du psychiatre : schizophrénie. Ce seul mot évoquait toutes les malédictions et toutes les tares du monde. Juste à essayer de le prononcer, on en frissonnait. On cernait enfin mon mal, on m'apposait une étiquette. J'appartenais désormais à une confrérie reconnue. J'hésitais quant à la réaction à adopter : me réjouir ou trembler de peur. Quand j'observais Suzie et sa CIA, mon avenir me paraissait bien sombre ! Toutefois, Wolf tempérait mon émoi.

– Donne-toi du temps, Rubby. Tous les cas sont différents. Tu réagis bien aux médicaments, voilà déjà un atout.

– Si on veut ! murmurai-je timidement.

– Il serait important que tu t'informes sur ta maladie. Si ça te tente, je peux te donner de la documentation. Qu'en dis-tu ?

– Je veux bien, mais j'éprouve encore de la difficulté à lire et à mémoriser.

– C'est normal, ton système s'adapte tranquillement.

Il nota quelque chose dans mon dossier.

– Ma mère est-elle au courant ? lui demandai-je, mal à l'aise.

Je ressentais de la honte malgré moi. Je me sentais souillée.

– Non, j'attendais de t'en avoir parlé. Préfères-tu l'informer toi-même ? Je te laisse juge.

Après réflexion, je répondis :

— Non, pas vraiment. J'aimerais qu'on en discute à trois. Est-ce possible ?

— Tout à fait. Je fixe un rendez-vous avec ta mère dès que possible.

L'entretien se poursuivit au-delà du temps habituellement alloué. Wolf commettait un tel écart pour la première fois. Jamais il ne dérogeait à la règle du soixante minutes : 3600 secondes pour s'épancher, pas une de plus.

Dans la soirée, je cherchai du réconfort auprès de Diane. Le diagnostic ne la surprit nullement. Ce qui lui avait mis la puce à l'oreille : la G.G. et Dana. Les hallucinations auditives étaient monnaie courante chez les schizos. Ce terme amputé semblait moins menaçant, presque *cool*. Ce qui m'étonna le plus, c'est que la vie continuait malgré tout. Ma vie se poursuivait. Il est vrai que, fondamentalement, rien n'avait changé. J'étais toujours Rubby, fille de Marie et petite-fille de Lucie et Paul. Entre le début et la fin de mon entretien avec Wolf, étais-je restée la même personne ou étais-je devenue quelqu'un d'autre ? Un mot pouvait-il être aussi puissant ?

J'appréhendais la réaction de Marie. Je craignais de la décevoir, de la blesser. Elle commençait à peine à jouir de la vie et à s'épanouir auprès de Pierre. Considérerait-elle ce coup du sort comme une malédiction ? Je devenais un boulet qu'elle traînerait une partie de son existence. En prendrait-elle conscience ? La maladie mentale ne faisait pas partie de son scénario de vie. Plus je me questionnais, plus ma culpabilité grimpait en flèche.

La réunion au sommet eut lieu un mardi après-midi. Exceptionnellement, je fus dispensée de mon cours de mathématiques. Quand j'entrai dans le bureau, ma mère attendait. Elle vint à ma rencontre et me prit dans ses bras. Elle avait l'air soucieux. Sa profonde inquiétude se lisait aux fines rides qui

Ailleurs

lui barraient le front. Marie s'assit sur le bout de sa chaise, se tenant droite comme un i. On avait l'impression qu'elle s'apprêtait à fuir. À quelques reprises, elle tourna la tête dans ma direction et me sourit mécaniquement. Wolf monologuait en tentant de se faire rassurant. Si je me fiais au visage tendu de ma mère, ses efforts n'obtenaient pas l'effet voulu.

Cette pièce surchauffée me rendait inconfortable. Les propos du psychiatre demeuraient comme suspendus dans l'air. Certains mots atteignaient mon cerveau sans toutefois déclencher ma compréhension. Il traitait d'une chose impalpable mais combien vivante : la schizophrénie, le cancer de l'âme. Les spécialistes se perdaient en conjectures quant à ses causes. Cela m'affolait de penser que cette « infection » se propageait dans mon système. Comment Wolf pouvait-il rester aussi calme ? Il m'énervait à la longue. Pour sa part, Marie semblait sous son emprise, elle n'intervint pas. Elle ressemblait à une élève soumise et attentive aux paroles du maître. Je me demandais ce qui pouvait bien lui trotter dans la tête. J'aurais voulu qu'on me rassure, que quelqu'un me berce dans ses bras. Par contre, une partie de moi refusait cette faiblesse. Dans cet endroit, il importait de se maîtriser afin de ne pas inquiéter le personnel soignant. Autrement dit, se faire le plus petit possible. Ce qui ne représentait pas un grand défi pour moi...

Mon premier week-end de liberté fut éprouvant. Marie et Pierre étaient bourrés de bonnes intentions, mais j'avais l'impression qu'on m'exhibait comme un phénomène de foire. Heureusement, ma chambre, aménagée au sous-sol, m'offrit l'intimité dont je ressentais grandement le besoin. Marie l'avait peinturée dans les tons de lilas. Tous mes objets personnels s'entassaient dans des boîtes. J'appréciais cette attention. C'était à moi qu'il revenait de créer mon refuge. Ma mère et moi en avions convenu ainsi.

Le vendredi, j'eus de la difficulté à m'endormir. L'absence de Diane me pesait. Contrairement à mon tempérament d'une nature plutôt sauvage, je m'étais rapidement attachée à elle.

Il faut dire que les circonstances s'y prêtaient puisque je m'expliquais mal l'abandon et la trahison de mes amis. De plus, le chemin parcouru par Diane forçait l'admiration. Sa grande sagesse m'envoûtait et me permettait de refaire surface. Elle incarnait mon ange Gabriel, ma protectrice contre les démons qui me harcelaient.

Levée aux petites heures du matin, je surpris tout de même Marie et Pierre en grande discussion à mon sujet. Gênée, je restai dissimulée. Leurs propos laissaient filtrer un profond soulagement de me savoir en sécurité et prise en charge par des professionnels. Ma mère s'inquiétait pour mon avenir et, dans la foulée, tenant rigueur à Yan, elle le rendait responsable du déclenchement de ma psychose. « C'est Yan, le coupable ! Dans quoi l'a-t-il entraînée ? Les soupçons du policier étaient sûrement fondés. Avant cette fameuse journée, je ne l'avais jamais vue accoutrée de la sorte ! J'ai peur, mon amour ! Je voudrais tellement la protéger et l'éloigner de ce type. »

Je battis en retraite dans ma chambre. Mon secret éventé, une étrange paix s'installa. Le soulagement que je ressentis à savoir Marie au courant atténua ma honte. Sa réaction me réconfortait et prouvait qu'elle m'aimait inconditionnellement, contrairement à Yan ! Désormais, je n'avais plus le choix ; je devais passer à autre chose, sinon cet amour me serait fatal...

Samedi soir, à l'occasion du souper, la situation se dégrada. Pensant me faire plaisir, Pierre avait invité ses enfants. Mal à l'aise, je me creusai la tête pour tâcher d'entretenir une conversation intéressante. Je n'arrivais pas d'un camp de vacances... Impossible de banaliser mon expérience. Les autres manquaient de naturel lorsqu'ils s'adressaient à moi. Je devais leur communiquer mon malaise, sans en être consciente. Je n'avais qu'une envie : me terrer dans ma chambre, loin de ces yeux inquisiteurs. Comment partager avec eux les histoires de Diane et de sa petite sœur, de Philippe et de son amour interdit ? Avec leurs vies bien rangées, loin des tempêtes, ces histoires relevaient de la fiction. Et, après tout, je n'avais aucun droit de divulguer cette autre réalité. Je ressentais profondément le gouffre qui séparait nos deux mondes.

Ailleurs

À la fin de la soirée, je m'avouai exténuée, incapable d'en supporter davantage. Étrangement, je regrettais le cocon protecteur de l'hôpital. Une partie de moi souhaitait retourner à l'abri de ses murs.

Dimanche, vers dix-neuf heures, Marie et Pierre me reconduisirent à Prévost. Une grande agitation régnait au salon. J'appris qu'Harry avait fugué aux États-Unis et qu'il avait téléphoné à Louisette pour lui faire part de son projet. Le plus terrible, c'est qu'il avait dérobé les bijoux de sa mère avant de s'enfuir. Ses parents ayant constaté son absence le dimanche au réveil, ils avaient aussitôt contacté quelques copains de leur fils, dont Louisette. Touchée par leur détresse, elle leur avait rapporté en partie les propos d'Harry. Bien sûr, elle avait zappé les injures et les vacheries proférées à leur endroit. Elle-même trouvait ce vol odieux. De retour à son poste le lundi matin, l'infirmière en chef la questionna longuement à propos de cet événement. Louisette se défendit vigoureusement d'être impliquée d'aucune façon. Malgré sa désinvolture, elle demeurait crédible. Jamais elle n'aurait participé à cela, se considérant par ailleurs incapable de blesser volontairement quelqu'un.

Dès qu'elle en eut la chance, Louisette nous rejoignit dans notre chambre. Tout excitée d'être la vedette de ce mini-soap, elle nous raconta son histoire en ces termes :

– Harry m'a téléphoné vers vingt-deux heures trente, samedi. Il planifiait de quitter la maison vers une heure trente. Sa mère prend toujours un somnifère et ses parents font chambre à part. Il pouvait donc facilement pénétrer dans sa chambre pour lui faucher ses bijoux. Le dimanche, ses parents n'étaient pas autorisés à le déranger avant dix heures trente – règle qu'ils s'étaient fixée. À cette heure-là, il prévoyait avoir déjà traversé les lignes américaines. Un type rencontré à l'arcade l'avait mis en contact avec un passeur. Une partie du butin volé à sa mère payait le coût du voyage. Quand Harry m'a fait part de son plan, il paraissait euphorique. Je ne me suis pas méfiée, parce qu'il semble toujours mijoter des projets plus ou moins tordus. Jamais je n'aurais cru qu'il passerait à l'acte. Je plains surtout sa mère. Il n'a aucune considération pour elle, c'est navrant. Pourtant je l'ai déjà rencontrée et elle me paraissait tout à fait *cool*. Cette tuile va l'achever, c'est certain !

La fugue d'Harry et le départ imminent de Louisette maintenaient l'unité en ébullition. Louisette devait réintégrer votre monde le jeudi. Elle représentait notre espoir de s'en sortir un jour. Elle était la preuve vivante qu'une ado « particulière » conservait le droit de vivre parmi vous. Aline organisa en son honneur une petite fête – une danse et un goûter – au salon le mercredi soir. Tous les patients et leurs familles furent conviés. L'événement s'avéra joyeux, triste et très réussi. Ève récita un texte que Diane, notre poète en herbe, avait écrit à cette intention. Sa voix chevrota et les mots semblaient prisonniers de sa gorge. L'auditoire retint son souffle pendant la lecture de ce poème touchant. La déclamation d'Ève fut accueillie par une volée d'applaudissements. La soirée s'acheva à vingt-trois heures.

Le lendemain, Louisette se déroba après nous avoir longuement serrés dans ses bras. Il s'agissait d'une fugue légale, une victoire remportée à la suite d'un dur combat. Je revois encore son visage rayonnant, encadré par sa chevelure de feu, à la fois jeune et très vieille, levant le poing en un geste victorieux.

Sa chambre fut octroyée à Diane et j'héritai de celle d'Harry. Selon les critères de l'endroit, une chambre privée représentait une promotion. Il ne restait qu'à chasser les mauvaises ondes de son ancien occupant. Diane, Luc et moi fîmes l'exorcisme des lieux et, après cette séance, je dormis comme un loir.

Notre activité audiovisuelle devenait plus que thérapeutique. Plusieurs patients y effectuaient des révélations fracassantes, voire choquantes. Ce vendredi d'octobre restera imprimé à jamais dans la trame de mes souvenirs. Juchée sur mon tabouret, j'officiais comme juge. Personne ne s'attendait à essuyer

Ailleurs

une telle lame de fond. François ajustait la caméra lorsque Ève se leva, très digne. Devant représenter Diane, elle retira son épinglette, qu'elle laissa choir dans le Zodiac. Elle proclama d'une voix monocorde :

– Je suis le fantôme d'Ève Lanoue. Mon existence a pris corps lorsque Ève avait huit ans. Elle était une enfant rieuse, pleine de vie et curieuse de tout. Un individu, son parrain, qui était aussi le frère de sa mère, décida de l'amputer de son innocence. Ses parents ayant une vie sociale très active, ils permettaient au serpent venimeux de s'introduire chez elle, en elle. Ses premiers attouchements la couvrirent de confusion et de honte. Pas celle qu'on éprouve quand on fait pipi dans sa petite culotte devant la visite. Non, la vraie honte, celle qui vous tenaille les entrailles et vous empêche de crier votre désespoir. Cette plaie qui se répand et vous gangrène l'âme. Cette bombe qui vous propulse trop tôt dans le monde des adultes. Avec l'usure, Ève devint une enfant-femme, privée de ses poupées. Elle se refusa à nourrir plus longtemps ce corps. Pour le punir lui ou se punir elle ? Elle ne saurait le dire. Au bout d'un an, un médecin découvrit son secret et sonna l'alarme. Ses parents furent horrifiés, son tortionnaire arrêté et sa vie officiellement hypothéquée... Je suis le fantôme d'Ève Lanoue et j'ai treize ans. Je ne crois pas qu'elle désire occuper encore cette enveloppe. Elle est trop fatiguée.

Ève retira sa longue cape noire et quitta la pièce. Aline et François s'élancèrent derrière elle.

Je me sentis pétrifiée. Son récit n'avait duré que quelques minutes mais avait laissé filtrer tant de misère que je fus incapable de pleurer. Cela ressemblait sans équivoque à une déclaration de mort. J'aurais voulu bousiller la gueule de cet oncle merdique. Luc réagit le premier :

– C'est dégueulasse ! Je ne crois pas qu'Ève surmontera cette tragédie.

– Qu'en sais-tu ? intervint agressivement Gertrude. Elle a survécu cinq ans. C'est bon signe, non ?

– Oui, mais à quel prix ? répondit Luc. Son état est lamentable et sa vie doit être un vrai calvaire.

Personne ne répliqua, nos paroles auraient été vaines.

Comme à leur habitude, les parents d'Ève vinrent la chercher pour le week-end. Le personnel n'ayant pas réussi à les joindre pour les prévenir que leur fille se trouvait confinée aux soins intensifs, le choc fut violent. Le psychiatre de leur fille leur apprit la nouvelle. L'entrevue dura une éternité. En sortant du bureau, madame Lanoue semblait effondrée. Son mari la soutenait, l'air hébété. Ils quittèrent l'institut dans l'air froid d'octobre. J'ignore si c'était le vent ou le chagrin qui courbait leurs épaules...

On ne revit plus jamais Ève. Plusieurs rumeurs coururent à son sujet. D'abord, le personnel nous informa qu'on la transférait aux soins intensifs, sous haute surveillance. J'imaginais sa frêle carcasse, sanglée et gavée trois fois par jour : encore un viol. On raconta ensuite qu'elle était hospitalisée à New York où exerçait une sommité dans le domaine de l'anorexie juvénile. Enfin, on affirma – et cette supposition s'avéra la plus cruelle – qu'Ève était tombée dans le coma une dizaine de jours après l'activité. La direction nia avec vigueur cette macabre rumeur. Cependant, cette hypothèse perdura et circulait toujours à mon départ.

L'activité audiovisuelle fut annulée et remplacée par une plage libre de conditionnement physique. Aline prit deux semaines de vacances. Elle nous manqua beaucoup pendant ces temps difficiles.

Les arbres dénudés introduisirent novembre et Marie-Claude. Âgée de quinze ans, elle était grande, d'allure sportive. Elle paraissait sympathique et agréable avec tout le monde. De prime abord, rien ne semblait clocher chez cette patiente. Mais bientôt, Diane découvrit la faille et m'en parla.

Ailleurs

– Cette fille souffre de toc... C'est une toquée, autrement dit.

– Je ne comprends pas. Essaie d'être plus claire avec la pauvre schizo que je suis.

– T'as remarqué qu'elle quitte souvent une activité, un repas ou un cours pour se rendre à la salle de bain ?

– J'ai remarqué. Est-ce qu'une vessie hyperactive est un signe de folie ?

– Bien sûr que non, Marie-Claude n'est pas incontinente, elle se lave les mains. T'as vu comme elles sont rouges et enflées ? On dirait une véritable obsession. Elle souffre d'un trouble obsessionnel compulsif. T-O-C, toc, donc toquée !

Diane bomba le torse, très fière de sa démonstration.

– Et l'on peut savoir ce que ce virus bouffe en automne ?

– Justement, elle semble obsédée par les microbes. Elle prend sa douche plusieurs fois par jour. Hier, son cérémonial a duré plus d'une heure. J'ai dû utiliser l'autre salle de bain.

– Maintenant que j'y pense, j'ai vu qu'elle s'y prenait à plusieurs reprises pour s'asseoir. J'ai cru qu'elle ajustait sa robe ou que la chaise était inconfortable. Mais elle a répété le même manège à la cafétéria.

– T'as tout bon ! C'est un geste compulsif. À son arrivée, je pense qu'elle déployait des efforts surhumains pour dissimuler ses manies. Mais sous une forte pression, elle ne parvient plus à se maîtriser.

Ainsi se conclut notre dissection psychologique de Marie-Claude. Malheureusement, Suzie et sa CIA l'avaient prise en grippe ; Suzie demeurait persuadée que la nouvelle cachait en réalité un agent double en mission d'infiltration. Il faut dire que les nombreuses incursions de Marie-Claude aux toilettes n'aidaient pas sa cause.

L'automne devint coriace et le froid transperça les murs. Le visage du pavillon avait changé depuis le départ d'Harry, Louisette, Ève et Armand. Ce dernier évoluait de nouveau parmi les siens en dépit des recommandations défavorables de l'équipe soignante. Son père avait usé de son influence pour le rapatrier. Luc réagit bien au départ de son « coloc ». Suzie, maintenant l'aînée, prenait parfois son rôle très au sérieux. Elle nous rabrouait si nous manquions de ponctualité aux repas ou si nous laissions le sèche-linge fonctionner au-delà du temps requis. Étant donné son état psychologique, nous tolérions son ingérence sans rouspéter.

On m'autorisait désormais à passer tous les week-ends chez moi. Diane jouissait elle aussi d'un nouveau programme. Le samedi, elle prenait congé de l'institut. Son père et sa mère assumaient sa garde à tour de rôle. Le dimanche soir, à mon retour, nous avions des millions de choses à nous confier.

La mère de ma copine s'était inscrite à un programme de réinsertion sur le marché du travail. Diane, très touchée, l'encourageait fortement. Clara se montrait emballée, cette joie se répercutant sur sa fille. Mon amie paraissait encore plus belle et sereine. Cela me rendait heureuse et triste à la fois, car cela signifiait qu'elle me quitterait bientôt.

La veille de son départ, nous restâmes longtemps assises l'une contre l'autre, sans rien dire. Une boule de chagrin montait la garde au fond de ma gorge. J'essayais de ne pas pleurer, avec pour résultat que je faillis m'étouffer à force de me retenir. Jamais, et j'en étais convaincue, je ne pourrais rencontrer un être aussi pur et aidant. Je pleurais sur moi. Avant de nous séparer pour la nuit, nous nous fîmes tout un tas de promesses : s'écrire, se téléphoner, se revoir. Au matin, Diane me serra très fort contre elle et me remit un poème. Je m'isolai dans ma chambre pour en savourer la lecture.

Je t'offre ces quelques lignes avec amitié. Garde en mémoire que chaque femme porte un voile en son cœur. Il te suffit de soulever le tien.

Ailleurs

Ici un voile pour la mariée
Là-bas un voile pour cacher ton visage
Un voile qui appelle la nuit.

Derrière ce linceul ton corps est piégé
Ton âme est meurtrie
Dans tes entrailles la peur s'est lovée
Étouffant ton cri.

Femme d'ailleurs, pourquoi toi ?
Ton isolement dérange
Mais ton pays est si loin de moi
Et ses mœurs si étranges.

Toi et tes filles êtes dans mes pensées
J'imagine votre marche solitaire,
vos lendemains incertains,
vos tourments
Beaucoup de volonté et de patience vous sont demandées
Votre force jaillira de la haine de vos tyrans,
de la trahison de vos amants.

Un voile qui appelle la nuit
Un voile pour t'aliéner
Ils ont interprété les enseignements sans Lui
Et ton Dieu ont trompé.

Il pansera tes plaies qui ont marqué ton âge
Soulèvera ton suaire
Sans provoquer les guerres
Dévoilant au monde ton magnifique visage.

J'appris ce poème par cœur et je survécus. Je parlais plus ouvertement en présence de Wolf. Mes propos ne correspondaient point à des confidences, cependant je progressais. Ma nature restait méfiante et distante. La maladie accentuait simplement ce trait de caractère. Je pensais souvent à Paul et Dana, mes anges gardiens. Ils étaient disponibles et logeaient dans une cavité de mon cœur. À la moindre menace, je réclamais leur aide. Cette petite déviance – ce penchant mystique de ma personnalité – demeurait mon secret : accès interdit. Je craignais qu'un psy bien intentionné brise mon rêve ou effraie mes protecteurs : le surnaturel se mariant mal avec leur science...

Un matin, de lourds nuages gris laissèrent échapper une multitude de diamants blancs. Cette parure couvrit le sol et habilla la triste nudité du paysage. La solitude m'entraîna sur une voie contemplative. Je remarquais des détails qui m'échappaient autrefois. L'observation de mon environnement devint une composante importante de ma vie. Jusqu'à présent, je l'avais plutôt négligé. J'adorais m'installer au salon, face à une fenêtre, pour regarder le soleil décliner. Dans la pénombre, les étoiles les plus lumineuses narguaient la réverbération des lumières artificielles. Dans ces moments-là, je pressentais l'existence de quelque chose de grandiose et d'une présence toute-puissante.

Installée au salon, je lisais un article sur la schizophrénie lorsque Aline me rejoignit.

– Bonjour, comment ça va ? Tu sembles soucieuse !

– On le serait à moins ! Écoute ça : « L'influence génétique, le dysfonctionnement au niveau des neurotransmetteurs, les déficits cognitifs et la fragilité du Moi sont certains des facteurs prédisposants qui constituent la vulnérabilité biopsychologique de la personne schizophrène. » C'est un tableau pas très reluisant ! Et, en plus, il y aurait des facteurs déclencheurs ! Pas étonnant qu'avec un tel bagage, on saute !

– Ne t'affole pas ! Laisse-moi t'expliquer. On considère ta maladie comme un trouble d'ordre biopsychosocial. Par bio, on veut dire prédisposition génétique ou configuration cérébrale particulière. Par psycho, on ne parle pas d'un manque d'intelligence, mais de déficits intellectuels qui perturbent ton fonctionnement, ta mémoire, ta manière de traiter l'information et de réagir à ton environnement. Enfin, le côté social signifie que tu es plus fragile aux événements stressants de la vie, et que ceux-ci peuvent déclencher une rupture de contact avec le monde ambiant, avec la réalité. La bonne nouvelle, c'est que ça se soigne ! La médication t'a ramenée parmi nous !

Ailleurs

– Peut-être, mais c'est pas une garantie totale, lui répondis-je.

Je repris à voix haute :

– « Lorsqu'un patient est confronté à un niveau de stress élevé, il peut rechuter malgré un traitement antipsychotique. Les mêmes symptômes observés au début de la psychose réapparaissent d'une rechute à l'autre. » J'en ai pas fini avec les hommes en noir ! soupirai-je avec lassitude.

Mon dix-septième et dernier Noël d'adolescente grelottait d'impatience. J'avais hâte de retrouver mon ancienne vie : celle d'avant Yan et avant que la G.G. ne devienne trop envahissante. Depuis le départ de Diane, l'hospitalisation ne m'apportait plus aucun effet curatif. De surcroît, sans nouvelles d'elle, je m'en trouvais meurtrie. Étais-je condamnée à ne connaître que des amours et des amitiés embryonnaires ? Ma tête comprenait ce silence mais mon cœur l'acceptait mal. Toutefois, je concevais que, une fois sortie de ce lieu, il serait préférable de larguer les amarres pour de bon.

Wolf me laissa entendre qu'il signerait mon billet, aller sans retour, pour le 21 décembre. Les nuits précédant cette date furent agitées. Je fis d'horribles cauchemars. Dans l'un d'eux, Diane se noyait sous mes yeux. Sa petite sœur démente s'agrippait à elle, l'entraînant au fond d'une eau noire. J'essayais de la rejoindre mais un immense voile me tombait dessus, m'empêchant de l'atteindre. Je me réveillai en proie à une violente terreur. Harry, notre Rambo national, tint quant à lui la vedette d'un autre rêve affreux où il débarquait au pavillon armé jusqu'aux dents et tirait sur tout ce qui bougeait. Ses bottes cloutées martelaient le sol. Il criait : « Rubby chérie, où te caches-tu ? Ton beau papillon est de retour ! » Il forçait la porte de ma chambre et la pulvérisait d'une rafale de mitraillette. Recroquevillée au fond de ma penderie, j'entendais Harry qui s'approchait et susurrait : « Rubby, ma petite fée, il fallait l'écraser ta foutue chenille ! Regarde comme elle est devenue un beau papillon ! » Il ouvrait la porte et, au contact de ses yeux fous, je fus expulsée de mon rêve.

Luc était le seul patient en qui j'avais assez confiance pour lui raconter mes rêves. Une nuit où je n'arrivais pas à retrouver mes esprits, je me faufilai dans sa chambre. Il m'accueillit comme mon grand-père l'aurait fait. Calée entre ses bras réconfortants, je retrouvai ma paix de l'esprit. Au matin, tandis que je regagnais ma chambre, je tombai nez à nez avec Suzie et sa CIA. J'évitai la catastrophe en retenant mon cri *in extremis*. Suzie murmura :

– Rubby ! Tu les as vus, toi aussi, n'est-ce pas ?

Je hochai la tête et haussai les épaules, ce qui pouvait tout aussi bien dire oui-non-peut-être... Elle poursuivit :

– Ils ont essayé de m'arracher la dernière combinaison du coffre-fort ! Mais j'ai résisté.

Elle se dandina d'un pied à l'autre, le regard inquiet.

– Excellent, Suzie, la félicitai-je, tu as bien agi. Maintenant, tu dois retourner dans ta chambre. N'aie pas peur, je veille sur toi.

– Merci Rubby, je savais que je pouvais compter sur toi.

Avant qu'elle ne parte, j'ajoutai :

– Et garde secrète notre rencontre. On ne sait jamais !

– Qu'est-ce que tu crois ? Plutôt l'emporter dans ma tombe ! répondit-elle, indignée.

Ces derniers mots me rappelèrent les atrocités de mon cauchemar. Je frissonnai en pénétrant dans ma chambre.

Je fus graciée et quittai Albert-Prévost à la date déterminée par mon psychiatre. Le 20 décembre, j'eus droit à une petite fête organisée au salon. Le cœur gros, j'observais Suzie et son avenir m'inspirait les pires craintes. Elle évoluait en parallèle de votre réalité, dans un monde truffé d'embûches et d'ennemis. Luc m'inquiétait énormément ; il devait sortir sous peu mais ses yeux affichaient ce regard pâle, lamentablement terne. Arriverait-il à s'investir de nouveau dans une relation

Ailleurs

amoureuse ? Se sentait-il encore responsable du suicide de Stacy ? Son regard ne me livrait aucune réponse. Aline, mon infirmière préférée, me manquerait beaucoup. Dès mes premiers pas dans ce micromonde, elle m'avait soutenue et rassurée. Elle m'offrit une carte sur laquelle le soleil se levait, une magnifique rivière coulant en avant-plan. À l'intérieur, elle avait griffonné : « Tu as une très grande puissance qui sommeille en toi. Ne perds jamais espoir, suis la rivière. »

Désormais, quoique libre, je me sentais apeurée. J'avais dix-sept ans et je craignais que le monde ne me rejette tel un organe incompatible...

16

Le retour

Avec le recul, je constate que ces cent vingt jours d'exclusion changèrent complètement les données du jeu. On m'avait internée afin de me protéger contre moi-même et la G.G. Malgré tout, j'en ressortais handicapée, socialement perturbée.

Parfois, je souhaitais rencontrer des gens et communiquer avec eux. J'analysais la situation, j'évaluais mes chances puis, finalement, j'abdiquais, la peur au ventre. Trop d'analyse paralyse, comme le disait si bien Marie ! Mon petit monde à moi me procurait du bonheur. Solitaire, je pouvais contrôler ma peine, la provoquer ou l'éviter, savourer mon chagrin ou le répudier, selon mon état d'âme. Très habile à ce petit jeu, je me délectais de fantasmes tristes à mourir. Ma propension naturelle m'incitait à me complaire et à me nourrir d'ondes négatives. Peut-être l'hôpital avait-il réveillé cette fâcheuse manie. Ou peut-être la fin de l'adolescence offrait-elle tout simplement une terre propice aux ruminations macabres.

Le temps filait dans une douce nonchalance. L'hiver se révélait dur et sans merci. Je n'osais imaginer ce que devaient endurer les filles de la rue !

À la maison, le sous-sol devint ma terre de prédilection. Sauf pour les repas, j'y étais autosuffisante. Par respect pour Marie et Pierre, j'effectuais des apparitions de courte durée au salon. Un soir, seule avec ma mère, elle aborda le sujet de mon avenir :

– Alors, Rub, ta nouvelle maison te plaît ?

Marie saisit la télécommande et baissa le volume de la télé.

– Pour sûr, y a beaucoup d'espace !

Comparativement à l'appart, la cour formait une zone privée supplémentaire. Je repris :

– C'est vachement grand !

Ma mère sourit à cette dernière réplique.

– Je suis heureuse que tu t'y plaises. Parfois, je crois vivre dans un rêve ! C'est presque trop beau.

Elle me regarda sans me voir. Resurgissant de sa réflexion, elle me demanda :

– Quels sont tes projets maintenant ?

Question piège ! Je la reconnaissais bien là. Aucune transition, aller droit au but sans passer par la case départ. Je répondis sans grande conviction :

– Au printemps, j'espérais faire quelques demandes d'emploi.

Au même moment, une publicité, qui vantait les propriétés d'un shampooing à la mode, m'inspira. J'ajoutai :

– Tu pourrais peut-être demander à Jenny qu'elle me pistonne au salon de coiffure Cléopâtre ?

Passé l'effet de surprise, elle répondit :

– C'est une idée. Et le job est plus intéressant qu'au restaurant. Tu peux avoir de bons pourboires, sans « pinçage » de fesse en prime !

Ailleurs

Elle mima l'effet électrisant d'un pouce et d'un index indiscrets à la recherche de la chair ferme. L'effet, très réussi, laissait supposer une longue expérience de ce supplice.

J'étais aux anges. Sans l'avoir prémédité, je tendais désormais vers un but. Recueillie dans mon antre au sous-sol, j'établis les grandes lignes de mon plan : arguments à évoquer pour obtenir l'approbation de Wolf, discuter de l'horaire de travail, tenue vestimentaire pour l'entrevue... Pour souligner l'importance de l'événement, j'utilisai mon Mont-Blanc, le stylo que Marie m'avait offert deux Noëls plus tôt. J'eus l'impression de ne pas avoir écrit depuis des mois. Le précieux objet glissait et pivotait entre mes doigts, m'obligeant à appliquer une telle pression qu'une crampe freina gaillardement mon bel enthousiasme. Je ralentis le rythme et terminai mon travail. L'achèvement de cette première étape m'emballa.

Heureusement, Jenny, une femme haute en couleur et exubérante, m'avait croisée à quelques reprises au restaurant et ne me considérait pas comme étant une étrangère. Ses cheveux passaient avec régularité par tous les coloris de l'arc-en-ciel. Force oblige, elle suivait la mode de si près que parfois elle la précédait. Sans la connaître, je la trouvais déjà sympathique et Marie en pensait beaucoup de bien. Finalement, j'entrevoyais un avenir possible, une voie carrossable pour une schizo débutante.

Ma mère n'abordait jamais le sujet de la prostitution. Inévitablement, je l'avais blessée et déçue, mais elle n'en laissait rien transparaître. Le choc de me savoir schizophrène estompait probablement le souvenir de ma brève incartade dans la rue ! Dans ce sens, mon retour au bercail semblait de bon augure. En envisageant la situation sous cet angle, je m'offrais un semblant d'absolution...

Le printemps surgit en effaçant Noël et en talonnant mes dix-huit ans. Je me sentais comme une jeune pousse : fragile et curieuse. Je devais me présenter au salon Cléo à la fin du mois de mars, pour rencontrer la patronne, madame Claudel. Ma mère avait beau me rassurer en soulignant que cette entrevue ne constituait qu'une formalité, je tremblais de peur. Installée à ma coiffeuse, je m'exerçais à répondre à un questionnaire imaginaire. Je voulais paraître en pleine possession de mes moyens. En regardant dans mon miroir, je souhaitais secrètement que Maggy, la Maggy de mon enfance, m'apparaisse et me réconforte. Pourtant, j'aurais très peu de contacts avec la clientèle puisque, pour commencer, mon travail se limiterait à ramasser des cheveux et à entretenir les tables de travail. Malgré tout, plus les jours défilaient et plus mon angoisse me donnait des boutons.

L'entrevue se passa bien et je commençai à travailler sur-le-champ. Le salon comprenait dix tables de travail, quatre lavabos et un coin réservé aux permanentes et aux teintures. Dans l'arrière-boutique, une pièce avait été aménagée pour le personnel, une autre, pour le rangement. Plusieurs affiches et photos de modèles couvraient les murs. À l'entrée, six têtes représentant des personnages de l'époque de Cléopâtre accueillaient les clients. Ces bustes dévisageaient les gens lors de leur arrivée et au moment où ils réglaient leur note. Personne ne comprenait pourquoi madame Claudel conservait ces reliques. Par contre, elles demeuraient le sujet de conversation favori des clients et du personnel.

Cette première journée de travail reflue de mes souvenirs comme un vent de fraîcheur. Malgré ma panique, je saisis rapidement ce qu'on attendait de moi. Je travaillai lentement mais avec application. Étant donné les fréquents ratés de ma mémoire dus à ma maladie et aux médicaments, je griffonnai sur un bout de papier les tâches à accomplir. Tout le personnel se montra gentil à mon égard. La dextérité des coiffeuses m'impressionnait. Les ciseaux modelaient une frange, dégageaient les oreilles, égalisaient une nuque sans faillir. Les doigts retenaient et libéraient ces toisons pour les métamorphoser. Cela me fascinait !

Le soir, quand je racontai ma journée à ma mère, une bouffée de fierté gonfla ma poitrine.

Avec l'accord de Wolf, je travaillais trois jours par semaine, les mardis, jeudis et samedis, de dix heures à dix-sept heures. Cet horaire correspondait en partie à celui de Jenny. Ainsi, elle pourrait m'apporter de l'aide en cas de dérapage puisqu'elle connaissait ma situation. Seules Jenny et madame Claudel avaient été mises au parfum. Quoique peu exigeant, mon travail absorbait toute mon énergie. Dans mes temps libres, j'assistais Jenny qui m'enseignait les rudiments de son art. Sérieuse, je m'appliquais avec la rigueur d'une infirmière secondant un chirurgien au bloc opératoire. À son avis, je possédais certaines dispositions et elle m'expliquait patiemment le pourquoi de chacun de ses gestes.

Un autre volet de sa profession me subjuguait. Jenny baptisait ce phénomène « l'épouillage cérébral ». La cliente profitait de ces moments passés face à son reflet en transformation pour déloger les parasites de sa vie : au lavabo, elle brossait une vue d'ensemble de ses relations familiales et conjugales ; à la coupe, elle laissait tomber sa pudeur et dévoilait l'existence d'un amant ou d'une maîtresse ; enfin, à la mise en plis, elle assumait courageusement son sort et sa nouvelle tête. Le manque de retenue de certaines femmes me déroutait. Jenny souriait devant mon air embarrassé. Elle me rassurait en disant :

– Tu t'y feras, petite ! Et, surtout, n'oublie pas que ton pourboire est directement proportionnel à ta compassion ! Autant jouer le jeu et y prendre plaisir !

Un jeudi après-midi, tandis que je faisais du ménage dans la salle de rangement, je surpris une conversation houleuse entre Jenny et Barbara, une jeune coiffeuse.

– Quand vas-tu t'ouvrir les yeux ? Ce gars-là n'est pas pour toi, il va t'anéantir. Tu travailles comme une folle et cette teigne te pique ton fric !

– Il me remboursera dès que son affaire sera lancée !

– Il te mène en bateau, Barbe. Il rumine autant de projets qu'un condamné à mort ! Ses affaires sont pas *clean*. Ne t'embarque pas.

L'arrivée inopinée de madame Claudel interrompit la conversation. Je profitai de cette diversion pour sortir de mon trou.

Le soir, dans ma chambre, je ressassai les événements de la journée. La honte m'envahissait même si j'avais été un témoin bien involontaire de cette scène. Je me sentais peinée pour Barbara, car les allégations de Jenny semblaient plus que plausibles. Barbe comptait parmi les meilleures coiffeuses du salon. Elle travaillait de longues heures et percevait de généreux pourboires. Cependant, elle n'avait jamais un sou en poche et elle empruntait fréquemment à gauche et à droite, pour un sandwich ou des cigarettes. J'avais croisé son *chum* à quelques reprises et le qualificatif de teigne lui convenait à merveille. Deux sentiments se livraient bataille et coloraient les traits de Barbara lorsqu'elle se trouvait en présence de son copain : l'amour et le doute. Ce duel la rongeait et lui usait la peau. Parfois, lorsque je nettoyais sa table, j'aurais aimé que derrière mon sourire des paroles d'amitié s'échappent, mais sa tristesse me coupait l'inspiration. Je vivais en plein dilemme : j'aimais les gens... mais à une certaine distance seulement.

Je voyais Wolf deux fois par mois et j'allais toutes les semaines dans un centre de jour. Celui-ci accueillait des jeunes aux prises avec des problèmes d'ordre psychiatrique et offrait des ateliers tels que l'art thérapie. Cette activité, par le biais du dessin, me permettait d'explorer mes états d'âme. Le groupe de participants étant restreint, je m'y sentais en sécurité. Il y avait aussi des ateliers de théâtre et de danse. Ma psychothérapie de soutien comportait deux volets : information et maintien des

Ailleurs

habiletés de vie. Mon psychiatre considérait que mon travail au salon Cléopâtre répondait à ce second objectif. Le centre dispensait également des séances d'information, particulières ou de groupe, touchant tous les aspects de ma maladie et ses impacts. Wolf m'encourageait à développer mon réseau social.

– Fréquentes-tu des jeunes de ton âge, Rubby ?

– Au salon, je parle souvent à Lise et Sophie. On se fait une manucure et on dîne ensemble, quand c'est possible.

– Des sorties entre filles : cinéma, magasinage ?

Il prononça ces mots avec un demi-sourire, rabaissant cette activité au niveau d'une tare génétique féminine.

Offusquée, je répondis d'un ton cinglant :

– Le lèche-vitrines, très peu pour moi !

Je rougis de mon écart de conduite, de ma réaction excessive. Il souhaitait se montrer intéressé et je torpillais ses efforts. Ma susceptibilité risquait peut-être de le contrarier et de l'indisposer à mon égard. Je tentais de dissimuler mon inquiétude, ne sachant pas jusqu'où s'étendaient les pouvoirs d'un psychiatre ! Son sourire disparut et un rire franc résonna dans la pièce. Cette démonstration de joie me surprit énormément : la retenue de Wolf était légendaire. Soulagée, ma paranoïa retrouva des proportions raisonnables et l'entrevue se poursuivit sans anicroche.

Quand je sortis du bureau, je faillis tomber à la renverse. Diane, *ma* Diane, se trouvait dans la salle d'attente. Sa mère – j'en déduisis qu'il s'agissait bien d'elle selon la description qu'elle m'en avait faite – était assise à ses côtés. Mon cœur s'emballa puis se crispa aussitôt de douleur. Le tableau me parvint par *flashes*. Diane gardait la tête obstinément baissée. Sa mère ne parvenait pas à masquer son regard traqué et coupable. Mon amie portait un chandail à manches longues qui camouflait mal un bandage blanc au poignet. Lorsque je passai devant son siège, elle leva la tête avec peine. Ses beaux yeux noirs reflétaient la mort, tout comme ceux de mon cauchemar. Je m'enfuis du bureau en marchant d'un pas d'automate.

L'affolement gagna mon cerveau ; je passai en mode de pilotage automatique. Mille fois je voulus rebrousser chemin et mille fois je faillis. L'image de son pansement me serrait le cœur. La détresse de sa mère me rappelait celle de madame Lanoue, lorsqu'elle avait appris pour Ève. Je cherchais une explication pour atténuer ma peur, une idée à laquelle me rac-crocher. L'ombre de Prévost couvrait ma route. Bizarrement, la rechute de Diane se fit mienne. À ce moment précis, je sus que, tôt ou tard, l'hôpital revendiquerait ses droits sur ma vie. Le seul recours qui me vint à l'esprit pour m'apaiser fut de compter mes pas en évitant les anfractuosités du trottoir. Je ne devais surtout pas poser le pied sur une de ces balafres, sinon... Cet exercice me calma.

L'épisode de Diane m'écorchait, aussi je mangeai du bout des lèvres. Le soir venu, je pris conscience d'un phénomène particulier : je manquais d'air, au sens propre comme au figuré. Depuis toujours timide et réservée, il me semblait que je res-pirais peu, très peu. D'ailleurs, mon amie m'en avait déjà fait la remarque. Un matin, à Prévost, elle m'avait lancé à la rigo-lade : « Bon sang, Rubby, pompe un peu plus d'air pour nous signaler que t'existes. » En effet, durant la nuit, elle s'était levée pour vérifier que je faisais toujours partie de ce monde tant ma respiration semblait imperceptible. À présent, étendue sur mon lit, je reconnus la justesse de sa réplique : je me sous-oxygénais. Je pouvais bien, parfois, avoir les idées embrouil-lées : j'étais carrément en train de m'asphyxier. Quel paradoxe : mon espace vital se voulait énorme et, pourtant, je ne faisais rien pour me l'approprier et empêcher les autres d'empiéter sur mon territoire. Avant de m'endormir, je jurai de corriger la situation. « Promis, Diane, j'vais pomper en grand et m'empif-frer d'air ! »

Les semaines filaient et ma vie se structurait doucement. À la maison, je payais une pension symbolique en plus de consacrer mes lundis à l'entretien ménager. Ainsi, je dispensais

Ailleurs

Marie et Pierre d'une tâche harassante et je me sentais moins redevable. Je devenais presque une locataire en bonne et due forme. Cet arrangement nous convenait à tous – un échange de bons procédés, comme disait Pierre. Pour moi, le ménage n'équivalait pas à une corvée. Cette activité me plaisait, me procurait un sentiment d'accomplissement. Selon mon petit rituel, je me levais à neuf heures trente et engloutissais un copieux petit déjeuner. Par la suite, armée de mon baladeur, de chiffons, d'un plumeau et de poudre à récurer, j'attaquais la poussière et les taches rebelles. Pendant que j'époussetais, j'en profitais pour bavarder avec certains objets. Ma pièce préférée demeurait le salon et je finissais toujours par celle-ci. À table, je pratiquais également cette habitude de réserver les « bonnes choses » pour la fin. Le salon ressemblait à une vraie caverne d'Ali Baba où s'entassaient des tas d'objets hétéroclites que Pierre avait rapportés de ses voyages. Je leur parlais comme je l'aurais fait avec des amis de longue date. Je m'assurais qu'ils se sentaient bien à cet endroit, sinon je leur dénichais un coin plus confortable. Entre autres, une boule de cristal appuyée sur trois éléphants en cuivre ne s'avouait jamais satisfaite. Du côté sud, elle paraissait à l'ombre et terne. Du côté nord, elle brillait de mille feux mais se trouvait déposée trop bas sur l'étagère, ce qui atténuait la beauté du socle. Un autre bibelot en bronze représentant trois indigènes dans une barque me laissait quant à lui sans voix. Sur le visage des personnages grossièrement modelés se peignait une profonde souffrance : c'était pathétique. Je les manipulais avec une grande délicatesse et un immense respect. Leur détresse figée me rappelait mes propres efforts pour survivre. L'artiste devait être schizophrène...

Un mardi midi, Sophie tenta par tous les moyens de me convaincre de l'accompagner dans une maison hantée. Je m'avérais beaucoup trop peureuse pour la suivre et Wolf n'aurait certainement pas apprécié ce genre de sortie. Munie de mes propres hantises, mon combat avec la G.G. me suffisait amplement ; je ne savais jamais quand elle surgirait ! Sophie insista :

– Allez, Rub, sois sympa, nous serons très prudentes. Ce sera une hyper aventure *live* !

Elle me tarabusta une partie de l'après-midi et revint à la charge le jeudi, sans plus de succès. Le mardi suivant, elle me fit promettre de venir souper chez elle, m'indiquant qu'elle ressentait le besoin de se confier à tout prix. Cela m'intrigua au plus haut point. La journée sembla s'éterniser et ne plus finir !

Vers dix-huit heures, installées devant une pizza, Sophie me raconta sa mésaventure :

– Tu ne me croiras pas, c'est trop tordu. J'aurais jamais dû y mettre les pieds !

Son agitation se communiquait à ses mains qui virevoltaient et dessinaient de dangereuses arabesques avec son couteau et sa fourchette.

– J'étais avec Paul, Louis et Rita, des copains du secondaire. Nous sommes arrivés à seize heures et nous avons levé le camp à vingt et une heures quinze précises. Pas moyen de faire d'erreur, Paul a brisé sa montre et elle marquait vingt et une heures quinze. Louis est entré dans la maison abandonnée par une fenêtre du deuxième. Un vrai singe ! Il est venu nous ouvrir par la cuisine. Pour commencer, on avait décidé de faire une reconnaissance des lieux. C'était impressionnant ! Rita, la responsable de cette virée, nous avait prévenus que la famille qui habitait cette maison l'avait quittée subito presto. Y avait encore de la bouffe dans le frigo, t'imagines un peu ? Ils ont levé les feutres assez vite ! Au deuxième, du maquillage et des brosses à cheveux traînaient sur le dessus d'un bureau. Un peu partout, des jouets avaient été abandonnés. *Cool*, tu trouves pas ?

– Ouais, dis-je, pas très convaincue. T'as rien pris, j'espère ?

– T'as une case en moins ou quoi ? Jamais j'aurais osé ! Juste le spectacle suffisait à me foutre la trouille. Par chance, il faisait jour et on ne s'est pas quittés d'une semelle. Avant de partir, on s'était fixé quelques règles : toujours être deux, même dans les chiottes, chacun sa torche électrique à la main, interdiction de rapporter quoi que ce soit. C'était du sérieux, tu sais !

Ailleurs

– J'en doute pas un instant !

J'attendis impatiemment de connaître la suite, même si une sonnette d'alarme dans ma tête m'invitait à fuir à toutes jambes.

– Après l'inspection, Paul a suggéré qu'on s'installe dans la cuisine. La pièce était grande et donnait sur la cour arrière. Ce serait notre porte de sortie en cas d'urgence. À l'aide d'une corde, Louis a fixé la poignée de la porte à un crochet enfoncé dans le mur. Comme ça, elle restait grande ouverte. C'était mon idée. Génial, non ? Je respirais beaucoup mieux avec cette porte ouverte, tu peux me croire ! On a fait brûler de l'encens et allumé des chandelles. Le temps passait lentement et le moindre bruit me faisait sursauter. On a bouffé sur place : sandwichs et coca, interdiction d'alcool ! Faut le faire, pas vrai ?

– Votre discipline me jette à terre ! répondis-je en souriant.

– Tu peux bien te moquer ! Jusque-là, pas de problème, même que le temps commençait à se faire long. Louis et Paul s'étaient allongés pendant que Rita et moi on bavardait à voix basse. Et puis, on a entendu un terrible craquement ; on aurait juré que la baraque allait s'écrouler ! Le bruit venait du sous-sol et nous a électrisé le cerveau : à nous voir, t'aurais juré deux ampoules grillées. Le choc passé, Rita et moi avons détalé sans demander notre reste. Quand les gars nous ont rejointes à l'extérieur, on n'en menait pas large. Tu me croiras jamais, mais ils ont prétendu n'avoir rien entendu. C'est impossible, Rub, c'est dément ! On a tout de même pas imaginé tout ça ! Juré, craché, j'invente rien !

Je n'éprouvais aucune difficulté à la croire. Sa conviction était totale et contagieuse. Mon appui la calma, elle poursuivit :

– La noirceur gagnait du terrain et l'ambiance devenait tendue. Nous sommes tous retournés dans la cuisine. Une foutue poupée de chiffon, suspendue au lustre, au-dessus du comptoir, nous donnait vraiment froid dans le dos. On aurait dit qu'elle se moquait de nous. Rita partageait le même *feeling* mais personne n'a osé la déloger. Tout le monde se tenait sur ses gardes. Les gars n'avaient plus aucune envie de s'assoupir et, pour ma part, il aurait fallu m'assommer pour me détendre. Une heure s'est écoulée sans autre manifestation. Je commençais à relaxer quand l'explosion s'est produite. Même s'il ne pleuvait pas, j'ai cru que la foudre nous tombait dessus. Rita a hurlé et il n'en fallait pas plus pour vider les lieux une seconde fois, vite fait bien fait. Tout le monde parlait en même temps : l'hystérie totale ! Par chance, la maison se trouvait éloignée de l'autoroute et isolée. On a fini par se calmer et Louis nous a convaincus de retourner à l'intérieur. Tous les quatre, on a inspecté la maison de fond en comble. *Niet !* Pas la moindre trace d'une quelconque explosion. C'était à n'y rien comprendre. À ce stade, j'avoue que l'aventure prenait une tournure inquiétante. Contrairement à nous, les gars tressautaient d'excitation. Ils envisageaient même de passer la nuit là-bas. Rita et moi les avons ramenés à la réalité. On a accepté de rester encore quelque temps, mais pas question de découcher !

Elle fit une pause dans son récit pour s'assurer que je la suivais bien, puis continua.

– J'attendais, le dos collé au mur, ma lampe à la main. À l'extérieur, il faisait nuit noire. C'est fou comme l'obscurité peut enflammer l'imagination. J'évitais de regarder dehors, de peur d'y voir un monstre ou un esprit dément. Et puis, ce fut le coup de grâce ! Une automobile s'est garée dans l'entrée. Aussitôt, Louis et Paul se sont précipités au salon pour voir qui débarquait. Au même moment, toutes les lumières se sont éteintes. J'ai pensé mon heure venue ! On a voulu sortir par la cuisine mais quelque chose nous empêchait d'avancer. On a entendu un glissement furtif près de la porte. En reculant, on s'est butées sur Louis et Paul qui sortaient en trombe du salon. On s'est retrouvés coincés dans le couloir central. Seul Louis avait eu la présence d'esprit d'actionner sa lampe. J'ai crié de reculer, de sortir par l'avant. Après maints cafouillis, Rita a réussi à déverrouiller la porte d'entrée. Au moment où l'on débouchait en catastrophe sur le perron, on a réalisé que toutes les lumières s'avéraient maintenant allumées, sans exception. La demeure ressemblait à un arbre de Noël trop décoré. On a déguerpi sur les chapeaux de roues !

Ailleurs

Essoufflée, elle termina son récit abruptement. Quelques secondes passèrent puis elle reprit :

– Rubby, est-ce que tu réalises ? Cette entité aurait pu nous rendre fous. C'est débile, il n'y avait aucune voiture. Pourtant, on l'a tous entendue et on a vu ses phares s'éteindre. Elle a fait ça pour nous séparer. En plus, elle nous a empêchés d'utiliser notre sortie de secours ; elle voulait nous piéger ! Je dors très mal depuis. J'ai peur que cet esprit me visite ici ! Tu crois cela possible, Rub ?

Littéralement suspendue à ses lèvres, je fus surprise et embêtée par sa question. Je ne connaissais pas la réponse et, honnêtement, dans les circonstances actuelles, seul un prêtre aurait pu soulager mon amie ! Ses yeux me suppliaient de la rassurer. Je finis par répondre :

– Aucun risque, Sophie, un esprit ne quitte jamais les lieux qu'il hante. Il s'incruste jusqu'à ce qu'un prêtre ou le feu l'en expulse.

Mon assurance m'étonna. J'ignorais où j'avais déniché pareilles inepties. Toutefois, Sophie apprécia leur effet, car elle soupira d'aise. La soirée se poursuivit en questionnement mystique.

Je ne pus m'empêcher de me sentir aux aguets en rentrant à la maison. Marie et Pierre étant allés au cinéma, je me retrouvai seule avec ma peur qui en profita pour palpiter au moindre bruit. Je m'étais montrée très sereine et un brin au-dessus de mes affaires auprès de Sophie. Maintenant, il en allait tout autrement : mon assurance avait rétréci comme un vêtement bon marché ! Sur l'insistance de mon amie, j'avais pris quelques bières pour l'accompagner. Plutôt que de me détendre, la boisson avait aiguisé mes sens. Il s'agissait du premier écart de la sorte depuis mon congé de Prévost. Peut-être avais-je mal choisi le moment. Je finis par m'endormir avec mon baladeur à plein volume et les couvertures par-dessus la tête.

Le comportement de Sophie changea, elle montrait des signes de nervosité et d'impatience. À deux occasions, elle arriva en retard, et madame Claudel dut calmer une cliente qui ne voulait pas attendre mais refusait d'être coiffée par quelqu'un d'autre. La patronne questionna mon amie, qui inventa une histoire de rupture amoureuse. L'explication sembla satisfaire madame Claudel. Confiante, je crus que ce ne serait qu'une question de temps avant qu'elle retombe sur ses pieds. Après tout, une histoire de fantôme ne pouvait pas l'émouvoir à ce point. Elle avait les reins plus solides que ça !

Un après-midi, alors que je cherchais des produits dans l'arrière-boutique, je surpris Sophie en train de sniffer. Le choc fut terrible. J'oscillai entre le découragement et la colère. Je ne pouvais admettre qu'une personne de sa trempe puisse s'adonner à cette merde. Existait-il encore un seul endroit exempt de ce mal ? Mon amie voulut s'expliquer mais je me montrai inaccessible, hors de portée. Je refusai d'accepter cette désolante vérité.

En rentrant à la maison, totalement absorbée par cet incident dérangeant, je faillis ne pas remarquer Marie. Assise au salon, un verre à la main, elle le fixait comme si c'eût été une entité vivante. Une désagréable sensation de déjà-vu m'agrippa à la gorge et je me revis à l'âge de dix ans. Elle leva son beau visage vers moi et une peur insoutenable me saisit. J'aurais préféré affronter le fantôme de Sophie et sa poudre blanche !

– Que se passe-t-il ? Tu es malade ?

Mes questions restèrent en suspens quelques secondes d'éternité.

Elle murmura comme pour elle-même :

– C'est Pierre, il est parti.

– Pierre parti ? Tu veux dire qu'il a foutu le camp, qu'il nous a plaquées comme papa ?

Ailleurs

Confusément, je me sentis soulagée. Ma peur avait désormais un nom : ressentiment.

– Non, chérie, il est mort !

– Mort ? Mais c'est pas possible. Il ne peut pas nous faire ça !

J'étais décontenancée. Ma haine devenait vaine. Sa mort me désarmait.

Marie marmonna :

– C'était trop beau. Je ne le méritais pas...

– Dis pas de bêtises, vous étiez faits l'un pour l'autre. Il t'aimait !

Plus un mot ne fut échangé. Si ma peine demeurait sous contrôle, il en allait autrement pour ma mère. Comment composerait-elle avec ce vide ? Déjà, un sentiment de fatalité engourdissait son esprit. J'eus honte de le penser, mais ayant toujours gardé mes distances avec Pierre, je supporterais mieux son départ. Ma plus grande inquiétude concernait la perte de la sécurité qu'il nous apportait. Que se passerait-il ? Qu'allions-nous devenir ?

Pierre ayant été un être sensible et ordonné, un grand optimiste, il n'avait pas prévu cette fin de scénario. Aucun testament ni papier n'avait été signé devant notaire. Ses enfants héritèrent donc de tous ses biens. Toutefois, ils se montrèrent bons princes et nous laissèrent habiter la maison jusqu'à ce que nous nous dénichions un appartement. De plus, ils nous permirent d'emporter tout le mobilier et les appareils électriques dont nous aurions besoin afin de meubler notre logement. Je choisis les trois indigènes en souvenir de cet homme qui avait su ramener le sourire sur les lèvres de ma mère.

Pendant cette période de transition, Marie se noya à petit feu. Insidieusement, l'alcool se fraya un chemin jusqu'à son âme et l'anesthésia. Son cœur maintes fois rafistolé se brisa pour de bon. La douleur semblait rétroactive : Pierre, Paul et Lucie. Comment la vie pouvait-elle se montrer aussi cruelle et revendicatrice ?

Je pris une semaine de vacances et, aidée de Jenny, nous trouvâmes un appartement convenant à notre budget. Il se situait dans notre ancien quartier et me rapprochait du travail. L'inconvénient, c'est que certains lieux gardaient encore l'empreinte de Yan et de notre bande. Cette piste défraîchie me troublait et secouait des souvenirs qui se pointaient le museau à tout moment. Le passé me rattrapait, embrouillant mon présent.

Le printemps montrait des signes de fatigue et l'été l'éclipsa allègrement. Lentement, Marie piquait du nez : son univers se limitait au travail et à l'alcool. Sa glissade, bien enclenchée, m'apparaissait irréversible. Par ailleurs, j'eus une franche discussion avec Sophie et je fus sidérée d'apprendre qu'elle s'approvisionnait en coke auprès de Barbara ou, plutôt, de sa teigne de *chum*. Décidément, la vie s'avérait plus compliquée qu'elle n'y paraissait ! Lorsque mon amie me décrivait les effets de sa poudre magique, ses yeux étincelaient. Le simple fait d'en parler semblait lui procurer un simili *buzz*. Son corps réagissait au souvenir et trahissait sa prétention de ne pas être accro. Elle disait consommer depuis près d'un an, sa première expérience ayant eu lieu dans une discothèque du centre-ville. Je compris mieux pourquoi mon amie ressemblait à une girouette : tantôt animée, tantôt immobile, quasi éteinte. Notre relation s'enrichit de cette mise au point. Sophie me croyait très *clean* et non initiée. Pour le moment, je ne désirais aucunement lui révéler mes frasques passées.

Désormais, je travaillais quatre jours par semaine au salon Cléo. Cela me permit de contribuer plus largement aux dépenses du ménage. Je maintenais le cap et j'en ressentais énormément de fierté. Cette trop courte période fut heureuse et éclaire parfois ma nuit...

Ailleurs

Même si j'avais quitté Albert-Prévost depuis près de sept mois, je me sentais toujours attirée par son orbite. Ma médication et mes consultations avec Wolf justifiaient ce sentiment. Je prenais du Moditen à faible dose, trois fois par jour. Le doc aurait préféré, pour assurer un suivi constant, m'administrer un neuroleptique sous forme injectable, à longue action. Cependant, je craignais tellement les aiguilles qu'il se rendit à mes arguments. Les aiguilles me font peur encore aujourd'hui, plutôt paradoxal et embêtant pour une *junkie*... Il avait ainsi remplacé l'Haldol par le Moditen, afin de réduire l'effet sédatif, puis ajouté le Kémadrin, contre les effets secondaires.

Écœurée d'avoir le cerveau en gélatine et la bouche sèche, je sautais depuis quelques semaines la dose du matin. Quoi que je boive, je n'arrivais jamais à étancher cette soif insatiable. Ma mémoire ressemblait à un gruyère ; défaillante et aussi peu fiable que le marché boursier ! Je me concentrais avec difficulté. Si cette tendance se maintenait, je serais forcée un jour ou l'autre de faire une croix sur mes ambitions professionnelles. Wolf m'expliqua que mon apathie correspondait à une période de convalescence nécessaire à mon rétablissement. Il eut beau dire, je me convainquis qu'un peu moins de chimique dans mon organisme ne me ferait pas de tort. Tous les matins, j'accomplissais tout de même mon rituel avec prudence. Plutôt ridicule, puisque Marie partait travailler avant que je me lève.

Un matin, tandis que j'actionnais la chasse d'eau après avoir jeté mes pilules dans la cuvette, je crus entendre un ricanement. Le rire sembla fuir par les égouts. Malgré moi, une bouffée de chaleur rampa jusqu'à mon visage...

17

La chute

Ce jour-là, mon travail releva de la pure torture. La nervosité m'envahissait et tout ce que je prenais dans mes mains se retrouvait invariablement par terre. Jenny me demandait de lui apporter un colorant, et je lui tendais un revitalisant. Après quelques bourdes du genre, elle me demanda :

– Ça va, Rubby ? Tu as l'air patraque !

– Non, pas de problème. J'ai un peu mal dormi, c'est tout.

– T'es sûre de ne pas vouloir prendre une pause ? C'est pas interdit, tu sais !

– Sans façon, je tiens la route, je t'assure.

– *Cool !* Peux-tu donner son shampooing à Mme Betit ? Elle commence à faire de gros yeux et Dieu sait qu'ils sont déjà énormes !

Cette remarque m'arracha un sourire. Effectivement, les yeux globuleux de madame Betit lui conféraient un air de crapaud ahuri ou inquisiteur. Comme si ce n'était pas suffisant, elle les maquillait à outrance. La tête dans les nuages, je ne vérifiai pas la température de l'eau et je faillis congeler le cerveau de la cliente. Au contact de l'eau glacée, elle sursauta et tourna la tête. Résultat : elle reçut le jet d'eau dans l'œil gauche. Madame Betit cria et couina comme un cochon qu'on saigne, en me dévisageant d'un œil baveux de mascara. Figée sur place, je voyais l'eau se répandre sur le carrelage, menaçant mes souliers tout neufs. Jenny se précipita au secours de la cliente tandis que Sophie m'entraînait dans la salle de repos.

De retour à l'appartement, à peine eus-je franchi le seuil de ma chambre que l'horreur avec un grand H s'abattit sur moi. La G.G. m'abreuva d'insultes :

« Vise-moi cette poufiasse, coiffeuse-démaquilleuse ! Salut, petite fée, y a un bail, hein ! T'inquiète pas, je te lâcherai plus maintenant. C'est une promesse, ma tueuse de chenille favorite ! »

– Je n'y ai jamais touché, je l'ai pas écrasée !

Je prononçai ces paroles sans conviction, sans voix. Sans larmes pour pleurer, sans bile à vomir, sans énergie pour m'évanouir. Je demeurais là, fixant les lattes du plancher. J'étais là... seule avec Elle.

Le lendemain, la patronne me convoqua à son bureau. En arrivant au salon, Jenny me tapota affectueusement l'épaule et m'encouragea :

– T'en fais pas, elle t'aime bien !

Avant de pénétrer dans le bureau, toutes sortes d'idées folles me traversèrent l'esprit. Devais-je fuir ? La pression allait-elle me faire fondre comme un caramel au soleil ? Et si, en ouvrant la porte, la patronne se jetait sur moi armée d'un boyau d'incendie ?

Après les salutations d'usage, madame Claudel entra dans le vif du sujet :

– Madame Betit m'a téléphoné ce matin, elle fulminait. Les yeux devaient lui sortir des orbites !

Je risquai un sourire en la regardant. Cette allusion aux yeux de la cliente me laissait espérer qu'elle ne me tenait pas rigueur de l'incident de la veille. Elle poursuivit :

Ailleurs

– Madame Betit exige rien de moins que ton renvoi, sans autre forme de procès. Alors, raconte-moi ta version, Rubby !

Ma version ! Mais comment lui dire : « Voilà, la G.G. est de retour. *The show must go on !* » Lui avouer plutôt que, succombant à un spasme meurtrier, j'ai voulu noyer une cliente aux yeux de poisson ?

– Allons, Rubby, j'attends ton explication !

– J'ai... j'ai oublié d'ouvrir le robinet d'eau chaude.

Triste et piètre constatation. Il y eut une pause interminable.

– Promets-moi, à l'avenir, de vérifier ce petit détail sur ta personne avant de passer à l'action !

– Vous ne me renvoyez pas ? Vous me gardez ?

– Bien sûr ! Tu m'as toujours donné satisfaction. Cependant, j'aimerais que tu reviennes à un horaire de travail de trois jours par semaine. Les derniers temps ont sûrement été éprouvants avec la mort de Pierre et ton déménagement. Je crois que tu fais face à trop de pression en ce moment. Qu'en penses-tu ?

– Vous avez raison, j'ai peut-être surestimé mes forces.

En quittant le bureau, je réussis à prononcer un faible merci.

– Prends congé et reviens-nous en pleine forme mardi, conclut madame Claudel.

La G.G. m'avait accompagnée sans prononcer un mot. Sans doute préférait-elle me savoir libre...

Quatre jours de repos se présentaient devant moi. Une « vacancette » en somme... Pour fêter mon non-licenciement, je décidai de faire une promenade à la montagne, en bifurquant vers le cimetière de Côte-des-Neiges afin d'y saluer mes grands-parents. Pour gravir le mont Royal, j'empruntai le sentier partagé. Des joggeurs, des promeneurs et des cyclistes de tous âges et de tout acabit y circulaient. Cette foule bigarrée me plaisait, car je pouvais garder mes distances. Arrivée à la hauteur du lac des Castors, je poursuivis ma route et traversai le chemin Camilien-Houde. Je débouchai à la porte sud du cimetière. J'adorais cet endroit, j'y ressentais une grande paix. Les caveaux familiaux ressemblaient à des églises miniatures. Je n'osais jamais regarder par une fenêtre, de peur d'y entrevoir un cadavre oublié sur une tablette. Dans la section la plus ancienne se dressaient des sculptures et des monuments majestueux. Les angelots côtoyaient les croix et les statues de la Vierge. Parfois, un camée gravé dans la pierre contenait la photo du défunt. Ce détail m'inspirait un plus grand respect pour cet inconnu qui m'apparaissait ainsi plus réel...

En approchant de l'emplacement des tombes de Paul et de Lucie, ma gorge se noua et mon cœur s'emballa. Un sentiment d'urgence m'enveloppait, précipitant mes pas. Comme une rivière... mais une rivière qui n'atteindra jamais le fleuve ! La désolation m'y attendait : le marbre gris demeura cruellement froid sous mes doigts et déclencha mes larmes. L'émotion passée, je racontai en vrac ce qui m'était arrivé depuis mon dernier pèlerinage en ces lieux. Cette narration me réconforta et rechargea mes batteries. Je quittai le cimetière ragaillardie et presque heureuse.

Sur le chemin du retour, tandis que j'attendais l'autobus, je remarquai une auto-stoppeuse. Elle m'aperçut elle aussi et vint à ma rencontre. Patsy ! J'eus peine à la reconnaître tant elle avait vieilli. On lui aurait facilement donné vingt-cinq ans. Je ne savais pas comment réagir ; j'hésitais entre la joie des retrouvailles et la rancœur face à sa trahison. Finalement, notre discussion se poursuivit autour d'un verre. Mon ressentiment à son égard se dilua au fil des consommations. Ses explications parurent plausibles et ma volonté de demeurer loin de ce passé fléchit.

– Je jure que j'ai essayé de te contacter, Rub ! Ta mère m'a raconté plein d'histoires : tu te reposais dans le Sud chez des parents ou tu poursuivais une formation dans le Nord. Pas moyen de te parler. À vrai dire, ta mère était hermétique, scellée comme une foutue huître ! Tu me crois au moins ?

Ailleurs

Je haussai les épaules et fit un signe affirmatif de la tête.

– Tope là, dit-elle en me tendant la main. Amène-toi, je t'invite dans ma piaule. C'est tout ce qu'il y a de bien et elle se trouve à deux pas.

Elle régla la note pour nous deux. Son appartement tout-ce-qu'il-y-a-de-bien s'avéra plutôt moche. L'édifice, coincé entre deux immeubles, tombait en décrépitude. Les fenêtres donnaient sur des murs ou la ruelle – aspect vétuste et démoralisant. Patsy ne me parla pas de Yan et ma fierté me retint de m'informer de lui. Au fil des heures, les accrocs du passé s'estompèrent. Je rentrai tard dans la nuit.

Mon travail chez Cléo me captivait beaucoup moins. Désormais, il me tardait de rejoindre Patsy. Avec diplomatie, elle m'annonça que Yan fréquentait une autre fille.

– Une blonde, Rubby, une vraie pétasse ! Et vieille en plus, presque vingt-cinq ans. Elle n'a rien entre les deux oreilles, tout juste bonne à rire bêtement en se limant les ongles. Une vraie blonde, quoi !

Cette nouvelle ne fut pas aussi dévastatrice et ravageuse que prévu. J'avais réussi à me sevrer de l'emprise physique de Yan ; il ne me restait plus qu'à l'extirper de ma tête – opération plus délicate. Autre sevrage complété avec succès : Moditen-Kémadrin. Terminé les allures de zombie, la brume cervicale ! La vie coulait à nouveau dans mes veines, la G.G. en prime. Je buvais et fumais énormément, cela compensait un peu les inconvénients. Mon amie vivait seule, Tim ayant disparu du décor. Elle se disait travailleuse autonome, moyennant des redevances à un certain Stan, son *pimp*. Ce dernier lui laissait cependant une marge de manœuvre assez grande. Lorsque je rencontrai Stan, sa réserve me surprit ; je m'attendais à une plus grande exubérance, vu son métier. En douceur, Patsy m'apprivoisa. Elle me révéla ses projets futurs et ce qu'elle comptait faire avec l'argent de la rue. Cette façon de vivre semblait parfois valable et excitante. Dans cet univers marginal, je passais inaperçue ; j'y paraissais presque normale. Parfois, je rejoignais mon amie à son *spot* et je l'aidais à racoler. J'y prenais plaisir, il ne s'agissait après tout que d'un jeu. Selon toute probabilité, cette désinvolture résultait du croisement de la G.G. avec les drogues.

Mon apprentissage s'avéra progressif quoique rapide. Stan anticipait de manière efficace mes peurs et mes réticences. Finement, il m'inocula le virus de la rue. Il connaissait tous les trucs et les embûches du métier. Patsy me confia que sa cote était très bonne, tant sur le plan sécuritaire que financier ou humain. Il ne brutalisait jamais une fille qui respectait sa loi ; il suffisait d'être réglo et tout le monde y trouvait son compte. En compagnie de mon amie et de son *pimp*, tout me paraissait simple et évident ! À jeun, et seule, il en allait autrement. Je m'inquiétais et la G.G. me dominait : « Putain de conasse ! T'es bonne à rien, même pas pour la rue. Faut en plus t'enseigner comment baiser ! » Je me réfugiais dans ma chambre avec mon baladeur et je pleurais.

Je me portais souvent malade au salon et je rejoignais Patsy chez elle. Jenny, Sophie et madame Claudel me regardaient avec un drôle d'air et chuchotaient dans mon dos. J'envisageais sérieusement de donner ma démission. D'ailleurs, je gagnerais davantage dans la rue. Ma mère ne se rendrait même pas compte de la situation ; elle sombrait sans faire de vagues. Dans l'éventualité contraire, Marie ne laisserait rien transparaître : choix ou abdication ? Notre interaction se réduisait maintenant à un « bonjour-bonsoir » échangé en toute hâte. Il nous arrivait parfois de sursauter en nous croisant dans l'appartement. C'est dire à quel point nos mondes parallèles ne se rejoignaient plus.

En août, par un soir de pleine lune, je fis la connaissance d'Arliette. J'effectuais la navette sur la rue Saint-Denis à la hauteur du terminus Voyageur. En ce vendredi soir, l'affluence facilitait mon travail. Passablement givrée, j'acceptai que mon client stationne son véhicule dans une ruelle hors de mon territoire. Stan se serait certainement mis en colère, mais pas suffisamment toutefois pour m'administrer une correction.

Ailleurs

L'homme assis à mes côtés, beau gosse, devait avoir une trentaine d'années. Il portait une chemise de bonne facture et un jeans. Aucun bijou n'ornait sa personne, même pas une montre. La radio diffusait des chants grégoriens. Ce fut déroutant et un rien inquiétant : j'eus l'impression de baiser dans une église. Les prémices bien engagées, au moment où j'allais ouvrir sa braguette pour libérer sa bite, des phares nous aveuglèrent. L'homme me repoussa sur la banquette et voulut démarrer. Ma portière s'ouvrit violemment tandis qu'une poigne de fer me saisissait par le bras. Le policier qui me faisait face portait des verres fumés. Cela me convainquit qu'il s'agissait d'un homme en noir. La G.G. me hurla de déguerpir : « Casse-toi, poufiasse, si tu ne veux pas nous expédier en taule ! C'est un putain de flic ! » Malgré ses imprécations et mes muscles tendus prêts à fuir, je tendis la main vers le visage du policier, pour lui retirer ses lunettes et voir ses yeux. Il réagit prestement en m'envoyant valdinguer contre le mur. La suite de l'aventure se perdit dans la nuit des temps. J'entendis des cris, des coups de feu, suivis de bousculades. D'autres sirènes hurlèrent dans l'obscurité. Puis plus rien.

Quand je recouvrai mes esprits, le sosie de Barbara Streisand appliquait un linge humide sur mon front. Elle se présenta :

– Arliette, Arlie pour les intimes. Comment te sens-tu, mon poussin ? T'as une belle prune ! T'as frappé un mur ?

Elle ne savait pas si bien dire.

– J'ai glissé, je crois !

Son scepticisme se traduisit par une mimique de bouffon vraiment cocasse. La G.G. émergea à son tour : « T'as déjà vu une gonzesse avec des mains et des pieds de cette taille ? Et sa pomme d'Adam ! Tu crois peut-être qu'Ève en avait une, foutue pomme ? Allume, petite fée, ta Barbara, c'est un mec ! »

Cette révélation me causa un choc. Je n'avais jamais vu un transsexuel d'aussi près. Je cherchai une façon de m'éloigner mais la cellule, très petite, n'offrait aucune issue.

Le week-end fut cauchemardesque. L'endroit suintait d'humidité, l'air semblait saturé de fumée et un relent d'urine coiffait le tout. Je ne parvins pas à me détendre ni à dormir. Toutes les personnes qui défilaient devant la cellule appartenaient certainement à la bande des hommes en noir. Il y en avait toujours un pour me jeter un regard scrutateur. Peut-être croyaient-ils que je ne remarquais pas leur manège ! Seule Arliette m'apporta un peu de réconfort. Sa sollicitude m'alla droit au cœur et marqua le début d'une longue et solide amitié. Je fixai la peinture écaillée du mur, et ces lambeaux de peaux mortes me rappelèrent les efforts bien inutiles que je déployais afin de camoufler ma folie.

Le samedi après-midi, un enquêteur vint prendre ma déposition. Je ne compris rien à son charabia. Il menaçait de me coller une accusation de vol à main armée si je ne collaborais pas. Il parlait constamment d'un dénommé Messier en insistant pour connaître nos rapports. Je me dis intérieurement que si Messier correspondait au type dans la bagnole, on n'avait même pas eu le temps d'en avoir, de rapport, mais je crois que l'enquêteur n'aurait pas apprécié ce trait d'humour. Il était vraiment à cran. Les événements me dépassaient véritablement et m'empêchaient de coopérer. Tout allait trop vite. Je crus saisir qu'il levait les charges de voie de fait, d'entrave et de possession simple. Grotesque ! J'avais simplement voulu démasquer un effaceur, un acte de légitime défense, quoi ! La G.G. semblait d'avis contraire : « Un effaceur ! Un homme en noir ! Et puis quoi encore ? E.T. la chenille cosmique ? Non mais, vraiment, t'es qu'une foutue poufiasse ! Tu lui as cassé ses lunettes, au flic ! »

L'enquêteur enregistra ma version des faits, sans piper mot. Je me livrai un vrai duel car la Grande Gueule rageait, et je devais continuellement la ramener à l'ordre...

Le lundi, je me retrouvai devant monsieur le juge, déconfite et déboussolée ; la peur cédait sa place à l'anéantissement. À la fois actrice et spectatrice, comme si j'assistais à ma propre

Ailleurs

mise à mort. Lorsque mon nom fut appelé, l'agent à mes côtés me signifia que je devais me lever. Un type se dirigea vers le juge pour lui parler à voix basse. À deux reprises, il pointa le doigt dans ma direction. Bien qu'impassible en apparence, mon cœur me martelait les côtes comme un marteau-pilon et je suffoquais de chaleur. On aurait dit que l'auditoire m'observait, prêt à fuir ou à m'immoler au moindre signe de folie de ma part. Respirer devenait une souffrance ! Revenu à son siège, l'homme – j'appris plus tard qu'il s'agissait du procureur – demanda une remise pour examen. Le juge interrogea alors maître Ronel sur la pertinence de ce report. Maître Ronel s'approcha de moi et se présenta comme étant mon avocat, désigné d'office par la cour. Il se montra réconfortant et m'assura qu'un examen psychiatrique saurait prouver mon innocence ; advenant un refus de ma part, il se verrait dans l'obligation de plaider coupable aux trois chefs d'accusation. Coupable : ce mot corrosif distilla mes dernières défenses. On échafaudait un complot et personne ne viendrait à mon secours. J'émis un faible gémissement que mon avocat s'empressa de traduire par un consentement. La cause fut remise à la mi-septembre, soit trois semaines de néant et de terreur.

18

Tanguay

Dans le fourgon cellulaire, je me trouvai menottée à Arliette. Cette contrainte métallique me maintenait dans votre réalité et m'empêchait de m'évaporer. Des prisonniers occupaient une bonne section du véhicule. Fort heureusement, un grillage nous séparait des hommes. Ils juraient, crachaient et lançaient des obscénités. Une véritable foire ! Encouragée par deux lascars, une des filles dévoila sa poitrine à plusieurs reprises. Absurdement, ce geste m'humiliait au plus haut point. Assise sur mon banc, dans ce panier à salade, je me sentais comme un déchet humain. Un type couvert de tatouages aux biceps énormes avait Arliette dans le collimateur. Il l'attaquait sur son changement de sexe et l'abîmait d'injures. Arlie demeura stoïque ; seule la blancheur de ses jointures trahissait les efforts qu'elle devait déployer pour ne pas exploser. Par solidarité, je posai ma main sur la sienne.

Arrivée à destination, des gardes prirent ma photo, me fouillèrent et, comme je devais subir des examens, me conduisirent jusqu'à l'aile psychiatrique. Bizarrement, il y régnait la même odeur que dans les cellules du poste de police, gratinée d'un soupçon d'eau usée en plus. Revêtue d'une jaquette et chaussée de sandales, je marchai en traînant légèrement les pieds afin de garder le contact avec votre monde. Dans la salle commune, où j'étais installée devant un repas chaud, l'horloge indiquait environ dix-neuf heures. La faim me tenaillait mais mon cœur se soulevait en tandem avec ma fourchette, m'empêchant de me nourrir. Je gardai la tête baissée et le regard rivé au sol afin de réduire au maximum ma vision périphérique. Ainsi, je me sentis mieux protégée, isolée avec la G.G. « Cesse ton manège sinon ils vont te prendre pour une vraie barjo ! Vise cette énergumène à l'autre table. T'as vu son gabarit ? Arlie paraît minuscule à ses côtés. Sans blague, t'approche pas, elle doit bouffer des enfants tout crus pour le petit déjeuner ! »

À vingt et une heures, les portes des cellules claquèrent et les lumières du corridor s'éteignirent. Cette nuit de captivité donnait le coup d'envoi à une longue carrière d'internée ! Le personnel effectuait régulièrement des rondes et, à la première, je faillis mourir d'effroi. À cause du reflet de la vitre, je ne perçus que le bas déformé du visage du garde. Pendant une fraction de seconde, je crus que la G.G. s'était évadée de ma tête... Je n'arrivais pas à dormir à cause des ronflements soutenus provenant de la cellule voisine. À entendre le boucan qui en sortait, il devait s'agir de la fille dont la G.G. m'avait parlé. Par mesure de précaution, je me levai pour vérifier que ma porte était bien verrouillée. La lumière de la cour extérieure inondait ma chambre et m'empêchait de me réfugier dans une noirceur bienveillante. La peur m'encerclait ; pourtant, je n'avais aucun motif raisonnable de disjoncter. Le personnel, à mon grand étonnement, s'était montré aimable et compatissant à mon égard : rien à voir avec les brutes épaisses des films à sensation ! Finalement, l'endroit relevait davantage du centre psychiatrique ou du pensionnat que du bagne.

Malgré tout, la peur, nichée dans mon âme, couvait. Une parcelle de conscience me savait au seuil de la démence. Via ce satellite encore fonctionnel, Dana communiqua avec moi pour m'apaiser : « Calme-toi, Rubby, mon ange. Je suis à tes côtés et te protège ! Nous traverserons cette épreuve ensemble. Ne crains rien, je ne laisserai personne te faire du mal. » Ces paroles me bercèrent d'espoir l'espace de quelques secondes, puis la G.G. rappliqua.

Ailleurs

Le lendemain, j'aurais préféré demeurer barricadée dans ma cellule, mais une intervenante m'invita à me joindre au groupe pour le déjeuner, dans la salle de séjour. J'étais totalement apeurée et j'anticipais les pires scénarios : attaque-surprise des hommes en noir, empoisonnement collectif des patientes, désintégration du département et projection dans la quatrième dimension... Je m'arrimai au premier siège rencontré et me laissai choir sans bruit. Deux prisonnières, dont le mastodonte, me regardèrent avec circonspection et finirent par esquisser un sourire. Dans la salle, trois autres filles attendaient, plateau en main, de choisir leur nourriture. Une dénommée Fernande grognait et rabrouait quiconque s'approchait d'elle. Le personnel semblait habitué et l'incitait gentiment à faire preuve d'une plus grande tolérance. Le bruit se répercutait dans l'espace et les gens parlaient fort. Je me sentais le cœur au bord des lèvres et la tête pleine de vent, comme si mes pensées étaient aspirées ailleurs ! Pas question de bouger, de peur de m'effondrer. La géante, âgée dans la trentaine, s'approcha et me demanda la permission de s'asseoir à ma table. J'entendais encore les mises en garde de la G.G. dans ma tête ! Comment aurais-je pu lui refuser quoi que ce soit ? J'appris qu'elle s'appelait Betty et qu'elle adorait le gruau saupoudré de sucre brun. À son grand désespoir, on n'en offrait qu'une fois par semaine ; voilà pourquoi elle s'en était servi deux bols.

Sans crier gare, Fernande lança son orange à travers la pièce. Une surveillante lui intima l'ordre de retourner en cellule sur-le-champ. Debout, l'air belliqueux, elle obtempéra de mauvaise grâce. Elle claqua sa porte avec une telle violence que l'écho résonna à mes oreilles un bon moment. Ce genre d'incident semblait faire partie de la routine, car personne, hormis moi, n'y prêta attention. Le calme revenu, Betty en profita pour me déballer son *pedigree* carcéral.

– Je suis ici depuis deux mois déjà. J'ai mis le feu.

En voyant ma réaction de panique, elle s'empressa d'ajouter :

– Pas ici, la petite, chez mon enculé de beau-père. Perte totale ! Complètement détruite, la boîte aux mauvais souvenirs. J'ai bien préparé mon coup : aucune victime et j'ai moi-même alerté les « bœufs ». Faut le faire, non ? J'ai pas toujours été grande, tu sais. Faut croire que les traumatismes font pousser la mauvaise herbe ! Et ce taré en a largement profité avant mes dix ans. Mon avocat l'a mentionné au juge, mais ils m'ont expliqué que je n'avais pas le droit de me faire justice moi-même. Belle connerie, pas vrai ? *Anyway*, c'est fait et je me sens mieux. Je ne suis pas une pyromane, rien à voir avec ces fous qui se branlent et jouissent devant les flammes ! Je suis incendiaire, point à la ligne. C'est pourquoi il m'est interdit de fumer dans ma piaule. Et toi ? Raconte donc ton histoire !

Paralysée, pas un son ne réussit à franchir mes lèvres.

– Tu te sens mal ? Je vais avertir les gardes !

À la seule évocation de ce mot, ma motricité s'enclencha en mode accéléré. J'éructai un tas de mots hachurés, sans lien entre eux. Betty me regarda avec étonnement et partit d'un grand rire. Je m'étouffai presque dans mon jargon et la G.G. en rajouta : « Étranglée par ses propres mots : autostrangulation mortelle dans une prison ! »

Ma voisine m'administra une bonne taloche dans le dos qui me fit retrouver mes esprits. Je me questionnais à savoir si je devais lui donner la version officielle ou édulcorée du délit. Le plus étonnant, c'était que je parvenais encore à faire ce genre de distinction. Je finis par répondre :

– J'étais avec un client et j'ai résisté à mon arrestation.

– C'est pas très malin de ta part ! Les flics n'apprécient pas qu'on leur résiste !

– Je le saurai pour une prochaine fois !

Terminé, le contact se rompit. Betty se plongea dans son premier bol de gruau et l'engloutit.

Ailleurs

En regagnant ma chambre, j'entendis Fernande jurer et frapper contre son mur. Il me restait vingt jours à tirer dans cette jungle ; y survivrais-je ? Ici, les règles semblaient indéfinies et la violence, latente, se cristallisait par bouffées. Une autre de mes préoccupations concernait ma mère. Il fallait que je la contacte ; elle devait être folle d'inquiétude. Je songeais à demander à Patsy d'agir à titre d'intermédiaire afin d'atténuer le choc. Quoique, à tout bien considérer, cela m'apparaissait comme une preuve de lâcheté. Il valait mieux que j'agisse par moi-même.

À l'annonce de mon emprisonnement, Marie n'eut aucune réaction. Sa non-réaction me fit un pincement au cœur. De plus, elle ne proposa pas de venir me visiter. D'une certaine manière, c'était peut-être préférable. Je commençais sérieusement à perdre le nord et, moins il y aurait de témoins, mieux je me porterais...

Un sentiment de vulnérabilité imprègne mes souvenirs lorsque je me remémore cette première incarcération. Je n'avais que dix-huit ans, la plus jeune du département. Je nourrissais ma paranoïa en imbriquant les événements extérieurs à mon monde fantasmagorique. Le moindre regard dans ma direction se transformait en geste menaçant. J'étais terriblement seule... Parfois, dans un sursaut de conscience, je m'interroge : « Comment se fait-il que cette affreuse expérience ne m'ait pas stigmatisée au point de fuir à jamais le monde de la rue ? À cette époque, j'avais encore une chance ! » Aujourd'hui, je n'arrive toujours pas à répondre à cette douloureuse question.

Dans l'après-midi, après la sieste – période de retrait en cellule obligatoire de midi trente à treize heures trente –, Betty me fit visiter l'unité. On y dénombrait quatorze cellules, dont quatre cachots. Contrairement aux chambres, les cellules d'isolement ne contenaient ni bureau ni fenêtre. L'emplacement d'une fenêtre existait mais des blocs de verre opaque ne laissant rien filtrer obturaient le trou. Une seule détenue dormait dans un cachot : Fernande. Son agressivité justifiait ce classement. Nous étions neuf patientes dans l'aile psychiatrique. Betty me présenta à la majorité d'entre elles ; elle paraissait en bons termes avec chacune. Toutefois, je soupçonnais sa taille d'être en partie responsable de cette cordialité. En croisant Fernande dans le corridor, cette dernière m'apostropha :

– C'est moi que tu dévisages, microbe ? Tu veux ma photo ?

Betty m'invita à m'éloigner sans plus attendre :

– T'occupe pas, elle a une case en moins, miss Sourire !

Étonnamment, un système de castes semblait prévaloir même dans ce monde dominé par la folie : ici aussi, il y avait des parias. À ce niveau, la prison s'apparentait beaucoup au monde extérieur.

L'unité comptait une petite salle baptisée « Le Club ». On pouvait y lire, écouter de la musique ou discuter entre nous. Autrefois, il y avait aussi un aquarium, qui fut retiré à la suite d'une histoire assez inusitée. Une patiente, trouvant que le menu des poissons manquait de variété, décida de leur donner du maïs, des pois chiches et divers légumes. Un matin, on constata que l'eau de l'aquarium était devenue brune. Betty me raconta l'événement, littéralement pliée en deux :

– C'était délirant ! Capotant ! On ne voyait plus les poissons ! Du café, l'innocente avait balancé du café dans leur flotte ! Tout le monde courait dans tous les sens pour vider le bassin. Un des poissons a bien failli passer par-dessus bord ! Par la suite, on a déniché une famille d'accueil pour les survivants.

Enfin, une salle de séjour avec téléviseur, réfrigérateur, tables et salle de bain attenante complétait le département. Au moment des repas, quand tout le monde se trouvait rassemblé, l'air se raréfiait. J'aurais préféré manger dans ma cellule mais Betty m'accaparait et m'empêchait de m'éclipser en douce. Par contre, son attachement faisait avantageusement baisser ma peur d'un cran. La plupart du temps, la porte du secteur

Ailleurs

restait ouverte et nous permettait de circuler librement autour du poste de contrôle. Nous pouvions alors partager nos préoccupations avec les intervenants. On accédait à la cour extérieure trois fois par jour. Les barbelés m'impressionnaient beaucoup. À la vue de ces lames affûtées et rouillées par endroits, je ne pouvais m'empêcher d'imaginer mon corps taillladé, lacéré, laissant ma vie s'échapper à grands flots de sang. La G.G. s'en inspira : « Vise-moi ces beaux serpentins ! C'est pour quand la grande évasion ? » Elle fit une pause et ajouta, méprisante : « C'est vrai, notre petite fée est plutôt du style rampant ! Faudrait voir si elle passerait plus facilement sous la clôture ! » Encore cette stupide allusion à la chenille. Dans le passé, cette moquerie perfide arrivait toujours à m'atteindre.

Étendue sur mon lit, j'essayais de faire le vide. La G.G. souffrait d'insomnie et semblait résolue à me miner le moral : « Allons, petite fée, crois-tu vraiment que ta pyromane fait tout cela par pure bonté d'âme ? Allume, elle en a après ton petit cul ! Paraît que c'est courant en taule ! » Je plaquai mes mains sur mes oreilles. « Si j'étais dans tes baskets, j'éviterais de m'aventurer dans la salle de bain ! Bah ! T'aimerais peut-être l'expérience après tout ! Ça te servirait pour la rue, poufiasse ! Tu pourrais l'ajouter à ton CV ! »

– Suffit ! Suffit ! Ferme-la ! T'es qu'une merde dégueulasse !

J'avais crié ma colère et, aussitôt, des coups retentirent sur le mur mitoyen. Une détenue vociféra :

– Vos gueules, là-dedans, y en a qui veulent dormir !

La G.G. avait atteint son objectif : désarçonnée, je tremblais de la tête aux pieds. Des pas dans le corridor m'avertirent de l'arrivée imminente du garde. Une lumière éclaira mon visage. Mes couvertures remontées jusque sous mon nez, mes dents s'entrechoquaient avec une telle violence que j'eus peur d'alarmer le gardien et qu'il décide de me transférer auprès de Fernande. Je lui fis un vague signe de la main pour le rassurer. La lumière disparut et alla gêner le sommeil de quelqu'un d'autre. J'étais terrorisée et je m'agrippais aux draps avec force. Se pouvait-il que la Grande Gueule ait raison ? Que Betty souhaitait en réalité m'abuser ? Me battrait-elle si je refusais ses avances ? Je m'endormis en chassant de peine ces visions d'horreur.

Les jours suivants, j'évitai la salle de bain comme la peste. Profitant d'une période où Betty s'exerçait au gymnase, je me faufilai pour prendre une douche. Quel bonheur ! L'eau cascada sur mes épaules en chassant une fine pellicule de désarroi. Même très en colère, la G.G. n'arriva pas à étouffer le bruit et à enterrer cette délicieuse mélodie. J'émergeai de ma torpeur pour glisser dans la sensualité. En fermant les yeux, j'imaginai Yan me caresser langoureusement et me couvrir de baisers. Mon corps tangua, vibrant au rythme de mon fantasme. Je finis ma toilette en réduisant l'eau chaude à la limite du supportable. Ce coup de fouet repoussa la G.G., furieuse, dans ses derniers retranchements, jusqu'à un recoin sombre de ma tête.

Je grappillais des renseignements sur les autres détenues par l'intermédiaire de Betty et d'Henriette. Celle-ci possédait une feuille de route très impressionnante. Ayant bourlingué à travers le pays, les corps policiers de plusieurs capitales canadiennes la connaissaient. Dans la quarantaine, elle arborait un tatouage au bras gauche représentant un serpent enroulé autour d'un cœur sanglant, sous lequel les lettres H et C se trouvaient inscrites. Henriette jouissait d'une certaine notoriété auprès des personnes incarcérées des secteurs réguliers. J'avais constaté ce fait en allant à la messe. À l'entrée de la chapelle, quelques femmes l'avaient saluée avec respect, lui refilant des cigarettes, une denrée fort précieuse à l'intérieur. Volubile, elle s'exprimait à l'aide d'un langage hautement coloré. Notre premier contact se fit sur les balançoires, à l'extérieur. Elle m'aborda en disant :

– C'est toi, Rubby ? Betty raconte que t'as donné une baffe à un « bœuf » ?

Ailleurs

J'ignorais quoi répondre. Je regrettais de m'être hasardée à l'extérieur, dans ce champ miné.

— Eh ! la môme, c'est à toi que je cause, *fuck* !

— J'ai... j'ai voulu lui prendre ses lunettes, dis-je d'une voix mal assurée.

Incrédule, elle répéta lentement :

— T'as voulu lui prendre ses lunettes ?

Je voulus sourire mais mon faciès exprima davantage l'embarras. J'avais tout de la parfaite constipée.

Mon malaise l'incita à réajuster son tir :

— T'affole pas, petite. T'as raison, c'est pas mes affaires, *fuck*. Y avait qu'à pas t'écœurer avec ses « barniques » !

Elle ponctua ses dires en crachant dans l'herbe avec dédain.

Sur ces entrefaites, Betty se joignit à nous. Elle se laissa tomber sur le siège, ce qui provoqua toute une secousse.

— Je vois le psy, ce soir. Je vais lui demander de changer mes pilules, je dors tellement mal !

Henriette se tourna vers moi et me questionna :

— T'as une demande d'examen ?

— C'est ce que j'ai cru comprendre !

La tatouée mal engueulée se lança dans un court monologue descriptif à propos du docteur :

— Marcel Foisy est Français, pédé et psychiatre, c'est pas peu dire ! Malin comme un singe avec ça. Il te met en confiance avec ses manières avenantes... et vlan ! dans les dents, il dégotte la petite bête, *fuck* ! Ton acarien cérébral, quoi. Foisy le chasseur de tête, qu'on l'appelle ici. Il travaille aussi à Pinel avec les fous dangereux. Faut avoir des couilles, *fuck*, et dans son cas, c'est pas évident.

Elle empoigna l'entrejambe de son jeans en le secouant pour nous montrer qu'il était vide. Betty s'esclaffa et Henriette gratifia son hilarité d'un rot sonore.

– Foisy est beau bonhomme pour une tante, un vrai gaspillage. Remarque qu'un psy dans ton lit, c'est comme baiser avec un prêtre, ça se fait pas. Trop d'emmerdes en perspective !

Henriette ne m'inspirait guère, elle ressemblait trop à la G.G. Mais dans ma position précaire, je ne pouvais me montrer difficile. À l'évidence, elle faisait partie du complot. À la solde des hommes en noir, elle devait leur rapporter mes moindres faits et gestes. Ainsi informés, ils pouvaient effacer toute trace d'invasion dans ce milieu fermé et saper ma crédibilité. Je décelais trop d'incohérence et d'éléments contradictoires chez elle. Elle ne pouvait s'empêcher de jurer à tout moment ; par contre, elle employait à l'occasion des mots plus recherchés. De plus, à mes yeux, rien dans son comportement ne justifiait son classement en psychiatrie. Il y avait anguille sous roche. Cela me décourageait. Partout où mon regard se posait, je détectais un danger ou une menace. Enfoncée dans ces sables mouvants, j'en arrivais à supplier la G.G. de m'achever. Complètement déconnectée, je n'aurais plus mal. Je pourrais enfin me reposer et cesser d'avoir peur.

L'infirmière m'avait avertie que je rencontrerais le docteur en soirée. Cette nouvelle épreuve à passer m'inquiétait. J'arpentais ma cellule de long en large. Six pas de poule à l'aller, six pas de poule au retour. Le fameux Foisy était-il dangereux ? Allait-il me prescrire des médicaments qui m'abrutiraient ? Ne pouvait-on me laisser tranquille et reconnaître une fois pour toutes que je m'avérais folle et irrécupérable ? Déchet toxique ! La G.G. boudait et se terrait, elle n'avait jamais aimé les psys. Vingt minutes après le coucher, l'intervenante m'escorta au bureau du chasseur de têtes. La gêne que je ressentais émanait du fait que je n'avais pas eu le temps de me peigner. L'entrevue se déroula bien et, à mon grand étonnement, le psy me vouvoya. Je me sentis un peu plus grande. Henriette avait raison, il s'agissait d'un bel homme aux manières raffinées. Cependant, rien ne laissait deviner son homosexualité. Foisy en arriva rapidement au délit que j'avais commis :

Ailleurs

– Racontez-moi ce qui s'est passé la soirée du 21 août, Rubby.

Au préalable, il s'assura que j'étais bien orientée dans le temps. Il me regardait sans trop insister, ce que je jugeais rassurant.

– J'ai voulu retirer les lunettes du policier qui m'arrêtait.

– Pourquoi vouliez-vous lui retirer ses lunettes ?

La réponse me paraissait évidente.

– Il fallait que je vérifie ses yeux ! fis-je, quelque peu excédée.

– Vous vouliez vérifier ses yeux. Pour quelle raison deviez-vous les vérifier, Rubby ?

Il se pencha vers l'avant, m'invitant à lui dévoiler mon secret.

– Parce que...

Je n'eus pas le temps de terminer ma phrase ; la G.G. rappliqua, l'écume à la bouche : « Ta gueule, poufiasse ! Les hommes en noir, c'est dans ta tête. On est déjà dans la merde, en rajoute pas, bordel ! » En observant les beaux yeux bleus de Foisy, je constatai que ses iris étaient ronds, pas étoilés comme ceux des hommes en noir.

Il répéta doucement, comme s'il s'adressait à un très jeune enfant craintif :

– Pour quelle raison deviez-vous les vérifier, Rubby ?

– Pour voir s'ils étaient en forme d'étoile à sept branches !

J'entendis la Grande Gueule grincer des dents.

Quand la rencontre prit fin, Foisy avait fait le tour de ma vie : le tour de ma vie en quatre-vingt-dix minutes... Il promit de me revoir la semaine suivante, le temps que les médicaments agissent. L'infirmière me tendit les pilules et, même si la G.G. me poussait à les dissimuler, je ne pus me dérober. Je les avalai devant elle, accompagnées d'un grand verre d'eau.

Au matin, une agréable surprise m'attendait au réveil. Arlie m'avait écrit. Ayant quelques minutes devant moi avant l'ouverture des portes, je savourai sa missive.

> *Salut, mon poussin. J'ai appris que tu créchais à l'infirmerie. Tu pourras t'y reposer, c'est pas plus mal. Hier matin, en allant au parloir, je t'ai aperçue dans la cour extérieure. Tu étais bien encadrée : une géante et Henriette. La grande, je la connais pas, mais si jamais elle t'embête, préviens-moi et je lui referai une beauté. Pour Henriette, c'est cool. Il lui arrive parfois de manipuler la vérité sans précaution, mais ça ne porte pas à conséquence. Elle peut t'être utile, elle connaît le milieu. De mon côté, tout serait parfait sans ce screw qui me colle au cul. Je ne sais pas pourquoi il en a après moi. On jurerait que mon changement de sexe l'affecte personnellement, comme si c'était lui, et non moi, qui y avait laissé ses couilles ! Y en a toujours un pour gâter la sauce ! Que veux-tu, si c'était trop super, le taux de récidive grimperait en flèche. Je comparais demain. Mon avocat proposera au procureur une sentence d'un mois ; après tout, il s'agit seulement d'une minifraude... Je dois te laisser, je t'envoie de gros bisous.*

> *Écris-moi au A-2N #23.*

En post-scriptum, elle avait ajouté qu'elle assisterait à la messe dimanche. Je réfléchis à la marche à suivre. J'aimais bien Arlie, c'était une personne entière. J'en conclus que le Créateur, dans son cas, avait probablement commis une bévue lors de la conception. Je décidai donc de me rendre à la messe ce dimanche-là.

Je commençais à avoir faim ; l'heure du déjeuner devait approcher. Je jetai un coup d'œil par la fenêtre de ma porte et j'aperçus Madeleine, la patiente qui occupait la cellule en face de la mienne. Son regard empreint d'une sourde terreur me supplia de lui ouvrir la porte : scène insoutenable ! Dans le département, on rencontrait des cas vraiment pathétiques et Madeleine faisait partie du nombre. Âgée d'environ cinquante ans, on l'hébergeait à Tanguay depuis cinq jours. On racontait qu'elle s'était dévêtue dans un restaurant, croyant qu'un serpent s'était glissé dans son chemisier. Elle restait confinée dans sa cellule et sortait uniquement au déjeuner pour prendre un café et un verre de lait. Autrement, elle demeurait debout dans l'entrebâillement de sa porte, à scruter le corridor et la salle de séjour. Souvent, elle calfeutrait sa fenêtre à l'aide de papier de toilette mouillé et, la nuit, elle obstruait le bas de sa porte avec des serviettes. À deux reprises, les intervenantes avaient retiré des vêtements et des couvertures de ses toilettes. Elle vivait dans la hantise de voir surgir des serpents dans sa chambre. Un inoffensif tas de poussière se transformait pour elle en prédateur rampant et visqueux. Sa souffrance devait être terrible. Elle se tenait debout nuit et jour. L'enflure de ses jambes et de ses pieds empêchait de distinguer ses chevilles. La fatigue et les médicaments finiraient par vaincre son obsession. On devait transférer Madeleine à l'hôpital après sa comparution. Je pensais que si la folie possédait un visage, ce serait le sien, surtout à cause de ses yeux tourmentés qui écorchaient l'âme. Je regardais Madeleine et une pensée délirante germa dans mon esprit fiévreux. La G.G. détenait-elle le pouvoir de se matérialiser sur le plan physique ? Après tout, une chenille n'était pas très éloignée d'un serpent...

Durant mon incarcération, ma mère ne vint me visiter qu'une seule et unique fois, un jeudi soir. Deux autres détenues se trouvaient au parloir. Les cinq premières minutes furent très éprouvantes ; l'émotion atteignit son comble. Quand je cessai de pleurer, Marie s'y mit à son tour. L'intervenante demeura en retrait mais disponible, au cas où... La visite, sécuritaire, se déroula derrière une épaisse vitre. Ce mur nous maintenait à des kilomètres de distance. Marie avait beaucoup vieilli et, sans aucun doute, j'étais l'artisan de cette triste métamorphose. Enfermée dans ce cube de verre à proximité d'un autre visiteur à l'allure inquiétante, elle paraissait minuscule, tassée sur elle-même. Fidèle au poste, la G.G. veillait au grain et lança : « Beau travail, petite fée ! On croirait que ta mémé Lucie est revenue. Tu peux être fière, poufiasse ! » Cette gifle me brouilla de nouveau la vue. Depuis toujours, je portais le poids des déboires de Marie, me sentant en quelque sorte responsable de ceux-ci. Wolf avait bien tenté de m'en dissuader mais, peine perdue, ce sentiment demeurait profondément ancré en moi. Je regrettais sa visite, la vue de ma mère me faisait trop mal. On échangea quelques banalités et chacune retourna à son isolement.

Cette nuit-là, je fis un rêve atroce, le même qu'à l'époque de mes onze ans. Je croyais ce cauchemar disparu mais, à l'évidence, il sommeillait. Dans cette version corrigée, ma mère et non Louise, ma copine tuée par un chauffard, sautait du toit de l'école en m'entraînant dans sa chute. L'effet était beaucoup plus perturbateur et je m'éveillai en suffoquant.

Je me tenais sur le qui-vive, en constante alerte, mais les jours n'en défilaient pas moins lentement. À cause des médicaments, la G.G. parlait moins fort – avantage non négligeable. J'évoluais entre deux réalités : celle de la schizophrénie et la vôtre. C'est le pire moment, celui où vous réalisez qu'il y a une autre vérité accessible. Vous faites des pieds et des mains pour la rejoindre mais elle vous file entre les doigts. Il s'agit d'un combat inhumain ; tout se passe dans votre tête, derrière vos yeux. Pour ma part, devenir folle s'avère moins douloureux que mes tentatives pour accéder à votre monde !

Dimanche arriva en se traînant les pieds. Fernande, Henriette et moi étions les seules à désirer assister à l'office religieux. Avant de partir, les intervenantes insistèrent auprès de Fernande pour s'assurer qu'elle se comporterait convenablement durant la messe. À l'entrée de la chapelle, le père Charles nous serra la main et nous salua gentiment. Arlie, assise au premier rang, m'attendait et me signala qu'elle m'avait réservé un siège à ses côtés. Je fus heureuse de pouvoir me soustraire temporairement à la surveillance d'Henriette. Sa familiarité m'épuisait et m'irritait. Arlie personnifiait l'antithèse même

Ailleurs

de la discrétion. Elle portait des vêtements aux couleurs flamboyantes, de très belle qualité, le tout complété par des accessoires de sa fabrication. Dans le milieu carcéral, sa renommée la précédait et sa fantaisie faisait partie intégrante de sa légende. Tout le monde l'aimait bien, d'un côté comme de l'autre, exception faite du *screw* antitransexuel.

La célébration se déroula harmonieusement, jusqu'à ce que Fernande lâche un gaz bruyant et malodorant. Le père Charles garda le contrôle malgré les rires et les commentaires qui fusèrent. Quelques minutes s'écoulèrent et le même manège se produisit de nouveau. Fernande restait concentrée et impassible, apparemment inconsciente de la pagaille qu'elle provoquait. La détenue assise la plus près d'elle lui indiqua la porte du doigt, en disant :

– Va donc voir si j'y suis, et retourne avec les soucoupes, face de débile !

Il n'en fallait pas plus pour que Fernande lance son *Prions en Église* au visage de sa voisine et lui saute dessus. Les détenues se mirent à trois pour la maîtriser. Pendant ce temps, le prêtre avait alerté les surveillantes, qui escortèrent Fernande au trou. L'autre détenue, encore ébranlée, demanda à retourner à son département, en promettant de porter des accusations contre son agresseur. Arlie me confia :

– Elle n'en fera rien, elle cause pour pas perdre la face. Elle va prendre son trou, comme d'habitude !

En rentrant dans notre aile, Henriette raconta à qui voulait l'entendre sa version revue et améliorée de l'événement.

Foisy tint sa promesse et me rencontra une dernière fois pour conclure son expertise. Il me considérait sur la bonne voie et vérifia son hypothèse :

– Alors, Rubby, où en êtes-vous avec les hommes en noir ?

Je n'arrivais toujours pas à soutenir son regard bien longtemps.

– Il y en a un peu moins. Y a plus inquiétant par ici !

– De quoi s'agit-il, Rubby ? fit-il, le sourcil levé et l'air inquiet.

– Les serpents de Madeleine ! Si elle est schizo, j'abandonne la *game* à la G.G. !

J'émis ce commentaire sur un ton désinvolte. Pourquoi poursuivre ce combat, pensai-je, si l'issue me poussait droit dans l'univers de cette patiente ?

Foisy ne fut pas dupe, il sentait ma peur derrière cette remarque.

– Son problème est totalement différent du vôtre, Rubby. N'ayez crainte, une bonne médication vous ramènera parmi nous, sans reptiles ni hommes en noir !

Fait bizarre, pourquoi ne me questionnait-il pas au sujet de la G.G. ? Pourquoi ne cherchait-il pas à savoir de quoi je parlais ? Je lui serrai la main et sortis. Pour lui, je constituais une affaire classée : apte à subir mon procès mais irresponsable. En d'autres mots, on me considérait normale malgré quelques spasmes de folie occasionnels. Comme maître Ronel me l'avait expliqué, pour un délit aussi mineur, le temps fait en prévention suffirait. En fournissant une adresse fixe et en me soumettant à un suivi psychiatrique à l'extérieur, le juge me relaxerait. Il me restait donc une dizaine de jours à purger avant ma libération.

Un soir où je m'étais couchée tôt en ayant pris soin de fermer ma porte, pour éviter les intrusions de Betty et d'Henriette, je fus témoin d'un drame bouleversant. Une longue plainte, qui s'acheva dans un cri de désespoir, me tira de mon sommeil. Ce cri me secoua jusqu'à la moelle, alerta tous mes sens. Plusieurs personnes s'agglutinèrent devant la chambre d'Amanda, ma voisine de gauche. Amanda était la pestiférée de l'infirmerie. Certaines détenues la surnommaient *baby killer*, car elle avait tué sa fille unique, Julie. J'entendis les intervenants disperser les curieuses et signaler au poste, par radioémetteur,

Ailleurs

que tout était sous contrôle. Amanda pleurait et suppliait les gardiennes de ne pas partir. Elle leur déballa toute son histoire. On aurait juré qu'un tortionnaire invisible lui dictait sa confession. Son discours était tellement chargé de souffrance et de regret, que chaque mot semblait lui brûler les lèvres.

Elle raconta : Phil, son conjoint décédé quelques mois auparavant. Sa photo sur la commode, appuyée sur Winnie l'Ourson.

Elle raconta : Julie dans son bain, s'emparant maladroitement du savon et riant, le nez couvert de mousse. Son pyjama rose aux motifs de Mickey. Les draps fraîchement lavés, sentant bon la lavande.

Elle raconta : le dernier sourire de Julie, ses grands yeux rieurs. La prière chuchotée lorsqu'elle avait placé l'oreiller sur le beau visage endormi de sa fille.

Elle raconta : la merveilleuse douleur lorsque la lame avait entaillé ses poignets, la chaleur de son propre sang. L'espoir de retrouver ses deux amours là-haut. Enfin le repos...

Elle raconta : l'horreur lorsqu'elle avait vu le visage de l'ambulancier, lorsqu'elle avait compris. Le froid, l'abîme...

Amanda termina son récit à bout de souffle en murmurant :

– Julie, mon bébé, viens voir maman, viens voir maman !

Je grelottais. Mon corps fragilisé, en suspension, absorbait la souffrance d'Amanda. Encore aujourd'hui, en évoquant cette scène, la chair de poule m'envahit.

Les jours suivants, Amanda sembla reprendre goût à la vie. Elle soignait son apparence, recommençait à s'alimenter et souriait quelquefois. Cinq jours après sa confession, on la retrouva pendue dans la salle de bain. Un code d'urgence fut lancé sur les ondes et on nous confina à nos cellules.

Le directeur, accompagné de l'infirmière et de la psychologue, nous annonça officiellement le décès d'Amanda Réneau.

Je songeais qu'elle nous avait bien eus. Quand elle souriait, sa décision était déjà prise : son sourire s'adressait à la mort et non à la vie.

Foisy me revit une toute dernière fois, voulant s'assurer que je surmonterais le choc causé par le suicide d'Amanda. Je quittai Tanguay un mercredi soir, en compagnie de ma mère. Je promis à Arlie de garder le contact et elle s'engagea à me téléphoner.

19

L'espoir

On m'astreignait désormais au repos forcé : interdiction de travailler temporairement, sur recommandation de mon nouveau psychiatre. En sortant de prison, on m'envoya consulter à Albert-Prévost. Étant adulte, je ne pouvais plus être traitée par Wolf, alors on me confia à Berthe Bélaski. Arrivée à ce point, cette contrariété supplémentaire s'ajoutait aux aléas de la maladie. Le docteur Bélaski m'annonça ses couleurs sans détour. Ses propos détonnaient par rapport à la fragilité de sa physionomie :

– J'aime mon travail et j'aime aider les gens. Je ne ménage pas mes efforts et si je dois te bousculer pour que tu réagisses, je m'y appliquerai, sois-en certaine ! Je ne peux pas faire les choses à ta place, cette zone de responsabilité t'appartient. Tu es schizophrène, pas moyen d'y échapper. Tu en es à ta deuxième rechute, ce qui nous indique que ta maladie a les reins solides. Avec l'aide des médicaments, tu devrais pouvoir t'en tirer. La science fait constamment des progrès en la matière. Rubby, le docteur Wolf m'a parlé de toi en termes élogieux. J'ai accepté de t'aider, mais à une condition : ta présence. Respecte tes rendez-vous. Je peux travailler avec quelqu'un de récalcitrant, de fermé, mais pas avec une chaise vide...

Le message, limpide, ne laissait aucune échappatoire possible. Son discours s'avérait d'autant plus percutant qu'il avait été lâché après une quinzaine de minutes de silence. J'étais entrée dans son bureau à dix heures et, mises à part les présentations d'usage, aucune autre parole n'avait été échangée. Le silence, pesant, lourd de menaces, s'était confortablement installé entre nous. Je réfléchissais, mes neurones s'activant dans tous les sens. Même la G.G. était demeurée bouche bée ; aucun secours à recevoir de ce côté. J'ignorais si elle employait toujours cette tactique du silence mais j'avais commencé à m'énerver sérieusement. Je m'étais sentie gênée, rouge comme ce fichu de merde qu'elle portait autour du cou. D'ailleurs, je rêvais de le lui serrer jusqu'à ce qu'elle demande grâce ! Mal à l'aise, je m'étais dit que ce psy devait être sadique pour prendre son pied à me torturer de la sorte. Elle avait alors choisi cet instant pour prononcer son laïus. Dans l'état de vulnérabilité où je me trouvais, ses paroles s'imprégnèrent profondément en moi, me marquant du sceau du célèbre docteur Bélaski !

J'essayais de toujours respecter son ordonnance, exception faite des périodes d'incarcération. Cette fameuse zone de responsabilité ne m'appartenait pas en propre puisque je devais la partager avec la G.G. De toute évidence, cette dernière compromettait ma raison ; donc mon comportement. Bélaski n'accordait aucune validité à mon raisonnement. La Grande Gueule dérivait de ma maladie et n'exerçait aucun pouvoir sur moi. On voyait bien qu'elle n'était pas schizo pour avancer de telles inepties ! Malgré tout, j'appris à connaître cette femme et à lui faire confiance. On travaillait à ma socialisation, à mon intégration. Très peu de retours dans le passé pour légitimer ma débâcle. Pas d'excuses, seulement des constatations et des mesures mises de l'avant pour me sortir du marasme.

Cette période de ma vie recèle très peu d'intérêt. Vivant avec ma mère, ou plutôt son ombre, dans le même quartier que du temps de mon enfance, j'entrepris des démarches afin de recevoir des prestations d'aide sociale.

Je me présentai au bureau dès neuf heures. La salle d'attente comptait déjà plusieurs prestataires. Un grand type, à l'allure indéfinissable, engueulait la réceptionniste à propos d'un changement d'adresse. Je comprenais pourquoi l'employé travaillait derrière un comptoir entièrement protégé par du plexiglas. Rapidement, un agent de sécurité se présenta et l'énergumène dut baisser pavillon et quitter le bureau. Personne ne réagit, agissant comme si cette scène s'était déroulée sur un écran et non en direct. Vers onze heures, ce fut à mon tour d'être introduite auprès d'un enquêteur. Même si je détenais tous les documents requis, la procédure, incluant un mini-interrogatoire, suivit son cours. Le préposé regarda ma dispense médicale en arborant une mine dégoûtée, comme si le papier contenait des gènes transmissibles de ma maladie. Je me sentis en état d'infériorité. La G.G. en profita pour se dégourdir la langue : « Redresse les épaules, pouffiasse ! C'est qu'un gratte-papier frustré. S'il se sent grand, c'est parce que tu es petite, voilà tout ! » Je faillis tomber à la renverse : la G.G. me défendait ! Du jamais vu. Ma réjouissance fut de courte durée. Elle ajouta : « Tu pourrais lui faire une pipe, t'aurais peut-être une prime à la baise, connasse ! »

Les mois s'écoulaient ainsi, sans bruit et sans vie. La G.G. me visitait, malgré ma médication, comme une vieille tante ronchonneuse et un peu sénile qui surgit à l'improviste en ressassant les mêmes vieux griefs. Par contre, aucune trace des hommes en noir. Ma mère travaillait, et moi j'encaissais les deniers de l'État. Pourtant, malgré ses convictions, jamais elle ne réprouva ouvertement mon mode de vie. À cette époque, on peut dire que j'étais une vraie prostituée. Je fréquentais Patsy et Arlie, je fumais et buvais à l'occasion et je voyais Bélaski. J'avais un pied dans la rue, doublée d'une schizophrénie en traitement. Je me considérais en période de transition. Sans vouloir me mouiller, je ne faisais rien pour me démarquer, n'ayant aucun projet de vie ou de mort.

Parfois, je repensais à Amanda et j'admirais son courage, sa détermination. Je caressais souvent l'idée de me suicider. Je flirtais avec cette pensée, la laissant me séduire et me donner des frissons. J'imaginais la suite : la douleur de ma mère, le hoquet de mon psy. La vie après la mort s'arrêtait sur le plan physique ;

je n'osais échafauder de théories sur l'au-delà. Les représailles possibles me faisaient trop peur, même si j'espérais qu'une schizo aurait nécessairement droit à un non-lieu pour préjudice subi à l'adolescence. Si je suivais les traces de ma mère, mon agonie risquait de durer des années. La détresse de Marie semblait profonde – au-delà de la culpabilité, du regret ou de la honte – en ce lieu où l'absence de vie n'offrait plus aucune prise aux sentiments. Son deuil, encore trop présent, l'empêchait de réagir.

À l'été de mes vingt ans, je reçus un appel d'Arlie m'enjoignant de la retrouver de toute urgence au bistro du parc. Arrivée sur place, elle m'annonça une nouvelle qui m'arracha les tripes :

– Rubby, mon poussin, je ne pouvais pas t'annoncer cette catastrophe au téléphone.

Son regard habituellement franc et direct cherchait à éviter le mien. La peur me terrassa et me donna subitement mal au ventre. Je pris un ton badin pour endiguer le malaise qui m'envahissait.

– Parle, Arlie ! De quoi s'agit-il ? T'as fait une bêtise ou tu t'apprêtes à en faire une ?

Arlie ne sourit pas, elle afficha une mine de déterrée.

– Ça concerne Patsy. On l'a découverte inconsciente dans une ruelle. C'est moche, Rubby, elle est méconnaissable. Il faut être sadique pour en arriver là !

Elle serra mes mains dans les siennes et ajouta :

– Je peux t'accompagner si tu veux, l'hôpital est à côté. Je sais pas si elle va s'en tirer, chérie !

À peine sa phrase terminée, je me levai, fixant le vide. J'avais mal partout, je ne savais plus où j'en étais. Patsy, mon amie, ma sœur, avait besoin de moi. Il était hors de question qu'elle parte sans moi ! Arlie me secoua doucement et m'entraîna vers la sortie.

Ailleurs

Malgré la chaleur étouffante, j'étais transie en pénétrant dans l'hôpital. Dans le hall d'entrée, deux immenses colonnes de marbre soutenaient la structure supérieure. Cela donnait la furtive impression d'entrer dans un temple. Toutefois, la comparaison s'arrêtait là, car passé cette porte, une agitation contrôlée régnait un peu partout. Arrivées au troisième étage, nous empruntâmes un long corridor qui débouchait à l'unité des soins intensifs. Arlie me parlait, mais je saisis seulement une partie de ses recommandations :

– Tu diras que tu es sa petite sœur, sinon ils ne te laisseront pas la voir.

Ces deux mots m'obnubilaient : « soins intensifs ». Ces petites lettres cachaient une horrible réalité : la vie ou la mort.

La salle comptait dix pièces séparées les unes des autres par des vitres teintées. Au poste de garde, Arlie demanda à voir Patsy. L'infirmière semblait la connaître et elle sourit lorsque je me présentai comme étant une autre sœur de sa patiente. À l'évidence, en nous regardant Arlie et moi, elle devait en déduire que nous n'étions pas du même lit. Elle nous autorisa à nous rendre à son chevet, une à la fois, pour quelques minutes seulement.

L'infirmière m'avisa que l'état de Patsy demeurait critique quoique stable. Les quarante-huit prochaines heures s'avéreraient déterminantes. Je m'arrêtai devant l'emplacement numéro 6 et vérifiai le nom inscrit sur le cartable accroché aux montants du lit : Patsy Demers. En m'approchant, je reçus un direct à l'estomac qui me plia en deux. La silhouette étendue sous le drap n'avait plus rien d'humain. Pour ne pas m'évanouir, je rivai mon regard au moniteur cardiaque en me concentrant sur le signal sonore. Peu à peu, je repris mes esprits et réussis à affronter la vision cauchemardesque clouée à sa souffrance.

Le visage ne constituait plus qu'une surface gonflée et violacée. Les paupières et les lèvres, tuméfiées, dessinaient trois lignes crevassées asymétriques. Un tube s'enfonçait dans la trachée pour faciliter la respiration de cette pauvre créature.

Sa courte chevelure, plaquée sur son crâne, laissait entrevoir une longue estafilade qui partait de l'oreille droite et s'éteignait au sommet de la tête. Une quantité incroyable de tubes et d'aiguilles maintenaient mon amie prisonnière.

La révolte m'anéantissait. Une prière me monta aux lèvres et je m'empressai d'en couvrir Patsy. Je lui promis de demeurer à ses côtés :

– Tu t'en sortiras, ma grande. Tu dois t'en sortir ! Laisse-moi pas tomber, je le supporterais pas !

Je quittai précipitamment les lieux pour aller vomir.

Sans l'aide d'Arlie, j'ignore ce que je serais devenue. Je fis le serment de soutenir Patsy tout au long de son calvaire, quelle qu'en soit l'issue. Si elle devait se noyer, je serais là pour lui tenir la main. La réaction de la G.G. renforça ma résolution : « Laisse tomber, poufiasse ! C'est qu'une pute en voie d'extinction. T'as déjà les pinceaux emmêlés, alors cherche pas le trouble. Éloigne-toi de ce cadavre ! » Quel chromosome défectueux chez moi avait pu engendrer un tel monstre de cruauté ? Ses paroles blessantes attisèrent ma fureur. Au moins, elles me faisaient réagir, peu importe les sentiments qu'elles déclenchaient !

Avant de partir, Arlie obtint l'assentiment du médecin pour que je demeure au chevet de mon amie. On m'autorisa à la veiller à condition que je ne gêne pas le travail du personnel. Le docteur nous dépeignit brièvement la situation. Patsy souffrait d'une commotion cérébrale, d'une fracture du nez et de la mâchoire, d'une perforation au poumon droit ; elle avait de surcroît trois côtes brisées, de nombreuses lacérations à la poitrine et aux cuisses et pas moins d'une dizaine de plaies ouvertes faites avec un couteau. À l'écouter, j'eus l'impression d'entendre le bilan d'une autopsie. Ma rage se mua en désespoir. Jamais elle ne survivrait à pareille agression. D'ailleurs, je doutais fortement qu'elle désire réintégrer votre monde.

Les heures qui suivirent comptent parmi mes souvenirs les plus intimes et les plus chers. Elles laissèrent une marque indélébile sur mon âme torturée.

Ailleurs

Armée d'un immense café noir, je m'installai auprès de ma copine. Avec une infinie délicatesse, je touchai son front. Ce contact ouvrit une brèche à la surface de ma conscience : la haine à l'état pur existait et ma sœur avait croisé sa route. Trop mal pour réfléchir, je n'osais imaginer la terreur qui avait pu l'habiter. Avait-elle eu le temps de réaliser ce qui lui arrivait ? S'était-elle défendue ? Connaissait-elle son agresseur ? Toute cette violence et cette douleur, j'en perdais pied. Si je voulais l'aider, il ne fallait pas laisser les « comment » et les « pourquoi » me rendre folle et m'entraîner dans leurs spirales stériles. Je m'agrippai au moment présent avec toute mon énergie. J'entrepris de fredonner un air des Bee Gees – *Staying Alive* – qu'elle affectionnait tout particulièrement. Je me persuadai qu'elle captait ma présence même inconsciente. Cette pensée me réconforta et m'empêcha de sombrer.

L'infirmière de garde vint vérifier les solutés et ajuster les différents appareils. Je me demandai si Patsy avait mal. En réponse à ma question muette, comme si elle avait lu dans mes pensées, elle me toucha l'épaule et dit :

– Nous lui donnons de la morphine aux quatre heures. Je suis désolée pour ta sœur !

Ces quelques mots me redonnèrent espoir en l'humanité ; dans cet endroit, ma copine reposait en sécurité.

Je m'aménageai un espace pour voir Patsy tout en reposant ma tête sur les barres latérales du lit. Ainsi, je pus relaxer et maintenir ma surveillance. Je l'observai intensément car j'avais remarqué que, parfois, sa respiration cessait. Dans ces moments de tension, je suspendais aussi la mienne, en synchronisme. L'infirmière, consciente du phénomène, m'assura qu'il n'y avait pas lieu de s'inquiéter. Quand elle faisait sa tournée, je la tenais au courant de la situation. Ainsi, je me sentais utile et je croyais collaborer au mieux-être de Patsy.

Je devais faire de gros efforts pour demeurer dans le présent ; mon esprit vagabondait. Je me rappelais Patsy au temps de Sophie-Barat, élève fière et provocatrice. Son air de défi à l'aube de ses dix-huit ans, quand elle avait basculé dans le monde des adultes puis quitté les siens. Quelques mois plus tôt, elle m'avait confié ses projets d'avenir, les rêves qu'elle caressait : « Je quitterai la rue la tête haute, Rubby. Je vais tout plaquer et m'installer dans le Sud. J'ai pas mal empilé, tu sais ; c'est une question de temps et je décroche. Rock viendra me rejoindre et on s'achètera un resto. Tu seras la bienvenue, sœurette ! » Je souris intérieurement à cette évocation et, brusquement, l'horreur me rattrapa : Patsy ne verrait peut-être jamais la mer, et son frère resterait seul.

Je demandai à Arlie de se mettre à la recherche de Rock. J'ignorais ce qu'il était devenu, notre dernière rencontre remontant à un an déjà. Je connaissais les liens qui unissaient Patsy à son frère et j'espérais que sa présence l'aiderait à s'en sortir. Si quelqu'un pouvait la sauver, c'était assurément lui !

Dans la nuit, au moment où je m'étais assoupie une nanoseconde, Patsy fut prise de violentes convulsions. Même si l'alarme sonna, je courus prévenir les infirmières. À mon retour, son corps semblait disloqué : un bras pendait au travers des barreaux, son pied droit, noir et boursouflé, s'était libéré des draps, sa langue cherchait à forcer le passage des lèvres, faisant naître un filet de sang au coin de sa bouche. Le moniteur cardiaque émettait un son strident. La première infirmière à intervenir me demanda de quitter la pièce. Trois autres infirmières et un médecin se précipitèrent à sa suite, tirant les rideaux derrière eux.

J'étais paniquée. Je ne désirais que fuir, fuir très loin de ce cauchemar. Un chariot à linge stoppa ma course folle. Je faillis culbuter cul par-dessus tête. Je retrouvai mon équilibre de justesse et m'appuyai au mur pour pleurer un bon coup. J'étais inconsolable, l'image de Patsy me hantait. J'aurais voulu chasser cette vision de mon esprit. La G.G. réitéra sa mise en garde : « Je t'avais prévenue, conasse ! Fallait pas t'embarquer. Tu seras jamais à la hauteur ! » Trop secouée, sa semonce ne m'atteignit pas. Je rebroussai chemin lentement, en prenant garde de ne pas poser les pieds sur les lignes de démarcation du plancher. Cette technique, développée au fil des ans, exigeait une attention soutenue et me permettait de retrouver mon calme et de relâcher la pression. Habituellement, cela s'avérait efficace, mais compte tenu des circonstances, je dus fournir davantage d'efforts.

Je m'installai dans la salle d'attente des soins intensifs et téléphonai à Arlie afin de savoir comment son investigation avançait. Elle m'apprit que Rock, sorti récemment de Bordeaux, se trouvait en libération conditionnelle. Il ne résidait plus à sa dernière adresse connue. Elle attendait un tuyau d'une ancienne flamme avec qui elle maintenait le contact et qui était en excellents termes avec un commissaire. Quel soulagement, Rock serait peut-être retrouvé à temps !

Les nerfs à fleur de peau, je retournai auprès de Patsy. L'équipe d'urgence avait stabilisé ses signes vitaux et lui avait administré un anticonvulsivant. L'attente se prolongea, interminable et désespérante. Les minutes s'égrenèrent avec parcimonie, grignotant à mon amie une parcelle de vie toujours plus grande. Le médecin me laissa très peu d'espoir. J'aurais voulu retenir le temps, empêcher l'issue fatale. Je m'accrochai à Dieu, à la chance, à tout ce qui pourrait intercéder en sa faveur.

Je chantai et parlai à Patsy. Tout y passa : notre passé, nos projets, mes prises de bec avec la G.G., le dernier vidéoclip de Madonna... Parfois, au milieu d'une phrase, je m'effondrais et sanglotais. L'absurdité du moment m'éclatait au visage, ébranlant ma fragile détermination. Je maudissais la vie, les tueurs de pute, le sexe... Et puis, la peur et la honte s'abattaient sur moi ; j'implorais alors Patsy et Dieu de me pardonner, d'ignorer ce que je venais de dire.

J'en vins à penser qu'il semblait beaucoup plus facile de se suicider que de laisser la vie choisir sa mort ! Mon amie avait toujours pris sa destinée en main, personne ne lui imposant quoi que ce soit. Enfin, c'est cette image d'elle que je désirais conserver. Cela la rendait forte et plus susceptible de vaincre l'adversité. Autrement, elle resterait une éternelle victime, ballottée par tout un chacun, à la merci du premier truand.

L'aube allait bientôt se lever et Patsy survivait miraculeusement. Cela m'encouragea, même si aucun changement significatif ne survenait. Elle luttait et c'est ce qui m'importait. Les infirmières me conseillèrent de me reposer pendant qu'elles veilleraient. Je partis me dégourdir les jambes dans le parc en face de l'hôpital. Je cherchais à comprendre, à mettre un peu d'ordre dans ce chaos. Je me sentais vidée, complètement lessivée, insensible au monde extérieur. Plus rien n'avait d'importance. Il me fallait retourner auprès de mon amie tout de suite ; si elle mourait pendant mon absence, je ne me le pardonnerais pas.

Je repris mon poste et vérifiai que tous les appareils fonctionnaient. Je me trouvais égoïste et irrationnelle car, même dans cet état lamentable, je voulais garder Patsy près de moi. Puis, l'instant d'après, je lui disais qu'elle pouvait partir, qu'une contrée magnifique l'attendait ailleurs. Que mes grands-parents seraient là et l'accueilleraient en lui tendant les bras ! En prononçant ces paroles, le chagrin m'empoignait mais, simultanément, une grande paix me réchauffait l'âme.

Je me demandais si je devais croire les histoires qu'on racontait à propos des mourants qui décidaient du moment de leur mort. Certains prolongeaient leur agonie de plusieurs jours afin de pouvoir étreindre une dernière fois un être aimé. Serait-ce le cas pour Patsy ? Attendait-elle Rock, l'unique famille qui lui restait ? L'an dernier, son père était décédé, seul, dans un taudis du bas de la ville. Mon amie avait prétendu qu'elle s'en balançait, que son vieux ne récoltait que ce qu'il avait semé : le vide ! Elle ne devait pas réellement penser ce qu'elle disait, car sa tristesse crevait les yeux. Son départ n'avait pas éteint la rancœur qu'elle couvait ; la mort l'avait plutôt frustrée de sa vengeance !

Confuse, je ne savais plus comment agir, quoi dire ou faire ! En incitant Patsy à partir, je lui retirais son droit au choix. Je devenais un élément supplémentaire à combattre, je lui sapais

Ailleurs

le peu d'énergie qui lui restait. La peur de gaffer et de foutre la pagaille dans ses derniers instants de vie me submergeait. C'était intenable ! La G.G. devait être tout aussi troublée car, pour une rare fois, elle n'émit aucun commentaire désagréable.

Ma sœur ne franchit jamais le cap fatidique des quarante-huit heures. Elle s'éteignit lors de ma deuxième nuit de veille. Quelques minutes avant qu'elle ne me quitte, alors que je lui fredonnais une berceuse, j'observai que sa respiration se modifiait. Son souffle devint continu et très faible, presque imperceptible ; à peine si sa poitrine se soulevait. Étrangement, j'eus l'impression que son visage se détendait malgré l'enflure. Je poursuivis ma chanson, des sanglots s'étranglant dans ma gorge. Je n'osai la regarder avec trop d'insistance par crainte de profaner ce moment si intime, si solennel. Une larme apparut au coin de son œil, glissa le long de sa joue. Par ce simple signe, elle me fit comprendre qu'elle avait été là toutes ces longues heures. Son martyre achevait ! Jamais je n'avais éprouvé une telle sensation d'amour et de grâce.

Le temps semblait suspendu, immobilisé dans une étrange quiétude. L'atmosphère de paix et de sérénité fut de courte durée : une équipe d'urgence se précipita pour réanimer la patiente du 6. Au plus profond de mes entrailles, je savais leurs efforts vains. Patsy avait pris sa décision ; elle ne leur permettrait pas de la ramener une deuxième fois parmi nous. Ce monde l'avait trop cruellement blessée et rejetée. Elle tirait sa révérence avec dignité ! En quittant son chevet, intouchable et triste, je ressentis malgré tout de l'exaltation, ayant le sentiment d'avoir accompli ma mission convenablement, à la mesure de ma compréhension. Grand-père serait fier de moi.

J'attendais dans la salle de repos pour récupérer ses effets quand je vis surgir Rock, le visage hagard et les yeux hallucinés. Il avait raté l'ultime rendez-vous avec sa sœur. Il se jeta dans mes bras et m'étreignit avec violence.

– Je tuerai l'enfant de chienne qui lui a fait ça ! promit-il d'une voix sifflante.

Je le repoussai tendrement et le conduisis auprès de Patsy.

On l'avait amenée dans une chambre privée sur le même étage, attendant son transfert vers la morgue. Par pudeur et respect, je laissai Rock seul.

Dès mon retour à la maison, je sombrai dans un sommeil agité. Je fis cauchemar par-dessus cauchemar ; les images et les sons fracassaient mon esprit en mode accéléré. Mon état de transe me déboussolait complètement. Dans une des scènes, je me voyais coincée au fond d'une ruelle, attaquée par un agresseur invisible. À chaque coup porté par ce fantôme dément, je ressentais une douleur fugace. Il m'infligeait les mêmes blessures qu'à Patsy. Le tableau volait en éclats et je me retrouvais catapultée dans un long tunnel mal éclairé. J'entendais un gamin qui pleurait au loin mais je demeurais impuissante à le repérer dans la pénombre. Plus j'avançais, plus le corridor rétrécissait, allant jusqu'à m'engloutir.

Je m'éveillai en sursaut, suffoquant, le corps couvert de sueur, pour replonger aussitôt dans cette réalité virtuelle. Dans cette jungle, parfois spectatrice, parfois actrice, il m'arrivait d'incarner le rêve lui-même, me fusionnant à l'image qui se présentait devant moi. Quand je réussis à m'extraire de cette mélasse nocturne, je me sentis confuse et fourbue. Je fumai un joint pour me détendre...

Je ne revis Rock que deux semaines plus tard. Entre-temps, j'étais devenue amoureuse de lui. Le soir, seule dans ma chambre, je fantasmais et m'inventais de belles histoires d'amour. Rock avait les mêmes yeux que sa sœur ; en le regardant, je retrouvais une parcelle de Patsy. Ça apaisait mon chagrin et adoucissait mon deuil. À l'hôpital, il m'était apparu si fragile que je m'étais entichée avant tout de sa vulnérabilité. Je le connaissais très peu, si ce n'est à travers les propos de mon amie. Les rares fois où nous nous étions croisés, j'avais envié la complicité qui l'unissait à sa sœur. À cette époque, jamais l'idée ne me serait venue de le considérer autrement que comme le frère de ma meilleure amie !

Depuis, la situation avait évolué. Je n'ai jamais su si notre relation avait été, pour Rock, le fruit d'un malheureux concours de circonstances ! M'aurait-il tout de même aimée, n'eût été de mon amitié pour sa sœur et de sa mort tragique ? Aujourd'hui, je préfère croire qu'il m'a réellement aimée en toute connaissance de cause.

Je tombais amoureuse pour la seconde fois, et je me sentais un peu coupable de m'introduire dans le cœur de mon amoureux en forçant l'entrée. J'utilisais Patsy comme passe-partout. J'agissais sans préméditation – en étant d'ailleurs incapable. Il n'en demeurait pas moins que, parfois, je me sentais *cheap*, heureuse mais un tantinet *cheap*. La mort de Patsy obsédait Rock, qui demeurait résolu à découvrir le meurtrier. L'enquête piétinait et, vu la profession de Patsy, très peu d'énergie et d'effectifs étaient déployés dans cette affaire.

Rock rechercha Stan, le *pimp* de sa sœur. Ce dernier restait introuvable depuis l'agression. Rock ne le croyait pas l'auteur du crime, n'ayant aucun avantage à éliminer son gagne-pain. Cependant, il le suspectait de connaître le meurtrier. Était-il complice ? Avait-il commandé une correction qui aurait mal tourné ? Toutes ces questions avivaient la haine de mon copain. Il disparaissait plusieurs jours, me laissant sans nouvelles. Je n'avais aucun moyen de le joindre pour me rassurer. Je me morfondais en imaginant les pires scénarios.

Nous vivions à cent milles à l'heure ; nos retrouvailles devenaient passionnées et tumultueuses ! Rock refusait que je travaille dans la rue.

– J'ai rien pu faire pour Patsy, mais j'étais pas d'accord ! Tu la connaissais, elle n'en faisait qu'à sa tête. S'il devait t'arriver quoi que ce soit, je ne m'en remettrais pas. Jure-moi que t'approcheras pas de ce nid de guêpes !

Sa requête se faisait fiévreuse et persistante. Je trouvais étrange de devoir promettre d'éviter l'enfer. Autrefois, Yan exigeait l'inverse, au nom de l'amour lui aussi !

– Si t'as besoin d'argent, t'as qu'à demander !

– Aucun problème, mon chèque me suffit pour le moment.

Il poursuivit sur sa lancée :

– Patsy s'est crevé le cul pour rien, toutes ces années dans la rue pour qu'un taré la bute ! La rue, c'est jamais payant, Rubby !

Je ne pus m'empêcher de répliquer :

– Pourtant, Patsy avait du fric. Quinze mille dollars, c'est pas rien !

Rock eut l'air extrêmement surpris.

– Que veux-tu dire ? Elle n'avait aucun compte bancaire !

– Peut-être, mais cet été, elle m'a montré son argent. Nous étions dans le salon et elle a étalé quinze piles de mille dollars. Si tu avais vu ses yeux, ils étincelaient de fierté et de malice ! À tous les paquets de mille, elle faisait un clin d'œil à l'effigie de Borden et disait : *Thanks Lord !* On riait comme des enfants. Patsy parlait de son resto, de la décoration, des clients qui s'arracheraient une table !

Rock me dévisagea, incrédule.

– Comment se fait-il que les flics n'aient rien trouvé ? Où rangeait-elle ce fric ?

– J'en sais rien ! Elle était allée aux toilettes et, quand elle m'avait rejointe, elle tenait la liasse de billets. Si tu me crois pas, c'est ton affaire !

Son insistance m'agaçait.

Ailleurs

– Te fâche pas, bébé, c'est juste que je voudrais comprendre. Patsy m'avait effectivement parlé d'une surprise qu'elle me réservait. Jamais elle n'a mentionné l'existence de ce magot.

– À bien y penser, je suis pas étonnée. Sans me dire explicitement que tu n'étais pas au courant, Patsy m'a souvent confié qu'elle quitterait la rue la tête haute et qu'elle surprendrait tout un tas de gens !

Rock montra des signes de nervosité et de fébrilité. Cette nouvelle apportait un éclairage différent sur la mort de sa sœur. L'argent pouvait être le mobile du crime. Il se proposa de retourner à l'appartement et de le fouiller méticuleusement. Cela me fit trembler. Si le coupable n'avait pas récupéré l'argent, peut-être s'en prendrait-il à nous ?

Rock me prit dans ses bras et me réconforta en lissant mes cheveux. Incapable de résister à l'appel de ses mains, mon corps réagissait au moindre effleurement. L'odeur de sa peau m'enivrait. J'atteignis le point de rupture tandis que Rock tardait à me pénétrer. Ses caresses m'initièrent à une magnifique et douloureuse attente, amplifiant mon désir. Quand enfin il s'imposa, notre jouissance déferla en cascades de plaisir. J'en pleurai d'amour et de satisfaction !

Auprès de Rock, j'appris la différence entre baiser et faire l'amour. La plupart du temps, après nos ébats, je me sentais complète, rassasiée. Ma naïveté m'avait portée à croire qu'une accumulation d'orgasmes se traduisait par de l'amour. Rock m'offrait beaucoup plus que Yan. Jamais la G.G. n'avilissait nos relations. Pour moi, cet indice signifiait que nous empruntions la bonne voie.

Rock rentra bredouille et furax de la fouille chez sa sœur. De trois choses l'une : les flics, au courant, gardaient l'information secrète, ou bien un ripoux se trouvait parmi eux, ou encore le tueur se baladait avec plus d'une centaine de sourires de Borden en poche. Aucune de ces avenues, toutes plausibles, n'était très rassurante. Un flic véreux et un tueur fou, ça pouvait faire beaucoup de dégâts ! Rock nageait en pleine confusion. Il restait en contact avec Arlie, car elle avait ses entrées un peu partout en ville. La mort de Patsy l'ayant chamboulée, elle s'était juré de démasquer Jack l'Éventreur. « Je lui trancherai la queue en rondelles et je lui ferai bouffer ses couilles de merde à la petite cuillère ! » ne cessait-elle de répéter.

Tous ces événements me déstabilisèrent et m'amenèrent à augmenter ma consommation, en nombre et en variété. Je consultais toujours Bélaski, mais je lui dissimulais tellement d'informations qu'elle ne pouvait m'aider efficacement. Perspicace et expérimentée, elle devait sentir que je lui échappais. Elle me proposa un court séjour à Prévost afin d'effectuer un bilan plus approfondi et d'ajuster ma médication en conséquence. Je refusai net ; pas question de m'éloigner de Rock et d'être sous séquestre, même pour une bonne cause. Elle se résigna. Valait mieux travailler avec une tête dure qu'une chaise vide !

La Grande Gueule m'accompagnait chez la psy, sans intervenir. Elle préférait déballer ses vacheries en privé, sur le chemin du retour : « Pauvre petite fée, crois-tu réellement l'avoir bernée aussi facilement ? Tu mens avec une incompétence désarmante. La prochaine fois, t'aurais avantage à te taire ou à répondre à côté de la plaque. Au moins, tu passerais pour une folle et non pour une conne ! »

Les mois filaient et le meurtrier de Patsy courait toujours, avec ses couilles et l'argent en prime. Une nouvelle lubie se fraya un chemin dans mon cerveau fragmenté : je désirais un bébé, un vrai bébé possédant tous ses petits attributs. Cette idée me rendait littéralement malade. À la vue d'une maman poussant un landau, je pleurais. Lorsque par hasard j'apercevais une annonce pour des couches, je devais me faire violence pour ne pas courir en acheter. C'était dingue ! Je buvais du lait en quantité industrielle, au cas où ! Je n'osais pas en parler à Rock, ayant trop peur de sa réaction. Notre situation ne se prêtait pas tellement à mon idéal ; nous vivions d'aide sociale et d'expédients.

Ailleurs

À vingt et un an, désormais établie chez Rock, je pensais qu'un enfant viendrait consolider notre union. Je désirais en parler avec Marie. Depuis que nous n'habitions plus ensemble, notre relation s'était enrichie et transformée. Refaisait-elle surface ? Le brouillard qui l'avait happée semblait vouloir se dissiper. Je souhaitais lui confier et lui raconter un tas de choses.

Je m'organisai pour me faire inviter à souper chez elle, espérant qu'elle serait opérationnelle au moins jusqu'à vingt et une heures. Néanmoins, il fallait reconnaître qu'elle buvait avec modération en ma présence – une belle marque d'affection de sa part. Ce soir-là, Rock voulut m'accompagner et je dus user d'une grande diplomatie pour l'en dissuader sans éveiller ses soupçons.

À table, devant mon repas préféré – un rôti de bœuf bien juteux –, la conversation allait bon train. J'appris que Sophie avait quitté le salon de coiffure depuis plusieurs mois, sans préavis. Personne ne savait où elle se terrait, ni ce qu'elle devenait. Ses parents ne s'en remettaient pas. Ils tentèrent par tous les moyens de la retrouver : enquêteurs officiels et privés, médiums – ce qui expliquait en quelque sorte l'engouement de leur fille pour les maisons hantées... En m'annonçant cette nouvelle, j'eus l'impression que Marie me livrait un message : « Sois prudente ! Ne me laisse pas tomber comme ton père, j'en deviendrais dingue ! » Ma mère aimait bien Rock, mais la mort de sa sœur ainsi que le milieu dans lequel il trempait la rendaient nerveuse et inconfortable, à juste titre. Elle demeurait malgré tout une femme honnête, une femme qui m'avait inculqué la fierté de gagner sa vie en travaillant. À son instar, je souhaitais que mon copain se range et devienne un bon citoyen. Il avait connu sa part de misère et de déboires ! J'étais follement amoureuse et je considérais tous les espoirs permis.

Au dessert, Marie me donna l'occasion d'aborder le sujet de mes préoccupations.

– Tu te souviens d'Andrée Léger ? demanda-t-elle d'un ton détaché. Ton amie à Sophie-Barat qui dessinait si bien ?

Ma mère me servit une généreuse part de gâteau au chocolat.

– Andrée ! Bien sûr ! T'as encore de ses nouvelles ?

Cela m'étonna. J'ignorais qu'elle gardait le contact.

– Oui ! Sa mère est venue au restaurant la semaine dernière. Imagine un peu : Andrée est enceinte et devrait accoucher cet été.

Les yeux de Marie brillaient. Je crus même y déceler une pointe de fierté. Sans pouvoir m'en empêcher, la jalousie s'empara de moi. Les effluves d'un passé encore vierge de maladie refirent surface, me laissant entrevoir ce qu'aurait pu être ma vie si la G.G. ne s'en était pas mêlée...

– Super ! Ce sera un garçon ou une fille ? m'enquis-je, simulant l'enthousiasme.

– D'après l'échographie, un garçon.

Je pris une grande respiration et lançai :

– Que dirais-tu d'être grand-mère à ton tour ?

La bouche entrouverte, la fourchette suspendue dans les airs hésitant quant à la suite des manœuvres à entreprendre, Marie semblait totalement surprise. Finalement, sa bouchée de gâteau atterrit sur la table, à mi-chemin entre la serviette et l'assiette.

– T'attends un bébé ? C'est pour quand ?

Dans l'énervement, elle faillit me balancer sa fourchette à la figure. Je ne voulais surtout pas lui créer de faux espoirs. Je l'interrompis aussitôt pour dissiper le malentendu.

– Non, non, je suis pas enceinte. Je voulais simplement savoir ce que t'en pensais. Comment tu réagirais à cette éventualité ?

Ailleurs

– Comment je réagirais ? C'est pas sérieux, t'as failli devenir orpheline !

Remise de ses émotions, Marie but une gorgée de café et demeura pensive. Je ne savais pas comment interpréter sa réaction. Se sentait-elle déçue ou, au contraire, respirait-elle mieux ? Craignait-elle d'hériter d'une autre schizo dans la famille ? Me croyait-elle capable d'élever convenablement un enfant ? Toutes ces questions et bien d'autres s'empilèrent dans mon cerveau déjà encombré. J'étais venue chercher conseil mais, de toute évidence, Marie préférait s'abstenir et ne pas s'immiscer dans ma vie.

De retour chez moi, la G.G. ne fut pas aussi discrète : « Petite fée enceinte, formidable ! Cela me fera un autre avorton avec qui causer. Et quand il grandira ce gosse, je lui enverrai mon petit frère comme dame de compagnie ! C'est bien d'encourager la famille, pas vrai ? »

Seule, je ne pus me retenir :

– Ta gueule, résidu de bave puant ! On t'a pas sonnée !

La G.G. cultivait l'art de freiner mon enthousiasme. Avec elle comme mentor, deux options s'offraient à moi : rétrograder ou faire du surplace.

Mon comportement excessif – accro au lait, hypersensible – commençait à intriguer Rock sérieusement. Avant de lui en parler, je désirais consulter une dernière personne : Arlie. Malgré son extravagance, elle avait le cœur à la bonne place et saurait me conseiller judicieusement. On se donna rendez-vous dans un bistro de la rue Saint-Denis, un endroit chaleureux et propice aux confidences. Arlie semblait parfois posséder un sixième sens. À peine étions-nous installées devant nos bols de café au lait qu'elle engagea la conversation en m'avouant ses aspirations passées de futur père.

– Depuis la nuit des temps, j'ai rêvé de mettre au monde une petite fille. Je l'imaginais belle comme une madone avec un petit air futé. Les poupées m'ont toujours fascinée. Enfant, j'empruntais en cachette les Barbie de ma sœur et je m'amusais pendant des heures. Une fillette, c'est mignon ; on peut l'habiller comme une princesse, la coiffer, la cajoler. Avant de subir mon changement de sexe, j'ai bien creusé la question. J'ai pensé à congeler mes spermatozoïdes, mais l'idée qu'ils puissent atterrir dans n'importe quel utérus me chatouillait. J'espère que je ne t'embête pas avec ces vieilles histoires, mon poussin ?

Elle me regarda d'un air tourmenté. Même si elle abordait ce sujet sur le ton de la plaisanterie, je devinais le sérieux de ses propos.

– Non, je t'assure. Continue, cela m'intéresse.

Elle m'adressa un clin d'œil souligné d'un soupir de soulagement.

– Tu me croiras si tu veux, j'ai même essayé d'engrosser une copine. Avec son consentement, bien sûr ! Nous avons tout tenté : la relaxation, le massage érotique, le bain moussant, sans oublier le mousseux... Rien à faire, elle ne m'inspirait pas. Ma partenaire n'y pouvait rien. C'était moi, le problème ; j'avais l'impression de m'autoabuser, bordel ! J'ai fini par abandonner l'idée. J'étais peut-être pas fait pour être père, après tout ! Et si, effectivement, une petite fille était née, jamais j'aurais eu le courage d'aller jusqu'au bout de mes convictions. Je crois bien que je serais restée un mec à l'essence de femme. Tout simplement insupportable !

En racontant cet épisode de sa vie, ma copine ravivait une vieille blessure mal cicatrisée. On le voyait à la façon dont son regard fixait le vide, les sourcils froncés, en quête d'un souvenir douloureux.

Désormais, je vis Arlie sous un jour différent. Elle chérissait secrètement un rêve très légitime que la plupart des hommes caressaient : devenir père. Mais, dans sa tête d'enfant, les choses s'étaient embrouillées et sa vie était devenue passablement compliquée ! Arlie dévoilait très rarement sa fragilité. Elle aimait rire et partager sa joie. Elle répugnait à

Ailleurs

s'apitoyer sur son sort et, pourtant, je devinais beaucoup de souffrance issue de son enfance. La superficialité apparente et la fausse désinvolture qu'elle affichait à première vue la protégeaient des intrusions indésirables. Il s'agissait en fait d'un système de protection. Cette découverte me la rendit davantage attachante et sympathique. Cela me mit assez en confiance pour m'ouvrir et discuter de mon avenir parental à mon tour.

– Arlie, il faut que je te dise, j'aimerais avoir un bébé. Crois-tu que je devrais me lancer dans cette aventure ? Sois honnête : j'ai l'étoffe d'une mère ou pas ?

Avant de répondre, elle commanda un second café.

– Vois-tu, poussin, c'est difficile pour moi de rester neutre. J'aurais tendance à te dire : t'es une femme, chanceuse, fonce ! Mais y a ta maladie et y a Rock. Faut toujours envisager le pire : si le père se casse, es-tu prête à assumer ? Donneras-tu la priorité à ton enfant ou chercheras-tu un autre amant ? Pourquoi veux-tu un môme au juste, Rubby ?

– Parce que j'aime Rock et que, avec un enfant, on formerait une vraie famille !

Ma réponse me déplut, elle correspondait trop à un stéréotype. J'imaginais l'intervention de Bélaski : « Bien sûr, la famille que tu n'as pas eue ! Surtout, ne pas commettre les mêmes bévues que ta propre mère. »

– Et Rock, qu'en pense-t-il ? Tu lui fais confiance ?

– J'attendais le moment propice pour lui en toucher un mot. La mort de Patsy l'obsède toujours.

Cet argument sembla contrarier Arlie. Y voyait-elle un faux-fuyant ou doutait-elle des dispositions paternelles de Rock ? J'aurais tellement souhaité que quelqu'un confirme la validité de mon projet. J'avais besoin d'une réponse, pas de questions supplémentaires ! On se quitta en promettant de se revoir au plus tôt.

Intimement, je me percevais comme le seul maître du jeu. Au mieux, le futur père n'était qu'une tour sur l'échiquier, un géniteur-pourvoyeur de fonds ! En envisageant la situation sous cet angle, je minimisais les risques d'écorchures. Restait la G.G. à prendre en considération. Me réservait-elle, ainsi qu'elle m'avait menacée, un frangin en mal d'adoption ? D'après les statistiques, une mère schizo courait dix pour cent de malchance de donner naissance à un enfant souffrant également de cette maladie. Constat contre lequel je ne pouvais rien.

Par contre, il existait deux éléments sur lesquels je croyais détenir une emprise : le moment de la conception et le fait que l'enfant soit gaucher. Effectivement, certaines études démontraient que la grippe, lorsque contractée pendant le deuxième trimestre de la grossesse, pouvait altérer le développement du cerveau fœtal. Les épidémies de grippe survenant à l'automne, il me fallait concevoir un petit Cancer, Lion, Vierge, Balance ou Scorpion, les autres signes s'avérant trop à risque. D'ailleurs, ma date de naissance hivernale et la réaction de la Grande Gueule m'incitaient à croire au bien-fondé de cette théorie. En effet, pour exaspérer et faire sortir la G.G. de ses gonds, il me suffisait de lui rappeler qu'elle résultait d'une grippe mal soignée, qu'elle équivalait à un banal reliquat morveux. Ça fonctionnait à tout coup, elle fulminait !

Le deuxième élément concernait les zones cérébrales et l'hémisphère gauche. Cette région du cerveau – par ailleurs responsable de la structuration du langage – comporte un dysfonctionnement chez tout schizo qui se respecte. D'où le fait qu'un gaucher, en développant l'hémisphère droit, peut compenser les déficits de son coloc. J'entraînerais donc mon enfant à devenir gaucher ou, au pire, ambidextre.

Bien décidée à mettre toutes les chances de mon côté, j'entrepris de réduire ma consommation de drogue et d'alcool, puis de prendre adéquatement les médicaments prescrits par Bélaski. La G.G. détestait les antipsychotiques : ils nuisaient à ses cordes vocales et à son moral... Grand bien lui fasse ! Son mécontentement ne freina pas ma détermination. Consciente que l'accouchement pourrait déclencher un épisode psychotique, j'envisageai de surmonter cette difficulté en avisant Bélaski en temps et lieu.

Il me restait une dernière étape à franchir et non la moindre : informer mon *chum* et le gagner à ma cause. Je prévoyais effectuer un dîner aux chandelles – stimulation sexuelle incluse si nécessaire. Pour souligner l'événement, je lui préparai son repas favori : escargots à l'ail, escalopes de veau accompagnées de fettucinis Alfredo et fondue au chocolat. Rock semblait nerveux ; il sentait que je manigançais quelque chose. Au milieu du repas, n'y tenant plus, il lança à brûle-pourpoint :

– Rub chérie, que se passe-t-il ? T'agis bizarrement depuis quelque temps. Y a un truc que je devrais savoir ?

Il me fixa, son regard emprisonnant le mien. Malgré mes préparatifs, il me prit au dépourvu. Pour dissiper ma nervosité, je respirai en profondeur et débitai :

– Je veux un enfant ! J'aimerais tellement que tu me fasses un bébé !

C'était méprisable, je m'étais exprimée comme si je quémandais une permission et que j'attendais son approbation. La honte me monta au visage, mes yeux retinrent des larmes. J'aurais voulu faire marche arrière et rembobiner cette scène qui manquait de réalisme.

Rock se leva, me prit dans ses bras et me chuchota à l'oreille :

– Comme tu veux, princesse ! Tes désirs sont des ordres. Et un bébé pour madame !

Ses paroles me propulsèrent au septième ciel, parmi les anges, et sa bouche m'ouvrit les portes du paradis. Il dénuda ma poitrine puis étala du chocolat sur mes seins. Il les lécha lentement, sa langue jouant avec mes mamelons en érection. On fit l'amour comme des affamés, à même le sol de la cuisine. Repus et rassasiés, je partageai avec Rock mes récentes découvertes concernant la transmissibilité de la schizophrénie.

Notre décision de fonder une famille fit s'éloigner le spectre de Patsy. Sa mort remontait à plus d'un an et le dossier demeurait ouvert. Rock travaillait à temps partiel dans un garage. Il aimait bien ce métier ; son patron l'estimait et lui faisait confiance. Il gagnait sa vie honnêtement pour la première fois et semblait même y prendre goût. Il affichait un air serein à son retour le soir. Nous naviguions dans la bonne direction. Ma médication me maintenait dans une saine torpeur et mon stress diminuait. La G.G. se dissimulait dans son trou – acquis non négligeable. Marie se rapprochait de notre couple, elle nous visitait plus souvent et spéculait avec entrain sur son futur rôle de grand-mère. Cette nouvelle perspective la rapatriait du côté des vivants.

Octobre se faufilait et, avec lui, l'espoir de réaliser mon rêve : un bébé. Étrangement, malgré tous ces facteurs positifs, un obscur présage obnubilait mon esprit. Mon bonheur ne m'empêchait pas de craindre qu'un élément capital ne m'échappe. Ma paranoïa pouvait certainement expliquer ce phénomène. Rock me reprochait, avec raison, de prendre mes états d'âme trop au sérieux, au lieu de jouir du moment présent. Heureusement, il savait désamorcer ces petites crises d'angoisse.

Je tombai enceinte exactement comme prévu, à la mi-octobre ; j'en obtins la confirmation à la fin de novembre. Les nausées matinales ainsi que l'extrême sensibilité de mes seins m'indiquèrent que mon bébé naîtrait sous le signe du Cancer. En songeant à ce qui se passait dans mon corps, le vertige s'emparait de moi. Il s'agissait d'un événement à la fois extraordinaire et déroutant. Je paniquais à l'idée que le bébé puisse hériter d'une G.G. junior. Je m'efforçais de bien me nourrir, même si je manquais souvent d'appétit. J'avais perdu quelques kilos, mais je souhaitais résolument inverser le processus.

Ailleurs

Rock était aux petits soins avec moi – comportement charmant et inhabituel. De tempérament brusque, sans être brutal, mon copain prétendait que la tendresse appartenait au patrimoine féminin et risquait de contaminer sa virilité. À ce niveau, il entretenait des idées rétrogrades malgré sa nature généreuse. Le soir, il me faisait couler un bain chaud, me massait délicatement les épaules et le bas du dos. Immanquablement, ces séances de relaxation se transformaient en excitation. Notre jeunesse et notre amour expliquaient notre insatiabilité.

Rock m'apprit à apprivoiser mes peurs et mes démons ; il m'entraîna dans les centres commerciaux, les salons d'exposition, les cinémas... Après quelques heures d'immersion dans ces univers agités, je revenais crevée. Je quittais ces endroits le bras greffé à celui de mon *chum*. Même si je réalisais l'importance de ces leçons, il arrivait que nous nous querellions à leur sujet. Rock devait recourir à une panoplie de subterfuges, des promesses au chantage, pour me convaincre de l'accompagner. Il voulait que je sois forte. « Notre enfant aura besoin de toi, chérie, répétait-il. Nous sommes deux dans cette aventure, nous comptons sur toi ! » De retour à la maison, ma mission accomplie, je m'avouais fière et reconnaissante. On aurait dit que je grandissais. Après tout, le monde extérieur n'était pas aussi effroyable que je l'imaginais ; personne ne m'agressait, j'en revenais intacte.

La liberté conditionnelle de Rock achevait ; seule la période de probation demeurait. Il s'entendait à merveille avec Lucien, son agent, et leur association prendrait fin au printemps. Un après-midi, rentrant d'une entrevue avec lui, il se montra maussade et songeur. Dans la soirée, je le surpris, bien involontairement, à regarder une photo de Patsy. Il m'accusa de l'espionner et de lui coller aux fesses :

– Je peux pas avoir la christ de paix ! Laisse-moi un peu respirer !

Je fondis en larmes et courus me réfugier au salon. Je ne méritais pas qu'il me traite de la sorte. J'ignorais pourquoi je m'attirais ses foudres. Quelques minutes plus tard, il me rejoignit en s'excusant. Je le sentis contrarié et, en me serrant contre lui, il me transmit sa confusion. Contrit, il cherchait de toute évidence à se faire pardonner son attitude. Au bout du troisième baiser, je me montrai bon prince en lui accordant mon pardon. La tension était palpable et l'atmosphère, guère favorable au rapprochement. Rock hésitait manifestement à me dévoiler ce qui le préoccupait ; pendant ce temps, mon imagination s'emballait. Me sentant sur le point de succomber à ma première crise d'apoplexie, il se décida enfin à parler :

– J'ai invité un type à prendre un verre, demain soir. Nick, un ex de Bordeaux, m'est tombé dessus quand je sortais du bureau de Lucien. Paraît qu'il a des infos sur la mort de Patsy. Il a insisté pour me rencontrer. Ça semblait sérieux. Il m'a même parlé de l'argent... Ça m'a foutu un coup. Avec la venue du bébé, toute cette histoire m'était presque sortie de la tête. Si tu veux, tu pourrais aller chez ta mère. À cause de ma probation, j'aimerais mieux le voir ici.

Il n'aurait pu m'apprendre une pire nouvelle. Je me sentis aspirée par un passé encore vivant et je craignis de m'y perdre. Ma prémonition se cristallisait sous la forme d'un ex-tôlard. Pourquoi Patsy choisissait-elle cette tactique pour se rappeler à notre bon souvenir ? Si Rock reprenait maintenant sa quête, il risquait d'y laisser son âme. J'aurais beau discuter jusqu'à l'aube, sa soif de vengeance ravalerait mes arguments au rang de peurs puériles et sans fondement. Je passerais pour une lâche à ses yeux, une mauviette tout juste bonne à se lamenter et à se laisser piétiner par son monde imaginaire. Battue par mes propres pensées, je n'émis aucune protestation. Devant ma non-réaction, Rock soupira d'aise. Il se barricada dans la chambre, histoire de passer quelques coups de fil. La saga reprenait de plus belle...

Allongée dans le noir, je caressai mon ventre toujours aussi plat, en rassurant l'enfant à naître : « Tu verras, petit, je prendrai bien soin de toi. Ton père est tourmenté pour le moment, mais

Ailleurs

quand il te sentira bouger, ça lui passera. Il t'aime déjà, il saura te protéger. C'est un grand escogriffe au cœur d'or. Pour le frérot de la G.G., n'aie aucune crainte ! Bélaski m'a promis de t'immuniser. » Tous les soirs, je chuchotais une courte prière pour éloigner le mauvais sort. Cette nuit-là, je la récitai jusqu'à l'épuisement.

Je dormis très peu et très mal. Au matin, quand Rock m'embrassa avant de partir pour le boulot, le brouillard m'entourait encore. J'évitai de bouger, de peur de rejoindre trop tôt la dure réalité. Des fragments de celle-ci percèrent à travers mon rêve en tentant de me ramener au bercail. Plus je m'efforçais de retourner dans le nid protecteur de l'irréel, plus je m'en éloignais. Je préférais le combat inverse, celui qui s'engageait le soir lorsque je ressassais les événements de la journée, le sommeil occultant peu à peu mes pensées, en transformant le contenu, le rythme et la couleur. Je me laissais délibérément submerger par cette délicieuse sensation de « paralysie cérébrale ». Je finis par me lever et, puisque de longues heures me séparaient encore du moment où je devais rejoindre ma mère au resto, je décidai de faire du ménage. En l'occurrence, il s'agissait d'une excellente thérapie car cela m'empêchait de divaguer. En époussetant le bureau de Rock, je remarquai une petite photo qui datait d'une dizaine d'années ; je l'apercevais pour la première fois. Patsy et son frère posaient pour l'objectif devant un chalet en rondins. Bien que plus petit que sa sœur, Rock lui entourait maladroitement les épaules d'un geste protecteur. Les larmes me montèrent aux yeux.

Je retrouvai Marie vers seize heures. L'endroit où elle travaillait demeurait le même, à l'exception d'une nouvelle section munie d'une verrière. Autrefois, d'immenses pots de produits marinés occupaient cet espace. J'avais toujours détesté cet arrangement : une montagne de cornichons, de piments forts et d'olives formant une pyramide où la poussière s'accumulait. C'était à vous dégoûter à tout jamais des marinades. J'aimais m'installer sur un tabouret et observer Marie à la dérobée, comme lorsque j'étais enfant. Certains jours, je l'attendais après l'école, admirant son naturel, son habileté à mettre les clients à l'aise tout en délimitant son espace vital. À cette époque, elle était tellement différente à la maison, comme si sa réserve de carburant s'épuisait dès qu'elle franchissait la porte. Ma maturité me permettait maintenant de mieux comprendre les motifs qui l'avaient incitée à boire et à se replier.

Je passai un bon moment en compagnie de ma mère, retardant l'instant du départ. Je m'imaginais difficilement téléphoner à Rock pour lui demander la permission de rentrer. Cette situation troublante alarmerait Marie et risquerait de l'ébranler. D'ailleurs, je ne tenais pas à m'engager dans une discussion interminable où les tenants et les aboutissants échappaient à mon propre entendement. Je devais régler ce problème seule. Afin de prolonger mon sursis, je décidai de marcher plutôt que de prendre l'autobus.

En arrivant près du logement, je ralentis encore ma cadence. Tout en rêvassant, j'imaginais Rock jouant avec notre enfant, s'émerveillant de la perfection de son petit corps. Il m'aidait à changer sa couche et à l'habiller. Dans ces cas-là, la maladresse d'un homme recèle quelque chose d'attachant et d'attendrissant. Un être aussi minuscule peut mettre K.-O. le plus solide gaillard. Je flottais littéralement en rentrant dans l'immeuble.

Quand je voulus introduire ma clé dans la serrure, je m'aperçus que la porte n'était pas verrouillée. Rock négligeait souvent de vérifier ce détail. Au moment où je tournai la poignée, une main ensanglantée m'agrippa au collet et m'attira brutalement à l'intérieur. Rock me plaqua au mur et m'empêcha de crier en recouvrant ma bouche de sa main libre. Les yeux fous, il s'adressa à moi d'une voix éraillée :

— Regarde pas, Rub, c'est pas ce que tu crois ! Il a voulu me tuer. Il pensait que j'avais l'argent de Pat. J'ai dû me défendre. *Fuck*, c'est qu'un enculé de tueur ! Aide-moi, chérie, faut s'en débarrasser !

Ailleurs

Il relâcha sa pression, mais ma langue refusa obstinément de se délier. Je hasardai un regard de biais et je vis du sang, beaucoup trop de sang. Toute cette hémoglobine ressuscita la G.G. : « Mets les voiles, conasse, ça urge ! » On parlait en stéréophonie à l'intérieur de ma tête. À l'extérieur, tout m'apparaissait surréel...

Au bout d'une éternité, je bougeai et me retrouvai au cœur d'une scène apocalyptique. Un homme gisait sur le dos au milieu du salon. Sa bouche demeurait ouverte sur un cri silencieux. Ce rictus funèbre me glaça le sang. Ses yeux grands ouverts reflétaient la surprise et l'incompréhension ; comme si, jusqu'au dernier moment, l'évidence de sa mort lui avait échappé. Quatre marques rouges au thorax se rejoignaient peu à peu, formant une immense tache poisseuse sur son chandail. Une traînée de sang partait du fauteuil, traversait la moitié de la pièce et s'arrêtait au cadavre. Aux pieds de l'inconnu traînait un couteau à manche d'ivoire duquel mes yeux n'arrivaient pas à se détacher. Un souvenir cherchait tant bien que mal à percer les brumes de ma mémoire. J'enregistrai tous ces détails froidement. Si jamais mon cerveau et mon cœur parvenaient à se connecter, je risquais le court-circuit, la catastrophe.

Pendant ce temps, Rock récupéra des couvertures pour envelopper le mort. Dans ma tête, une voix ténue m'exhorta à appeler la police et à fuir. Toutefois, cette pensée fugitive ne suscita aucune réaction salutaire de ma part. Au moment où Rock tendit la main vers le couteau, je me rappelai. J'avais vu cette arme chez Patsy, voilà plusieurs années, du temps de Sophie-Barat. Tim, son copain, la lui avait offerte pour sa fête.

Comment ce couteau à cran d'arrêt se retrouvait-il ici ? Qui l'avait tenu en sa possession : Rock ou l'ex de Bordeaux ? Si c'était Rock, alors il ne pouvait s'agir de légitime défense. Et si Nick avait volé le couteau chez Patsy, on pouvait supposer qu'il s'en était servi pour l'agresser ! Cette dernière réflexion me porta le coup fatal. Je tombai à genoux et vomis une bile amère avec ce qui me restait de lucidité.

La providence, sous les traits d'Ivan – notre voisin de palier –, ne nous permit jamais de nous débarrasser du corps. Depuis que nous avions emménagé dans cet immeuble, ce type espionnait tous nos faits et gestes ; sans raison, il nous avait pris à partie. Il avait même tenté de me peloter dans la salle de lavage, au sous-sol. Lorsque Rock l'avait appris, il lui avait administré une raclée mémorable. Quand les flics nous embarquèrent ce soir-là, je lus la satisfaction et une joie sadique sur le visage d'Ivan. Rock hurla son innocence et résista à son arrestation. Tous ces policiers, tous ces cris, et ce couteau qui me narguait... C'était dément.

Cette funeste soirée tombait un vendredi et je dus passer le week-end au poste. On me confina à une cellule où se trouvait une fille fort antipathique. Plus asociale qu'une schizo vétéran, Rita m'accueillit en faisant un tas d'allusions à ma taille et aux malades mentaux qui sillonnaient les rues. Elle méprisait l'ensemble des êtres humains et m'intimidait énormément, je la soupçonnais même d'être de mèche avec les hommes en noir...

Mon esprit dériva. La G.G., dont le déchaînement atteignait un paroxysme, débita des insanités sans relâche. J'avais la tête farcie d'images de violence et de cris. Le samedi, tard dans la soirée, je ressentis une vive douleur dans mes entrailles. Un signal d'alarme se déclencha aussitôt dans mon cerveau en ébullition. Totalement affolée, je vérifiai et vis du sang tachant ma petite culotte. Se pouvait-il qu'on m'arrache mon bébé ? Une seconde crampe, plus virile, me plia en deux. Lorsque j'eus repris mon souffle, je compris que je perdais mon enfant. La perte de ce minuscule embryon de quelques semaines creusa un vide immense. Rita ne bougea pas le petit doigt ni ne vint à mon secours. Tout ce qu'elle trouva à me dire fut :

– Cesse de beugler, cul-de-jatte, t'en mourras pas !

Décidément, la méchanceté de cette fille concurrençait celle de la G.G.

Ailleurs

Effectivement, je survécus. En prison, à la suite d'un examen médical, on confirma mes craintes : j'avais fait une fausse couche. Je me surpris à considérer cet état de choses comme presque banal et tellement plausible. Quel enfant voudrait naître dans de pareilles conditions : père meurtrier et mère folle ?

20

Jeûne

On m'incarcéra à Tanguay pour la seconde fois, dans une confusion mentale extrême. Mon classement ne posa aucun problème, on me dirigea en psychiatrie. Après la mort d'Olivier – je demeurais persuadée que ce bébé aurait été un garçon –, seules deux choses me préoccupaient : enterrer mon fils décemment et faire taire la G.G. définitivement. Olivier aurait deux ans et demi aujourd'hui.

La perte de mon bébé dans les toilettes d'un poste de police me révoltait ; il ne s'agissait pas d'un lieu d'inhumation convenable. Je réfléchis longuement à cette question et, un dimanche, peu avant l'office, je décidai d'organiser de belles funérailles à Olivier. Je pétris la mie d'une tranche de pain et formai un petit cœur capable de tenir dans ma paume. À l'aide d'un coupe-ongles, je gravai une croix minuscule sur le bout de mon annuaire gauche, en signe d'alliance, puis laissai tomber sur le pain une goutte de sang qui représentait cet embryon disparu. Enfin, j'y traçai un signe de croix avec du sel, pour éloigner les mauvais esprits.

Quand les intervenants annoncèrent la messe, je déambulai jusqu'à la chapelle, ce petit cœur lové au creux de ma main. Tout au long de la célébration, je dirigeai mes pensées vers mon fils et priai pour lui. Avant de partir, je fis bénir mon chapelet par le père Charles. Ainsi, quand le père s'exécuta, il bénit par le fait même Olivier, que je dissimulais dans ma main. Je me sentis très émue en réintégrant ma cellule.

Après le coucher, je fis une courte prière, levai le cœur au-dessus de ma tête et communiai du corps de mon enfant. Je lui prêtai serment de le porter dans mon cœur jusqu'à ma mort, de ne jamais chercher à le remplacer. De fait, je n'eus jamais d'autre enfant. Mon rituel achevé, mon esprit se trouva libéré. Ce fut ma dernière nourriture solide.

Dans un même souffle, j'entrepris d'écrire à Marie pour lui annoncer qu'elle ne serait jamais grand-mère, du moins pas dans cette vie. J'avais tenté à quelques reprises de lui télépho-ner, mais je ne trouvais pas les mots qui blessent sans faire mal. Elle avait tant souffert que je me maudissais de devoir lui infli-ger ce chagrin supplémentaire. Sa vie était jalonnée d'espoirs déçus et de rêves inachevés. Ce sentiment de tristesse que j'éprouvais pour ma mère me traversait sans m'atteindre ; j'en étais dissociée. Marie recevrait ma lettre dans trois jours. Ce soir-là, je m'endormis en pleurant.

Du haut de mes vingt et un ans, j'entrepris un jeûne afin d'éjecter la Grande Gueule de ma tête. J'accomplissais ma mission ultime. Les premiers jours, tout se déroula à merveille. Aux repas, je me faisais servir une salade, le plat principal et un dessert. Une fois retirée dans ma cellule, je jetais avec pré-caution la nourriture dans les toilettes. L'astuce fonctionna très bien, personne ne soupçonna mon manège. Cependant, l'effet des pilules dans mon estomac vide s'avérait explosif et dou-loureux et je commençai à me sentir faible.

Je perdis de la consistance en union avec la G.G., nous étions synchronisées. Elle faiblissait et ponctuait désormais son discours de propos doucereux : « Allons, petite fée, sois sympa. Bouffe cette merde, on s'en portera pas plus mal ! Sois mignonne à la fin, bouffe pour moi... » Cela m'ahurissait de la savoir à ma merci ; je vis ma victoire se profiler à l'horizon. Je fis des efforts surhumains pour demeurer un tant soit peu fonctionnelle. Au cinquième jour de privation, je tombai dans le couloir en voulant me rendre à la douche. Heureusement, seule Ming, une détenue chinoise parlant le mandarin, fut le témoin silencieux de cette scène. Aussi délicate que moi, elle parvint tout de même à me relever. Elle était emprisonnée pour le meurtre de son mari. Pourtant, elle semblait si fragile et vulnérable !

Ming devint la seule personne à graviter dans mon entourage immédiat, l'unique détenue que je tolérais auprès de moi. Notre amitié se développa dans le silence, là où les paroles demeurent en exil forcé. Elle s'installait à mon bureau, près de ma tête de lit, en me fredonnant des airs de sa lointaine contrée. Le rythme saccadé et les notes haut perchées, cristallines, de ses mélodies me rassuraient et me calmaient. Parfois, le temps d'un instant sublime, il m'arrivait de me réfugier hors de mon corps, dans un espace de paix, bercée par le chant de Ming. J'admirais sa force tranquille et sa sérénité.

Le jeûne constitue un processus curieux, qui développe son propre tempo et édicte ses propres règles. On peut décider d'arrêter de manger, mais le déroulement du programme échappe ensuite à notre contrôle. Dans mon cas, les quatre premiers jours s'avérèrent les plus pénibles bien que supportables. Il faut dire que je conservais une relation minimale avec la bouffe : je mangeais uniquement pour nourrir ma carcasse, n'étant ni gourmet ni gourmande.

Pour commencer, une chaleur s'installa dans mon estomac, comme une légère brûlure. Insidieusement, cette sensation se répandit et irradia mon abdomen. De légers étourdissements s'apparentant à un début d'intoxication m'assaillirent. À quelques occasions, ma vue se brouilla mais cette cécité ne fut que passagère.

Le plus difficile consistait à me débarrasser de la bouffe. La G.G., affamée, tentait de me corrompre : « Vise-moi cette lasagne, ton plat préféré ! Et le gâteau, bordel, un pur chef-d'œuvre. Sois sympa, mange ! » Je comptais dans ma tête pour éviter d'entendre ses jérémiades et succomber à la tentation. Je tremblais en jetant la nourriture dans la cuvette. La G.G. m'insultait et me menaçait ; elle perdait carrément la boule. Sa souffrance renforça ma détermination.

Au fil des jours, je ne ressentis plus la faim de la même manière. L'attrait des aliments se volatilisa et fut remplacé par une forme de dégoût. À la vue de la nourriture, mon estomac se soulevait. Mon corps réagissait instinctivement en la considérant comme une intruse et un poison. Je franchissais le cap du non-retour. Je me levais uniquement pour faire ma toilette et satisfaire mes besoins de base. Je prenais des bains plutôt que des douches car je craignais de tomber. Ma peau s'effritait comme un vieux papyrus et mes cheveux devenaient secs et cassants. Les mélodies de Ming se faisaient plus tristes, plus mélancoliques.

Certains intervenants commencèrent à s'inquiéter de mon état. Je les rassurai de mon mieux et Ming m'appuya en jouant le jeu. Mon stratagème fut éventé au bout du vingt et unième jour par Abygail, une nouvelle venue. Âgée d'une trentaine d'années, celle-ci semblait cumuler l'expérience d'une centenaire à en croire ses récits. Son verbiage me rendait dingue. De plus, elle cherchait continuellement à s'immiscer entre mon amie et moi. Elle fouinait dans tous les coins – elle devait agir à titre de rapporteuse officielle de la boîte. Un midi, tandis que je jetais ma nourriture, elle surgit dans ma cellule. Elle me dévisagea avec un sourire sarcastique avant de lancer :

– J'en étais sûre ! Ça dure depuis quand ?

– C'est pas tes affaires. Fous le camp d'ici !

– Si j'étais toi, je baisserais le ton. Les gardes pourraient rappliquer et découvrir ta petite manie. Je veux bien devenir amnésique si tu me fais une bonne offre...

– Qu'est-ce que tu veux ? Je ne fume même pas !

Elle jeta un regard gourmand en direction des produits d'hygiène sur mon bureau.

Ailleurs

– Ta crème et ton shampooing feront l'affaire pour le moment !

Ce chantage à la noix m'écœura et m'enragea, mais je n'eus d'autre choix que de me soumettre. Si Arlie avait été là, les choses se seraient déroulées autrement. Par la suite, tout se passa très vite. Le marchandage d'Abygail ne dura que deux jours. Un midi, durant la sieste, je fus transférée aux soins intensifs d'Albert-Prévost. Je partis sans jamais revoir le doux visage de Ming.

Mes souvenirs de cette période restent confus. Flottant dans un état de semi-conscience, je vécus des périodes d'accalmie où le silence régnait en maître, où les cauchemars s'évanouissaient. À d'autres moments, des sons stridents me déchiraient les tympans et me transperçaient le cœur comme autant de poignards. Une bague qui, négligemment, heurtait les montants de mon lit me donnait le frisson. Mon corps et ma tête habitaient des réalités différentes. Des gens s'approchaient pour me soigner puis retournaient dans le brouillard d'où ils avaient émergé. Le personnel m'informa que ma mère et Arlie m'avaient rendu visite, pourtant ma mémoire n'en conservait aucune empreinte.

Je me retrouvais au même endroit qu'Ève quelques années plus tôt. Dans cette noirceur, nos histoires se confondaient, sauf que dans la mienne l'oncle pédophile cédait sa place à une G.G. merdique. Le temps s'écoulait sans balises, laissant miroiter un avenir incertain, comme un mirage dans un désert brûlant : tantôt promesse de vie, tantôt messager de mort.

Je sortis finalement du néant pour atterrir en cure fermée chez les adultes. Entre-temps, les accusations de complicité de meurtre qui pesaient sur moi furent retirées. J'étais libre devant la justice mais prisonnière de mon mal. Par l'entremise de ma mère, Rock apprit pour notre enfant. Il m'écrivit une belle lettre que je soupçonnais ne pas être entièrement de son cru :

Rubby chérie, j'ai appris pour ta fausse couche. Je m'en veux de t'avoir entraînée dans cet enfer. Jamais je ne me pardonnerai tout le mal que je t'ai fait. Oublie-moi, mon amour, je ne peux t'apporter que du malheur. Tu ne dois plus souffrir à cause de moi.

J'ai plaidé coupable à une accusation réduite d'homicide involontaire. Je vais écoper de sept ans mais, avec un peu de chance, je sortirai dans trois ans. Ne m'attends surtout pas. Tu mérites un type bien, qui saura t'apporter la sécurité. Je t'aime, tu seras toujours dans mes pensées.

Rock, ton homme.

Il avait ajouté quelques lignes en bas de page, me demandant de remercier ma mère de l'avoir prévenu. Il comprenait fort bien que Marie veuille couper les ponts définitivement. Ce fut sa seule missive. À l'occasion de mes vingt-deux ans, je reçus trois cartes d'anniversaire : une provenant de ma mère, une d'Arliette et une dernière d'Aline, mon infirmière d'autrefois.

Aline se consacrait toujours aux ados ; une de ses collègues la mit au courant de mon hospitalisation. Elle vint aussitôt me voir sur son heure de dîner. Elle n'avait pas changé d'un iota. Son regard à la fois doux et vif incitait à la confidence et nous imprégnait de bonté de la tête aux pieds. Derrière son sourire, ses paroles apaisantes, je crus déceler une sourde inquiétude. Il est vrai que mon allure en général n'inspirait rien de bon. Toutefois, elle parvint à me remonter le moral, à m'insuffler un semblant d'espoir. Elle promit d'obtenir l'autorisation de me visiter régulièrement et de travailler en étroite collaboration avec mon équipe soignante.

Du côté des adultes, la dynamique se révéla très différente : la solidarité brillait par son absence. Je me sentis comme dans un dépotoir ; toutes les folies, toutes les conditions sociales se chevauchaient dans le plus grand désordre. La maladie passait au second plan, au détriment d'une fausse paix – le calme par

Ailleurs

l'abrutissement. L'attente et les médicaments constituaient les seuls paramètres tangibles de ce monde en involution. À cette époque, je pleurais toujours autant ; je me sentais responsable de toutes les misères de la planète.

Bélaski me reçut sans sourciller, comme si nous nous étions vues une semaine plus tôt. Je la sentis moins « confrontante », plus consciente de mes limites et des tentacules envahissants de mon mal. Cette indulgence cachait un sombre pronostic.

Entre mes quatre murs, je disposais de tout le temps nécessaire pour observer le déclin de la civilisation. Je pouvais me mirer dans les yeux d'une schizo de quarante ans et anticiper mon avenir – désolation et peur. Une des patientes s'appelait Marthe ; elle discutait sans problème avec ses voix, qu'elle nommait affectueusement ACV : aberration chromosomique vocale ! Très fière de cette appellation, elle l'utilisait parfois pour berner son interlocuteur et s'attirer sa sympathie. Les gens croyaient qu'elle avait survécu à une attaque cérébrale. Dans un certain sens, cet acronyme dépeignait à merveille les voix, de véritables tueurs. Malgré tout, Marthe prenait la vie du bon côté.

— Tu verras, tu t'y feras. Avec l'âge, ça devient une seconde nature. Des fois t'es seule, des fois t'es plusieurs. Faut apprendre à « virailler » dans le système, et c'est pas évident. Y a toujours un p'tit malin pour te rappeler que t'es pas normale. Prends-moi par exemple, ça a été Paulo, mon erreur. Je l'ai aimé, t'as pas idée ! Je me serais fait édenter ou raser le crâne s'il me l'avait demandé. Au début, c'était le paradis ; puis c'est devenu l'enfer. J'ai pas vu venir. Je devais être trop occupée à laver ses bobettes. Il m'en a foutu toute une... pour des nouilles trop cuites ! Du coup, y a réveillé mes ACV. J'en ai eu pour des mois à m'en remettre. Aujourd'hui, j'ai compris : je suis pas faite pour la vie commune, j'ai déjà des pensionnaires. J'ai essayé de travailler : un vrai massacre ! Instable, c'est ce qu'ils ont inscrit sur ma feuille de licenciement. Instable ! Je voudrais bien les y voir, les comiques, avec deux ou trois ACV en tête, un boss sur le dos et un client indécis ! On déstabiliserait à moins, bon Dieu !

Alors, je « viraillé », je reçois de l'aide sociale, je vais au comptoir alimentaire et, quand mes ACV dépassent les bornes, je viens me reposer ici.

Marthe but son Coca-Cola avec délectation. On aurait juré qu'il était relevé de rhum...

À travers ma déroute, un élément demeurait stable : Arliette. Quelle apparition mémorable, dans le salon de l'hosto ! Les patients en parlaient encore, des semaines plus tard. Ce soir-là, un lundi, un calme affreux pesait sur l'établissement. Il faut dire que je me trouvais dans une unité de surdosés – on aurait pu entendre une pensée voler si nous avions été capables d'en émettre une. Arlie fit irruption dans le salon, se planta devant le téléviseur et lança :

– Rub chérie, dans mes bras, mon poussin !

Elle joignit le geste à la parole et se précipita à ma rencontre, m'enveloppant de ses grands bras noueux. Sa présence m'apportait un tel réconfort que je pleurai sans retenue. J'aurais voulu qu'elle m'emporte loin de ce lieu maudit et comateux, loin de ces regards traqués, éberlués ; loin de ma folie...

Assise à mes côtés, mon amie inventoriait ses bons et mauvais coups des derniers temps. Elle exagérait et colorait son récit afin de m'arracher un sourire. Un patient, Maurice, ne cessait de nous dévisager. Arlie s'en approcha, en dépit de mes avertissements, et l'invectiva en le foudroyant du regard :

– Y a quelque chose qui cloche, bonhomme ? Ta tronche m'inspire rien de bon. On ne t'a jamais dit que c'était vilain de fixer les dames ? Sans blague, tu pourrais pas t'essuyer la bouche, tu baves comme un saint-bernard en érection !

Maurice obtempéra en s'essuyant la bouche du revers de la manche. Il se leva lentement, fit un pas en direction de la sortie et, soudainement, son corps fut pris de violentes convulsions. Il tomba face contre terre, pissa dans son pantalon et bava de plus belle.

Ailleurs

Arliette, dans tous ses états, se crut responsable de la crise et je dus lui expliquer qu'elle n'y était pour rien. Maurice souffrait d'épilepsie à un stade avancé. Il devait porter un casque protecteur mais refusait de se soumettre à cette ordonnance. De plus, il se montrait déplaisant et vicieux avec tout le monde. Ce dernier argument balaya le malaise d'Arliette et lui fit recouvrer sa belle assurance. Elle m'annonça aussitôt une bonne nouvelle.

– J'allais oublier le plus important, poussin ! T'es bien assise ?

– Te fais pas prier, beauté ! Avec tous ces médicaments, je resterai pas allumée très longtemps !

– C'est à propos de Patsy. Le type que Rock a bousillé serait son meurtrier. C'est ce que mon informateur m'aappris et il tient cette info de source sûre. L'enfant de pute gardait les papiers d'identité de Patsy et quelques-uns de ses bijoux chez lui. La police a fermé le dossier.

– Le couteau ? Qui avait le couteau ?

La nervosité me donna la nausée. Ce maudit couteau prenait des proportions gigantesques dans ma petite tête.

Arlie me regarda avec bonté.

– Cet enculé de mes deux l'avait volé chez Pat. Il aurait d'abord fouillé l'appart et après il s'en serait pris à elle.

Elle me serra dans ses bras et me berça longuement.

Cette nuit-là, je m'endormis très tard. J'imaginais Patsy seule dans cette ruelle à se débattre contre ce fou. Elle était morte pour du fric, pour un rêve, rien d'autre.

Les journées s'étiraient. À Prévost, âgée de seulement vingt-deux ans, je devins vieille, une vieille schizo. Quelque chose en moi s'éteignit, comme un abandon volontaire presque sans douleur. Ma destinée m'apparaissait évidente. La maladie me transformait en androïde ; certaines de mes émotions

247

hibernaient. Mon contact avec la réalité s'effectuait en noir et blanc. Ma souffrance émanait du regard d'autrui car, de l'intérieur, hormis la G.G., les choses se passaient plutôt bien.

Je décidai d'écrire à Marie afin qu'elle puisse comprendre que je l'aimais toujours autant. Mes sentiments restaient intacts, mais ma façon de les lui communiquer différait. Finalement, je déchirai la lettre. C'est fou comme un geste manqué ou une lettre jamais envoyée peut vous remonter à la gorge...

J'occupais mes interminables journées à observer les autres patients. C'est une règle de survie dans ce genre d'endroit, croyez-moi sur parole ! Frank, un costaud d'une trentaine d'années, très sympathique, faisait un *burnout* ; on lui apprenait à gérer son stress avec plus de discernement. Il devait suivre un régime car son taux de sucre s'avérait trop élevé. Il s'en souciait comme de sa première chemise : il n'arrivait pas à se passer de chocolat. « Je préfère crever d'une hyperglycémie que d'un cancer des poumons ! » répétait-il avec conviction. Il troquait alors ses cigarettes contre des sucreries : une barre de chocolat valait dix cigarettes, un bonbon au miel, deux cigarettes, un sac de croustilles, cinq cigarettes et ainsi de suite. Quand il me croisait dans le corridor, il me saluait gentiment et respectueusement. Je me sentais en confiance car sa chambre voisinait avec la mienne. Frank fréquentait souvent Yvan, un jeune homme d'une vingtaine d'années souffrant de trouble bipolaire. À son arrivée, il se trouvait en phase maniaque et ne pouvait s'empêcher de frotter. Tout y passait : les tables, le plancher, les toilettes, toujours à l'aide du même chiffon. Quelques injections l'avaient vite ramené de l'autre côté du balancier. Cependant, même plus relax, il ne pouvait cesser de traquer la poussière et de la déloger en soufflant dessus quand il se croyait seul. Une petite manie acceptable en somme, et plutôt comique.

Dans une chambre simple logeait Muguette, âgée d'une soixantaine d'années, souffrant de démence. J'émets ce diagnostic sous toute réserve. Tranquille, elle restait habituellement en retrait. À deux reprises, sans préavis et sans raison apparente, elle attaqua d'autres patients ; agissant calmement, sans émotion. Je me trouvais là lorsqu'elle écrasa sa cigarette sur la main de Véro. Pas un mot ne sortit de sa bouche, nous fichant tous la frousse... Désormais, tout le monde la gardait à l'œil. Quant à Véronique, on pouvait difficilement la classer. Couverte de tatouages et boudeuse, du même âge que moi, elle agissait comme une ado révoltée. Rien ne lui plaisait jamais : autant la bouffe que l'émission de télé ou la température. Peu importait le sujet, si elle pouvait gueuler, tout était OK. En plus des tatous, de multiples entailles parsemaient ses bras – des poignets aux coudes. Elle adorait exhiber ses cicatrices – cela devait faire partie de sa pathologie. Enfin, le fantôme du 4, une femme qu'on voyait très peu, mangeait dans sa chambre et une infirmière devait l'aider à faire sa toilette. En raison de son somnambulisme, on la sanglait pour la nuit. Toutes sortes d'histoires coururent à son sujet. Mais le mystère entourant son internement demeura entier.

Pour le moment, j'appartenais à ce petit monde, où les mêmes maladies qu'autrefois se côtoyaient mais en arborant désormais des visages vieillis, parfois ravagés...

Marie me rendit une visite éclair qui me toucha beaucoup, malgré mon apparente indifférence. En me montrant ainsi, je souhaitais l'épargner. Face à l'adversité, elle n'avait pas le même ressort qu'Arliette. Dans le salon de l'unité, ma mère paraissait déphasée et meurtrie ; une expression d'échec alourdissant ses traits. Finalement, sa propre misère me rejoignit, elle ne sut m'en protéger. Cette réflexion tournoyait dans ma tête tandis que Marie cherchait désespérément un sujet de conversation qui briserait notre inconfort.

La rencontre fut pénible et je me promis, à l'avenir, d'éviter ces situations. Marie ne devait plus souffrir par ma faute. En m'éloignant d'elle, je lui donnerais une chance.

Le vendredi précédant ma sortie, nous étions rassemblés dans le salon pour le bingo hebdomadaire. À un moment donné, Maurice se leva tout excité, cria « bingo ! » et tomba à la renverse, entraînant le boulier dans sa chute. Des dizaines de boules se baladaient sur le plancher. B-6 faillit envoyer Marthe valser. Je recueillis quelques billes mais O-67 m'échappa et fila sous le calorifère. Pendant que les infirmières s'occupaient de Maurice, une patiente mit accidentellement le feu dans une poubelle. La pagaille générale s'instaura. Vingt minutes plus tard, Véro fit des siennes à son tour. Munie d'un couteau en plastique, elle se coupa à l'avant-bras. Un vrai monde de fous ! Cette fille se tailladait les bras pour un oui ou pour un non ! Le bout des oreilles de l'infirmière en chef devint rouge ; valait mieux s'éclipser vite fait. « À chacun sa misère, pensai-je. *The show must go on !* » Je me réfugiai dans ma chambre, posai la tête sur l'oreiller et m'endormis aussitôt.

Le lundi, Aline vint me saluer et me souhaiter bonne chance. Je crus entendre « À bientôt », mais mon imagination me jouait certainement des tours...

21

Dehors

Mon ordonnance en poche, je ne prévins personne de mon congé. Je voulais glisser sans bruit en ce monde, histoire de vérifier si Rubby pouvait encore s'y ménager une place. Si la G.G. avait été plus éveillée, elle aurait sûrement relevé l'allusion : glisser = ramper = chenille ! Heureusement, elle végétait dans un recoin de mon crâne, assommée par les médicaments.

Au cours des premiers mois qui suivirent mon retour parmi la société, le calme plat régna dans ma vie. Je dénichai un petit logement dans le sud-est de la ville. Un endroit englué dans la grisaille en permanence, où les toitures de tôle et les rails de chemin de fer rouillés semblaient décolorer le ciel par endroits, ajoutant une touche sinistre au décor. Mon appart offrait un avantage non négligeable : un long corridor le traversait de part en part – toute proportion gardée, bien sûr ! Je comptais trente pas d'un bout à l'autre. En m'appliquant et en cadençant mon pas avec ma respiration, une minute s'écoulait entre ma sortie de la salle de bain et mon entrée dans la cuisine. Je bénéficiais d'un bonus de dix pas si, en arrivant dans la salle à manger, je bifurquais à gauche pour atteindre le lavabo. À cette étape de mon périple, j'en profitais pour m'assurer que la fenêtre était bien verrouillée et je fermais hermétiquement le rideau, au cas où ! J'accumulais beaucoup de millage à cette époque – je ne serais pas surprise d'avoir couvert la distance Montréal-Québec. D'ailleurs, le tapis en faisait foi. Pour éviter de trop l'user et d'indisposer le propriétaire, j'effectuais parfois mon va-et-vient en frôlant les murs. Je plaçais mon pied contre la plinthe, aussi près que le permettaient mes hanches, et j'évitais soigneusement les sillons du centre. De cette façon, je pouvais exécuter un aller-retour de chaque côté du mur, ce qui triplait mon itinéraire régulier. Le temps s'écoulait ainsi, au rythme de cette danse linéaire.

À l'abri dans ce taudis, je me sentais plus grande, à la limite de la normalité, en sécurité loin du monde et de ses turbulences. Je vivais en ermite, limitant mes contacts sociaux à Marie et Arlie. Je ne possédais pas de téléphone ; j'utilisais celui situé au coin de ma rue. Je sortais lorsque je manquais de victuailles et j'en profitais pour téléphoner. Je ne fréquentais aucun locataire ; décision judicieuse, surtout en ce qui concernait le type du 6 qui, à lui seul, aurait découragé toute initiative en ce sens. Cet homme, grand et costaud, aux yeux dangereusement espacés, se voyait affligé de lèvres trop épaisses qui l'empêchaient de fermer la bouche, ce qui lui donnait l'air d'un mutant porcin. Je le croisai à trois reprises et, chaque fois, je dus me faire violence pour ne pas détaler comme un lapin. Bref, il donnait froid dans le dos. La locataire du 4 semblait toujours bourrée et prête à en découdre. Voilà pourquoi mes excursions hors de l'appart demeuraient rarissimes et poussées par la nécessité.

J'attendais le grand jour, celui où Olivier, mon fils, débarquerait dans ma tête, déclassant la G.G. N'allez pas croire que je disjonctais ; il s'agissait simplement d'un jeu, une manière bien personnelle de combattre ma solitude et d'apporter un peu de piquant dans mon quotidien. Je me fixai une date très précise, le 4 août, même quantième que Rock – je lui devais peut-être ça. Ainsi, j'aurais un petit Lion ; je le préférais au Cancer, ce signe ayant une connotation maladive qui m'indisposait.

Les dernières semaines de ma « grossesse » furent à la fois pénibles et merveilleuses. L'été, particulièrement chaud, s'éternisait. L'humidité était omniprésente dans mon quartier. En fait, elle venait en prime avec les toitures de tôle et les murs en contreplaqué. Je me sentais lourde, mes pieds enflaient à vue d'œil même si j'évitais de les emprisonner inutilement dans des souliers. Je prenais des bains tièdes pour relaxer et me rafraîchir. Je campai si bien mon rôle de femme enceinte qu'il m'arriva de ressentir de petites douleurs au bas-ventre, comme si un pied minuscule cherchait à pénétrer trop tôt la « réalité ». Dans ces moments-là, mon cœur battait la chamade et je devais m'asseoir afin de reprendre mes esprits. J'aimais croire à cette magie. Je parlais beaucoup à Olivier ; je lui racontais ses aïeux, ces gens qui l'auraient choyé au-delà des limites permises par leur portefeuille. Paul et Lucie auraient été complètement gagas devant ce petit bout d'homme. Quels délicieux ravages il aurait faits dans leur cœur !

Vers la fin de juillet, mes nuits devinrent cauchemardesques. Des rêves inquiétants, d'un réalisme à couper le souffle, remplissaient mes nuits. L'un d'eux, dont la simple évocation me trouble encore aujourd'hui, avait trait à la chaise berçante de mon grand-père. Dans mon rêve, je m'éveillais pour aller aux toilettes. À mon retour, je comptais mes pas dans le couloir, empruntant les sillons du centre ; au dixième pas, j'entendais un léger bruissement en provenance de la cuisine. Une attraction démoniaque m'aspirait dans cette direction, m'empêchant de me réfugier dans ma chambre. Au vingtième pas, mes pieds s'enfonçaient jusqu'aux chevilles dans le tapis ; j'éprouvais toutes les peines du monde à avancer. Entre-temps, le bruit s'amplifiait et se transformait en craquements sinistres. J'entendais des chuchotements jumelés à un rire très léger, comme étouffé par une main. Le logement se trouvait plongé dans la pénombre et lorsque je voulais actionner l'interrupteur du couloir, il s'enfonçait dans le mur en cherchant à me bouffer les doigts. Au trentième pas, je restais prisonnière du tapis et je devais assister, impuissante, à la scène qui se déroulait sous mes yeux.

Paul se berçait dans sa vieille chaise, Olivier – tel que je me l'imaginais à un an – assis sur ses genoux. Tous deux m'observaient avec méchanceté et ricanaient en me pointant du doigt.

Mon grand-père se balançait de plus en plus fort ; une longue plainte courait le long des barreaux, remontant jusqu'au dossier. À chaque bercement, Paul se décomposait et sa chaise reculait imperceptiblement. Olivier riait aux éclats en retirant d'énormes chenilles du visage de son papy et en les lançant dans ma direction. J'étais pétrifiée. Chaque bestiole qui m'atteignait s'enfonçait dans ma chair, me brûlant jusqu'à l'os. Une pensée stupide me traversait l'esprit. Malgré toute cette horreur, je ne pouvais m'empêcher de me demander comment un enfant aussi jeune parvenait à lancer une chenille avec une telle dextérité. Finalement, à force de reculer, les berceaux de la chaise se fichaient dans le mur et Paul, dans un ultime effort pour s'en dégager, se désagrégeait et tombait en morceaux. L'image, puissante et terrifiante, brisait mon cauchemar. Je m'éveillais paniquée, en proie à la nausée.

Je ne sus jamais ce qu'il advenait d'Olivier dans ces virées oniriques. Cependant, j'accouchai au lendemain d'un rêve similaire.

Dans ma tête, Olivier fut toujours doté du don de la parole, même dans les premiers jours de son existence « Rubbyenne ». Je me suis souvent interrogée à propos de ce phénomène. Olivier est tout à fait différent des autres voix. La G.G. demeure indépendante de moi, quoi qu'en pense Bélaski. Elle dit des méchancetés, me malmène, me harcèle et manifeste une volonté propre. Olivier, lui, fait partie de moi, comme si, lors de ma fausse couche, son âme s'était tassée dans un repli de ma chair, refusant de me quitter. Avec le recul, je ne crois pas avoir imaginé Olivier ; il s'est simplement manifesté à son terme, au mois d'août.

Je me souviendrai toujours de cette journée. Pour une rare fois, le soleil et une brise rafraîchissante se donnèrent rendez-vous. J'entrouvris les rideaux pour montrer à mon fils que la vie ne correspondait pas à une éternelle grisaille. Je sentis sa présence à mes côtés et j'en tirai une grande force. Dès son apparition, je sus qu'il constituerait beaucoup plus qu'un simple divertissement. Il devenait un antidote à ma vie plutôt merdique. Traversée par une onde de joie, je sortis de ma léthargie. Tous les espoirs m'étaient désormais permis.

Cette mémorable journée fut remplie de soleil et de joie. Je pris un copieux déjeuner et décidai d'aller au cimetière présenter Olivier à ses arrière-grands-parents. Cloîtrée depuis des lustres, cette promenade s'avéra ma première vraie sortie dans le monde. À un coin de rue de l'arrêt d'autobus, je vis la boutique d'un fleuriste et j'y achetai deux roses pour les déposer sur la tombe de Lucie et Paul. Mon fils resta muet devant tout ce brouhaha urbain. Les gens que je croisais devaient me prendre pour une illuminée ou une droguée. Peu m'importait, je délirais de bonheur. Bientôt, la montagne se profila à l'horizon, tel un havre de paix au milieu du bitume et de l'asphalte. Comme d'habitude, en apercevant les stèles alignées à perte de vue, j'eus un petit pincement au cœur. De son côté, Olivier semblait impatient de fouler ce sol. Tout en marchant le long des allées centenaires, je tentai de lui expliquer la raison de ma fascination pour ce lieu. Devant la tombe de Paul et Lucie, les questions fusèrent. « Tu es certaine qu'ils dorment là-dessous ? Papy est couché sur mamie ? Ils sortiront plus de là, jamais ? Ils aiment les roses ? Pourquoi tu pleures ? » Des questions d'enfant qui méritaient pourtant réflexion. Je n'imaginais pas qu'un marmot puisse provoquer de pareils remous dans ma tête. Avec lui à mes côtés, ma vie prit un tournant décisif. La maladie et la Grande Gueule furent reléguées au second plan, comme en fond sonore. Olivier détenait le pouvoir de brouiller leur fréquence.

Lorsque j'abordais le sujet d'Olivier avec ma psychiatre, j'observais une certaine prudence. Je craignais son jugement et, surtout, qu'elle n'augmente ma médication. Cette tactique m'avait été inspirée par la G.G. en personne. Alors que j'étais debout dans la cuisine, jasant de tout et de rien avec mon fils, cette dernière rappliqua. « Foutue poufiasse, la voilà attifée d'un morpion ! Fais gaffe avec ton ectoplasme ; si t'en parles à Bélaski, on est bons pour la maison de dingues ! » Cela me scia les jambes. L'espace d'un court instant, je ne reconnus même pas la G.G. Elle aussi claquemurée depuis des lustres, je l'avais presque oubliée ! Quelle pauvre schizo je faisais... Nous reprenions donc la vie commune. Les mois déboulèrent ainsi, en compagnie de mon fils-fantôme et de la G.G.

Un matin où la G.G. se faisait très féroce, je cherchais désespérément mon baladeur afin de lui clouer le bec. Olivier ne m'apportait aucun secours ; je n'arrivais pas à le matérialiser car elle m'en empêchait. « Eh ! petite fée, ton morpion fait la sieste ou quoi ? Si ça se trouve, c'est qu'un fantôme schizo qui entend des voix ! Bouge pas, je vais le faire rappliquer. » Je finis par dégotter mon baladeur sous mon lit. J'enfilai les écouteurs en tremblant de rage. Quand je voulus l'actionner, il n'émit pas le moindre son, les piles à plat. Je devais à tout prix trouver des piles, sous peine d'extermination. Deux options s'offraient à moi : recharger les piles en supportant les sarcasmes de la G.G., ce qui m'apparaissait au-dessus de mes forces, ou en acheter des neuves. Le choix s'imposa de lui-même. Je sortis en courant et fonçai tout droit dans l'abdomen du mutant porcin. Il me rattrapa de justesse, m'évitant un plongeon dans l'escalier, et récupéra mon baladeur au vol. J'étais légèrement sonnée. Il se pencha et dit :

– Allons, y a pas le feu ! Tu t'es fait mal ?

Pendant un instant, je me crus sourde ; je voyais ses lèvres remuer mais aucun son ne me parvenait. En l'observant sous cet angle, j'eus l'impression que ses yeux se distançaient davantage. Je ne savais plus où regarder. Il me secoua avec douceur et demanda :

– Tu te sens bien, petite ? Tu es pâle à faire peur !

Le son revint. À mon grand étonnement, sa voix sonnait grave, réconfortante. Son bras me soutenait toujours et ce contact m'apaisa. La G.G. voulut s'interposer : « Réagis, conasse ! Glisse-lui entre les mains, c'est qu'un lourdaud ! » Il se présenta et m'entraîna le long du couloir vers son appartement.

Ailleurs

– Je m'appelle Marc, j'habite le 6. Un bon verre d'eau te fera le plus grand bien. Ne crains rien, je laisserai la porte ouverte derrière nous.

« Fous le camp, poufiasse ! Vise-moi son froc... Si ça se trouve, ce type est bandé comme un bouc ! » Je suivis Marc en tenant précieusement mon baladeur à deux mains. Ma décision arrêtée, la G.G. prit son trou.

J'hésitai une microseconde avant de franchir le seuil du 6. J'allai de surprise en surprise. Dans le salon trônait un petit autel vraisemblablement dédié à Bouddha. Des bâtons d'encens et des statuettes représentant des dieux hindous étaient disposés de part et d'autre de la divinité. Pas de meubles, juste quelques coussins par terre. En entrant, Marc se déchaussa avec déférence. Ses gestes semblaient naturels et empreints de respect ; on aurait dit qu'il se livrait à un rituel. Mon étonnement se mua en fascination. La honte de l'avoir mentalement traité de mutant porcin me saisit. Il n'y avait pas plus délicat que cet homme en chaussettes. Je restai chez lui une quinzaine de minutes, le temps de faire plus ample connaissance. Je sortis du 6 rassurée, des piles neuves en poche et une nouvelle amitié en perspective.

Marc était un personnage surprenant ; il avait désamorcé la crise presque à mon insu. Je rentrai chez moi rassérénée et la G.G. muselée. Je m'étais ouverte à lui en toute innocence, sans retenue, sans avoir peur qu'il me juge complètement tarée. Mon état de confusion était tel que j'aurais facilement pu m'épancher sur l'épaule d'un tueur en série sans m'en rendre compte.

En lui parlant – de la G.G., des hommes en noir, d'Olivier –, j'en avais oublié ses traits disgracieux. Un peu comme lorsqu'on s'adresse à quelqu'un qui louche. Aussi longtemps qu'on n'a pas déterminé quel œil commande, on éprouve un certain malaise, une gêne très légitime. Avec Marc, on finissait par se concentrer non pas sur ses yeux mais sur sa voix ; ce qui expliquait pourquoi ses paroles revêtaient tant d'importance. La nature avait compensé sa défaillance en le gratifiant d'une voix magnifique. De plus, ses propos me passionnaient et dénotaient une grande culture. Il me rappelait Pierre, qui avait beaucoup voyagé et prenait plaisir à me raconter ses aventures autour du monde. Ça me paraissait si loin, d'un autre temps, d'une autre époque.

Maintenant que j'avais un allié dans l'édifice, je réussissais à m'immerger dans votre réalité sans trop de risques. Cependant, un dur constat s'imposa à moi : ma faculté à fonctionner dans votre univers s'amenuisait. Je déployais des efforts de plus en plus grands pour me connecter. C'était si facile – et pourtant si misérable – de rester entourée d'Olivier et de la G.G. dans le noir. De mon entourage immédiat, seule Arlie remarqua ce fait. Lors d'un rendez-vous, elle passa me chercher et dut insister pour que je lui ouvre.

– Rub chérie, tu m'as oubliée ou quoi ?

Elle s'avança dans le couloir en émettant un long sifflement.

– Ça alors ! Ton proprio est incapable de te fournir un tapis à deux voies ?

Et elle partit d'un grand rire.

– Allons, poussin, c'est qu'une blague ! Ramène tes fesses, t'as besoin d'un peu d'air.

Elle poursuivit son investigation devant un bol de café au lait, dans notre resto préféré.

– Rubby, que se passe-t-il ? Tu as une mine de déterrée !

Sa voix trahissait son inquiétude tandis qu'elle m'observait. Sa sollicitude m'alla droit au cœur.

– J'ai du mal à dormir, ces derniers temps. La G.G. m'en fait baver et mes cauchemars sont revenus.

– T'en as parlé à ta psy ? Elle pourrait ajuster ta médication ou devancer ton prochain tête-à-tête.

– C'est fait, je devrais la voir la semaine prochaine. T'en fais pas, c'est qu'une mauvaise passe. Parle-moi plutôt de tes conquêtes !

Ailleurs

Elle fit la moue, un brin contrariée.

– N'essaie pas de noyer le poisson, beauté ! Y a pas que la G.G. Ton appart ressemble à une tanière obscure et mal aérée. Je voudrais pas être indiscrète... mais depuis combien de temps t'es pas sortie de ce trou ?

Je ne me sentais pas la force de tout lui raconter en détail. Je le lui dis et elle se résigna en m'assurant son soutien inconditionnel. Elle me donna une bise retentissante sur le front et entreprit de me relater sa dernière aventure.

Arliette ressemblait à un être pétillant d'énergie dont la vie sentimentale atteignait des sommets vertigineux. Je ne fus pas dupe de son manège : elle en rajoutait non pas pour m'impressionner mais pour m'arracher un sourire. Cette façon de me démontrer son attachement me toucha sincèrement. À la fin de la soirée, je lui glissai quelques mots à propos de Marc.

– Voyez-vous ça ! Madame en pince pour le 6...

– Dis pas de bêtise, si tu voyais sa tronche, tu comprendrais !

Je me fis un devoir de lui décrire le physique ingrat de mon nouvel ami. Elle émit encore quelques doutes sur mes sentiments à son égard mais finit par accepter mes explications.

Arlie me raccompagna chez moi et je dus user de tout mon pouvoir de persuasion pour l'empêcher de sonner à l'appartement 6. Devant mon affolement, elle se plia à mes exhortations en me soutirant la promesse de lui présenter Marc au plus tôt.

La période des fêtes passa en coup de vent. J'atteignais l'âge respectable d'une schizophrène de vingt-trois ans. Je voyais Marc sur une base régulière et amicale. Ce type connaissait un tas de monde. Son appartement servait même de refuge à des jeunes en cavale. À l'occasion, il devait calmer le proprio et repayer les dégâts causés par quelques-uns de ses protégés. Mais, en règle générale, les occupants du 6 se montraient civilisés. Avec tout cet encens et ces divinités, ils devaient tomber dans une espèce de torpeur existentielle bénéfique. Je taquinais souvent mon ami à ce sujet.

Marc travaillait bénévolement pour certaines associations caritatives du quartier. Il ne comptait pas ses heures et se dévouait corps et âme à ces causes. Il m'en parlait avec passion, les yeux étincelants. Il m'assurait que la majorité des jeunes en difficulté l'acceptaient naturellement, sans réticence. Son physique ne semblait pas les rebuter ni les dégoûter. D'ailleurs, il adaptait un très beau conte à sa situation :

Il était une fois un ange magnifique qui assistait à la procréation d'un humain. Il s'émerveillait du développement et de la transformation de l'embryon. Il fut bientôt évident que le fœtus serait de sexe masculin. Quelque temps avant la délivrance, l'ange s'inquiéta du fait que ce petit être avait les yeux trop distancés et les lèvres trop épaisses. Il s'en ouvrit au Créateur, indigné qu'un humain ait à porter ce fardeau. Il L'implora d'intervenir. Dieu répondit : « Je peux rectifier la situation mais la condition que Je t'impose, si tu l'acceptes, aura de cruelles conséquences : tu devras assumer ce karma à sa place dans une vingtaine d'années et, de surcroît, celui que tu épargnes t'en voudra secrètement de ne pas perpétuer sa descendance. » L'ange accepta le marché et Vic Charland, le père de Marc, naquit.

Cette très belle histoire dépeignait en fait le rejet qu'il avait vécu dans sa famille, surtout de la part de son père. J'appris aussi que, à la suite d'une grave maladie, mon ami était devenu stérile. Ce conte faisait vibrer une corde sensible chez tous ces jeunes qui souffraient. Sans conteste, Marc possédait le don de réconforter les gens et de les mettre en confiance.

C'est à cette époque que je fis le grand saut : l'initiation à l'héroïne. Pourtant, je détestais les aiguilles... Je conserve un souvenir plutôt trouble de cette période. Tout commença un vendredi du mois de mai. Marc se rendit au chevet de sa mère gravement malade et il me confia sa clé afin que je la remette

Ailleurs

à deux de ses copains qui débarqueraient en ville. Mon rôle se résumait à m'assurer qu'ils s'installeraient confortablement dans l'appart. Marc n'avait pas vu ses amis depuis fort longtemps et il m'en fit une description sommaire.

Quelle ne fut pas ma surprise de voir rappliquer deux individus peu conformes à l'image que je m'étais forgée ! Vieux, la trentaine bien sonnée, des cheveux longs à la mode des années 1970, des vêtements démodés. Leur regard me frappa, surtout celui de Victor ; il semblait animé d'une espèce de fièvre qui paradoxalement piégeait l'iris dans une fixité d'aveugle. Il clignait lentement ses yeux puis fixait son attention sur un autre objet. Il fractionnait sa vision volontairement, c'était fascinant !

Victor et Bill furent les protagonistes de ma débâcle. Je dois reconnaître, à ma décharge, qu'ils dégageaient une bonne dose de mystère et de charisme. Tout se déroula avec mon consentement. Je ne subis aucune pression de leur part. Je pourrais m'en prendre à quelqu'un, tenter de me ranger du côté des victimes. Impossible, il ne me reste que l'autoflagellation.

22

Le commencement de la fin

Le jour même de leur arrivée, Victor et Bill m'invitèrent à souper. Repoussant ma méfiance naturelle, j'acceptai leur offre. Bill avait préparé un mets à base de germes de haricots et d'une tonne de légumes tranchés finement. Cette recette délicieuse émanait de leur voyage au Japon. Fait plutôt inhabituel, je me sentis bien en leur présence. Si Bill parlait beaucoup, Victor se montrait plus réservé, plus énigmatique, à l'image de son regard.

Après le repas, Victor alluma plusieurs chandelles et des bâtons d'encens provenant de leur réserve personnelle. Il disposa ensuite le parfait attirail de l'héroïnomane sur la table basse, à quelques centimètres de Bouddha. Ma fascination et ma curiosité n'abdiquèrent pas devant l'affolement de la G.G. : « Tire-toi, poufiasse ! Ça peut être pire que la maison de dingues, ce truc. C'est une seringue, idiote ! T'as toujours eu peur des piqûres. Réagis, conasse ! » La surexcitation de la Grande Gueule m'incita à rester plutôt qu'à détaler. Ma fonction motrice se trouvait au neutre mais ma tête tournait à plein régime.

Bill retroussa sa manche gauche, découvrant sur son avant-bras de nombreuses marques d'aiguille. Il observait avec intensité chaque mouvement de son ami, immobile, comme en suspension. Victor lui garrotta le bras et le tapota pour faire apparaître la veine. Durant tout ce temps, ils n'échangèrent aucune parole. Tout s'accomplissait comme il se devait : sans précipitation, sans heurt. Lorsque Bill eut son *hit*, Victor répéta l'opération sur lui-même. À ce moment précis, je me sentis exclue. La G.G. soupira d'aise quand je quittai l'appartement.

Deux jours plus tard, le même scénario se répéta, à une différence près : je fis partie du voyage pour le meilleur mais surtout pour le pire. Je ne sentis même pas l'aiguille trouer ma peau. Victor me fixa de ses yeux d'aveugle, m'hypnotisant. L'héroïne envahit mon organisme traîtreusement, sans éveiller ma méfiance. Je me sentis juste bien, sans voix ! Puis, graduellement, une chaleur bienfaisante se diffusa dans mon corps, pulsant au rythme de mon cœur. On aurait dit que cette quiétude émanait de mon plexus et épousait mes battements cardiaques pour abreuver chaque parcelle de mon être. J'eus la sensation de me retrouver, de redevenir de nouveau Rubby, fille de Marie et petite-fille de Paul et Lucie, tout bonnement. Alors que j'étais assise par terre, adossée au mur, cette révélation s'imprégna avec force dans mon esprit. À présent, tout paraissait d'une limpidité désarmante, j'existais au-delà de la G.G. et des hommes en noir, au-delà de la folie, tout au bout d'une aiguille...

Le temps s'étira langoureusement. Victor et Bill me maternèrent en me donnant à manger et à boire. Leur empressement avait quelque chose de touchant mais aussi d'indécent : parallèlement au paradis artificiel qu'ils m'offraient, ils m'ouvraient les portes de l'enfer.

La descente fut lente, très, très lente, et elle se poursuit toujours aujourd'hui. Au début, je ne rencontrai aucun écueil, seule cette merveilleuse paix m'enveloppait et me désarmait. Je découvrais un état de félicité demeuré longtemps prostré au plus profond de mes entrailles. L'héro lui apportait l'essence nécessaire pour s'épanouir, pour m'enflammer. Dans les premiers temps, j'étais plus détendue, un genre de Rubby

Ailleurs

condensée. La drogue réunifiait mon petit moi, c'était super. À la suite de cette première expérience, la G.G. me bouda plusieurs jours. Je ne m'en plaignis certes pas ! J'accueillis même cette trêve en ressentant une joie sauvage. Par ailleurs, je m'empressai d'approfondir mes liens avec mon fils. Sa présence embaumait mes passages dans votre réalité. Sa volonté de vivre m'impressionnait, présageant une longue alliance spirituelle.

Victor et Bill quittèrent Montréal avant le retour de Marc. Ainsi, je pus décider seule si je devais lui confier mon expérience ou la taire. Aussitôt rentré, Marc se matérialisa sur le seuil de ma porte. Il paraissait accablé et triste ; deux énormes cernes lui barraient le visage. Je crus comprendre que sa mère se mourait et qu'il envisageait de l'accompagner dans cette ultime transition. Ma petite expérience s'avérait bien dérisoire en comparaison du désarroi dans lequel il baignait. Marc m'entretenait toujours de sa mère avec amour et respect. Elle comblait de son mieux la négligence et le rejet à peine voilé de son mari face à leur fils unique. Même si la présence de son père rendait les choses plus difficiles, Marc ne pouvait se résoudre à abandonner sa mère. Avant de partir, il opta pour la sous-location de son appartement puisqu'il connaissait quelques locataires potentiels et fiables. Dans toute cette hâte, je ne trouvai jamais l'occasion favorable pour parler à Marc de l'héro. À tout prendre, je préférais encore m'abuser plutôt que d'affronter la vérité. Le débat demeura clos. Du moins, pour l'instant... Marc quitta le quartier en promettant de m'écrire pour me tenir au courant. Le nouveau locataire du 6 m'intimidait malgré les bons mots de Marc à son égard. Dans ces conditions, je décidai de me retirer et d'attendre le retour de mon copain. Je connus par la suite une phase de flottement ; aucune direction ne paraissait sûre, évidente. Qui plus est, j'ignorais si je voulais avancer et vers quel but.

La filiation de Marc mit en relief ma propre relation avec Marie. Ma mère, bien vivante, habitait la même ville. Cette prise de conscience me colla le vague à l'âme. Je dus bien m'avouer que je m'ennuyais de ma mère. Depuis ma sortie de Prévost, nos échanges se bornaient à de brefs appels téléphoniques. Je ne l'avais pas vue depuis plusieurs mois et j'en étais en partie responsable. C'est moi qui évitais tout le monde, préférant vivre avec mes fantômes. J'organisai donc une rencontre sur un terrain neutre : le jardin botanique. Ce décor faciliterait le contact tout en masquant notre gêne respective.

Arrivée à notre rendez-vous avec une bonne demi-heure d'avance, je me tins en retrait du quatrième guichet, ce qui me permettait de surveiller les deux entrées sud. Il y avait beaucoup de monde pour un jour de semaine. Je dus relâcher ma vigilance quelques secondes, car je ne vis Marie qu'à la dernière minute, alors qu'elle occupait tout mon champ de vision. Une pensée fugace effleura ma conscience : je découvrais mes origines, la racine de mon mal. Ce constat diffamant me surprit et m'attrista. Marie arborait un air torturé de l'intérieur ; ses yeux bougeaient trop vite, par saccades. Elle avait maigri, ses épaules s'affaissaient. La G.G. secoua ma torpeur. « Eh, petite fée, beau spectacle, pas vrai ? Telle mère, telle chenille ! » Cette stupide réflexion interrompit mes divagations et me ramena sur terre.

Sans vraiment nous concerter, nous empruntâmes l'allée qui aboutissait au pavillon accueillant l'exposition de bonsaïs.

– Tu sembles en pleine forme, commença Marie. Raconte un peu ce qui t'arrive de beau.

En prononçant ces mots, ma mère s'immobilisa devant un chêne nain centenaire. On aurait juré qu'elle s'adressait à l'arbre. Depuis que Wolf lui avait expliqué les particularités de la schizophrénie, j'avais l'impression que Marie n'osait plus me regarder dans les yeux. Cette petite manie m'agaçait. Je n'aimais pas qu'on me dévisage, mais il y avait tout de même une limite. N'ayant rien de très intéressant ni de très rassurant à lui confier, je détournai la conversation rapidement.

– Je vais bien. Le petit train-train habituel, tout baigne. Et toi ?

Ailleurs

– J'ai changé d'horaire, je travaille de jour seulement. C'est aussi payant. Les clients consomment moins mais ils sont plus nombreux. Pas le temps de me traîner les pieds. Fini les ivrognes baveux !

Elle cracha ce dernier mot avec tant d'ardeur et de rogne que je déglutis péniblement. La G.G. intervint : « Beau spectacle ! Une alcoolique qui dénigre ses semblables et une droguée qui s'ignore. Méchant combo ! » Quand elle s'y mettait, la G.G. devenait une vraie tache ! Elle nous gratifia de ses ignominies tout au long du parcours. En fin d'après-midi, je me sentis exténuée, au bord de l'implosion. Compte tenu des circonstances, nos retrouvailles se passèrent plutôt bien. Ma mère sembla plus détendue lorsqu'elle me quitta, promettant de m'inviter à la maison sans tarder.

Le soir venu, des fragments de ma journée défilèrent dans mon esprit. Un fait s'imposa, Marie n'émettait plus aucune fréquence. Mes déboires à répétition avaient-ils bousillé son registre émotionnel, l'amputant de sa colère ou de sa honte à mon égard ? Je m'endormis en pleurant, gorgée de remords.

Le sous-locataire du 6 s'appelait Jean. De taille moyenne, plutôt mignon, il avait mon âge, des cheveux noirs aux reflets bleutés ainsi que d'immenses yeux noirs. Des traits réguliers encadraient sa bouche rieuse. Il exhalait une aura de confiance en soi et d'assurance qui me le rendait davantage inaccessible. À tout prendre, il me rappelait Yan, mais en plus mûr et en plus courtois. J'eus beau me terrer chez moi et éviter tout signe d'encouragement, Jean m'invita malgré tout à deux reprises. À la troisième tentative, je me fis piéger. Je me trouvais chez le concierge, une version *live* de Robocop, afin d'y toucher mon argent du mois. Ce dernier encaissait mon chèque d'aide sociale en y retranchant le coût du loyer et en s'octroyant une commission de cinq pour cent pour sa peine. Ensuite, il me remettait le solde en coupures de vingt dollars. « L'aide » de Robocop m'évitait un tas d'ennuis, tels qu'ouvrir un compte bancaire, détenir une carte de débit qui m'obligerait à utiliser le guichet automatique et à mémoriser un numéro d'identification personnel. Ma petite cervelle se défilait devant tant de complications. L'autre solution consistait à récupérer soi-même son chèque, ce qui représentait une opération risquée et téméraire dans mon coin de ville.

En sortant du bureau, Jean me tomba dessus. Il m'intercepta en me prenant par les épaules et lança :

— Je te tiens ! Pas question cette fois que tu m'échappes !

Je le regardai, hébétée, ne sachant quelle attitude adopter.

— Samedi, je donne une soirée et j'aimerais t'y voir. Accepte, je t'en prie, tu me ferais vraiment plaisir !

Je n'avais plus d'échappatoire ; sa persévérance frôlait d'ailleurs le comico-pathétique. Afin de s'éviter des embêtements, il informa le concierge de son projet et obtint aisément son approbation.

Je passai le reste de la semaine à me maudire pour ma faiblesse ; j'anticipais les scénarios les plus désastreux. La G.G. me fustigea, y allant de son couplet sur ma phobie des aiguilles et les *partys* qui virent en partouzes et, inévitablement, en « piquouzes ». Plus elle m'empoisonnait l'existence, plus j'aimais la contrarier. Tous ses fantasmes macabres étaient sans fondement. Jean avait l'air d'un gars *clean* même si elle ne partageait pas mon avis : « Il n'a pas de traces d'aiguille sur les bras, et après, conasse ? T'as regardé entre les orteils ou sous les valseuses, poufiasse ? » J'avais beau me creuser les méninges, je n'arrivais pas à comprendre où la G.G. dégotait toutes ces âneries. Il s'agissait bien là d'une preuve supplémentaire de son autonomie existentielle. Il me restait au moins une consolation : je serais seule avec Jean quelques heures. Cette éventualité, je devais l'avouer, m'enchantait et flattait mon pauvre ego.

Je me présentai au 6 vers quatorze heures alors que les autres invités étaient attendus à dix-sept heures. Je me sentais reposée, la G.G. m'ayant laissée tranquille depuis la veille – elle boudait. Jean avait fait quelques changements dans l'appart.

Ailleurs

– Rassure-toi, j'ai rangé soigneusement Bouddha et ses disciples dans la remise du sous-sol. J'avais peur qu'un zigoto les brise par accident.

Quelle délicatesse ! Décidément, Marc avait bien choisi son remplaçant. Les trois heures de préparatifs se répartirent à peu près ainsi : quatre-vingt-dix minutes furent consacrées à la bouffe et à la décoration, trente minutes à l'apprivoisement mutuel suivies d'une demi-heure d'attouchements puis de trente minutes de ressaisissement. Ce programme me laissa pantelante, sans défense et en orbite. Encore accrochée aux prémices, la soirée se déroula sans moi. La G.G. aurait beau dire, Jean ne dissimulait aucune marque entre les orteils !

À cette époque, j'aurais aimé m'engager avec Jean. Cependant, son caractère impétueux et sa fougue me désarçonnaient et m'effrayaient. Il envisageait déjà d'emménager chez moi : cette éventualité demeurait hors de question. Impossible. Impensable. Comment lui expliquer les sillons dans le tapis, Olivier et mes duels avec la G.G. ? Je ne me sentais pas du tout prête, c'était trop rapide et trop tôt. Jean interpréta ma réticence comme de l'indifférence et cessa ses avances. Il disparut du décor dès le retour de Marc.

Si Dieu existait vraiment, il m'aurait permis de vivre relativement en paix entourée de mon fils, de mes voix, de ma mère et de mes deux amis. Mais le diable s'en mêla sous les traits de Lucienne.

Mon copain reprit du service et ses protégés déambulèrent de nouveau dans l'immeuble. Les mêmes tourments inscrits sur des visages différents et, pourtant, la compassion de Marc semblait toujours aussi vive. Il se porta garant auprès du proprio d'un jeune couple fraîchement sorti de désintoxication. Lucienne et Damien emménagèrent ainsi dans le 8, un deux pièces et demie meublé. Ils paraissaient sympathiques et de bonne compagnie. Nous aimions nous retrouver chez Marc, fumer un joint et discuter de longues heures. Le plus souvent, je me contentais de les écouter refaire le monde. Nos deux amis percevaient de l'aide sociale et arrondissaient leurs fins de mois en travaillant à temps partiel dans une usine. Ils débordaient littéralement de projets merveilleux.

Un soir où je rentrais tard d'un souper en compagnie d'Arlie, j'aperçus Lucienne sur Saint-Laurent. Ses vêtements, son maquillage, son attitude ne laissaient aucun doute ; elle marchandait ses services. J'en fus toute retournée. Un passant me bouscula, m'obligeant à poursuivre ma route. Jamais elle n'eut connaissance de ma présence, son état second la coupant de la réalité. À la hauteur d'Ontario, je regardai une dernière fois dans sa direction et la vis s'engouffrer dans une voiture.

Cette nuit-là, l'image trafiquée de Lucienne me trotta dans la tête et m'oppressa. Dans mon rêve, parfois Patsy, parfois elle ou moi, on se penchait à la portière tout en souriant au client. Trois identités interchangeables qui bravaient les regards avides et méprisants de la rue. Pourquoi Lucienne mentait-elle ? Damien soupçonnait-il cet à-côté ?

À la suite de cette triste découverte, j'eus du mal à regarder mon amie en face. Qui cherchait-elle à duper avec ses belles paroles ? Pendant quelque temps, j'espaçai mes visites au 6. Puis, un après-midi en revenant du marché, Lucienne força pratiquement mon entrée. Elle s'engouffra dans mon appart au moment où j'en poussais la porte. Livide, des gouttes de sueur perlaient sur son front. Elle tremblait et ne cessait de s'excuser. Elle n'émit aucun commentaire à propos du tapis et se laissa choir sur le divan du salon. Du double fond de son sac à dos, elle extirpa une seringue remplie d'héro. Malgré son agitation, Lucienne se *shoota* avec adresse sur le dessus du pied. Elle se recroquevilla et ferma les yeux ; elle planait déjà. Je portais encore mes sacs de provisions, c'est dire à quel point les événements se bousculèrent.

Précautionneusement, je pris la seringue pour la déposer sur la table avant que mon amie ne se blesse. La G.G. me sauta au visage : « Lâche ça, conasse ! T'es devenue dingue ou quoi ? » Son attaque fut si virulente que je me serais volontiers *shootée* pour lui fermer le clapet. Malheureusement, je tenais l'arme mais il me manquait les munitions. Je tremblais de rage, d'envie et d'impuissance en regardant Lucienne.

Quand elle reprit ses esprits et fut de nouveau « lucide », un silence embarrassé s'installa entre nous. Elle pleura douce-ment, sans larmes. Après cette pause forcée, elle se résigna à parler :

— Je suis désolée, Rubby, je ne pouvais pas tenir plus long-temps. C'est de la frime tous ces discours, je peux pas m'en passer, mieux vaut crever ! C'est si bon... si dégueulasse !

Je n'osais pas la toucher ni la prendre dans mes bras tant elle paraissait fragile. Elle releva la tête, semblant lire dans mes pensées, et reprit :

— Damien n'en sait rien, ça le tuerait. Il pense que je suis des cours. Tu sais, c'est plutôt cérébral entre nous et je garde toujours mes bas...

Lucienne esquissa un pâle sourire. Elle se calma peu à peu et je lui promis de ne rien dire à Damien, le temps qu'elle rassemble le courage nécessaire pour lui parler. Dans cet inter-valle, je préférais encore qu'elle se drogue chez moi au lieu de le faire dans la rue. Elle m'expliqua qu'il s'agissait seulement de sa troisième dose depuis sa rechute récente. Elle n'avait pas prévu que son copain rentrerait du travail à cette heure. Voilà pourquoi ma présence providentielle dans le couloir lui avait sauvé la mise. Damien la talonnait sans le savoir.

La supercherie dura une dizaine de jours. Lucienne pleura beaucoup, s'excusa, pleura encore. Finalement, un vendredi soir où nous étions tous réunis chez Marc, la vérité éclata. Damien tomba des nues tandis que Marc accusa le coup sans broncher – il en avait vu d'autres. Damien fixa sa compagne d'un regard incrédule ; il voulait savoir depuis combien de temps elle le trompait ainsi. Sa question ne comportait pas autant un reproche qu'une immense détresse, comme un naufragé qui voit son compagnon d'infortune sombrer dans les flots. Je me sentis coupable d'avoir participé à cette mascarade. Pourtant, Damien me remercia d'avoir, en quelque sorte, limité les dégâts.

Il n'y eut pas de querelle, pas d'éclats de voix, uniquement une profonde déception.

À la fin du mois, Damien nous annonça qu'il quittait la ville. Lucienne, désemparée, me demanda de l'héberger le temps qu'elle reprenne pied. Malgré les avertissements de Marc, j'acceptai de l'aider. Lucienne avait besoin de moi et ce sentiment d'être utile à quelqu'un me gratifiait. Pour une fois, quelqu'un sur cette planète s'avérait plus amoché que moi. Je souhaitais la sauver comme j'avais voulu sauver Yan autrefois. Ce fut la décision la plus désastreuse de ma vie.

Ma résistance à l'héro fut à mon image : passive et faible. Bien vite, l'argent manqua et je dus renouer avec la rue : ses odeurs, sa faune et sa loi. Au début, j'acceptai uniquement de faire des pipes ; cela comportait moins de risques et me permettait de ne pas recourir au soutien d'un réseau. J'accomplissais ce geste dans la voiture du client la plupart du temps, parfois dans une ruelle ou dans un parc. À travers ce merdier, je parvenais quand même à me créer une routine, un genre de plan de match. Je fainéantais toute la journée, je sautais ma médication du soir et je partais travailler vers vingt et une heures. Selon mes gains, je rentrais entre deux et trois heures du matin et Lucienne m'injectait ma dose. Elle veillait au ravitaillement et son *dealer* démontrait sa fiabilité en lui refilant de la bonne came. Pour ne pas effrayer le gibier, j'évitais de me piquer sur les mains. Je ne voulais pas ressembler à ces filles dont les bras rappelaient une carte routière. Je consommais modérément tandis que Lucienne s'enfonçait inexorablement. Dans ce temps-là, je me maquillais très peu : une fine ligne noire sur la paupière. Avec le temps, je forçai la note un peu trop. Résultat : aujourd'hui, j'ai l'air d'une pauvre cloche !

Grâce à ses nombreux contacts, Arliette finit par connaître ma vérité. Elle rappliqua en quatrième vitesse. En pénétrant dans l'immeuble, elle tomba sur Marc et, le croyant responsable de mes déboires, elle lui paya une traite mémorable. Intriguée

Ailleurs

par tout ce grabuge, je risquai un œil dans le couloir et je reconnus alors mon amie. Le choc passé, je ne pus m'empêcher de sourire. Aussitôt qu'Arlie m'aperçut, toute sa hargne s'envola et elle courut vers moi. C'est fou comme j'aimais cette femme ! Souvent, je lui disais en riant que si elle avait été un mec, je l'aurais certainement épousée...

En voyant le bordel dans la cuisine, Arlie eut un mouvement de recul et souffla :

– Ma pauvre chérie, tout va bien aller maintenant. Je suis là, mon poussin, je suis là !

Jamais je n'avais vu mon amie aussi affligée. À cet instant précis, une peur terrible, une trouille à la puissance dix me submergea. Rien de comparable à ce que j'avais connu jusqu'ici. Je sentis une main brûlante me broyer les viscères et liquéfier mon cerveau. Face à l'attitude déconcertée d'Arlie, la situation m'apparut grave. « Grave que tu dis, poufiasse ! C'est pire que ça. Je me tue à te le répéter depuis des mois, conasse ! T'es dans la merde jusqu'au cou ! » Ma copine me fit une bonne demi-douzaine de propositions, mais pas une ne me convenait. Sous aucun prétexte je n'aurais abandonné mon indépendance et ma liberté, même pour habiter avec ma meilleure amie.

Je réalisai qu'en repoussant son aide, je la blessais et j'ajoutais à sa confusion un vernis d'accablement. Elle voulut m'éloigner de Lucienne et de son influence néfaste. Maintenant qu'elle savait Marc hors du coup, elle braqua ses foudres contre ma coloc. Par chance, cette dernière était absente, sinon elle aurait passé un très mauvais quart d'heure. Au terme de longs pourparlers, nous en vînmes à un compromis : elle m'accordait un mois de sursis pour cogiter. Passé ce délai, je lui ferais part de ma décision.

Arlie se montra plus détendue en me quittant. De mon côté, derrière la porte close, je pleurai beaucoup.

Je me souviens de cette scène avec une clarté étonnante. Je dus la rejouer au bas mot une centaine de fois dans ma tête.

Comme si un simple *remake* pouvait modifier le cours de mon existence. Tout au plus, ma conscience s'apaisa, rendant ma faute plus supportable, presque vénielle. Ces larmes appartenaient-elles à l'événement original ou au *remake*, je ne saurais le dire. Ce fut la dernière fois que je vis Arlie. Un matin, à mon retour d'une nuit particulièrement pénible, Lucienne m'annonça qu'on l'avait retrouvée pendue dans son appart.

La nouvelle fut dévastatrice et l'onde de choc foudroyante.

Lucienne, cette éternelle immature, manquait de subtilité et aimait le sensationnalisme, trois ingrédients hautement toxiques et très efficaces pour répandre une telle catastrophe. Assise à la table de la cuisine, j'attendais qu'elle me donne mon injection. J'avais la bouche ouverte, le bras sanglé et le cœur en bouillie. Elle dut prendre mon silence pour une invitation, car elle poursuivit sur sa lancée ; j'étais impuissante à la faire taire. Je revis Arlie m'embrasser et m'arracher la promesse de penser à sa proposition de cohabitation. Il s'agissait sûrement d'une erreur : impossible qu'elle finisse ses jours en se balançant au bout d'une corde à se pisser dessus... L'héro et la mort de mon amie s'insinuèrent dans mes veines comme un poison mortel flouant ma vie. Lucienne finit par aller se coucher et je restai de longues heures seule. Même la G.G. m'abandonna à mon sort.

Je me levai, j'empruntai les sillons du couloir et je marchai...

Je marchai à travers l'appartement.

Je marchai à travers mes souvenirs jusqu'au jour où j'avais rencontré Arlie, la première fois, dans ce poste de police délabré.

Je marchai à travers mon cauchemar.

Je marchai dans la nuit sans comprendre, sans accepter.

Jamais je n'ajoutai foi à la thèse du suicide. Arlie aimait trop la vie pour la détruire volontairement. Elle avait traversé de dures épreuves sans flancher, en sortant toujours plus forte et plus épanouie. Dans cette tourmente, Marc me fut d'un grand secours. Il se rendit au commissariat responsable de l'enquête pour s'informer des circonstances entourant le décès de mon amie. Je devins allergique au mot « suicide » ; personne n'osa plus le prononcer en ma présence. Lucienne l'ayant appris à ses dépens, elle se montra un tantinet plus nuancée dans ses propos. Marc me rapporta que Jack, le frère d'Arliette, l'avait trouvée, vêtue d'un habit d'homme, le crâne rasé, une missive expliquant son geste sur la table. Elle y mentionnait son changement de sexe, ses regrets et l'impossibilité de faire marche arrière. Balivernes et conjectures ! D'abord, Arlie se faisait une joie de revoir son frère qui vivait à Londres et de l'héberger quelques jours. Jamais elle n'aurait eu le mauvais goût de le laisser découvrir son cadavre. Ensuite, mon amie raffolait de sa chevelure, sa fierté : pour rien au monde, elle ne l'aurait rasée. Et enfin, elle avait choisi et assumé sereinement sa métamorphose. Dans son cœur et jusqu'au bout des ongles, elle représentait la femme la plus féminine que j'avais eu l'honneur de connaître, et ce, même si elle possédait de grands pieds, comme le claironnait la G.G. Rien ni personne ne pouvait nier cette vérité.

Je me sentis incapable d'assister à ses obsèques. Par contre, pour honorer sa mémoire, je demeurai abstinente et me cloîtrai pendant trois jours : interdiction de pilules, de drogue, d'alcool et de sexe. Même Lucienne se dénicha un abri temporaire. Cette période de chasteté fut intense, éprouvante ; pourtant, cela m'apporta du réconfort. Vautrée dans le noir, en manque, m'engueulant avec la G.G. et persuadée que les hommes en noir allaient débarquer, je pleurai Arlie et maudis cette putain de vie. Mon fils se retrouva en quarantaine, je le jugeais trop frêle pour assister à cette cérémonie du souvenir.

Au sortir de cette transe, je résolus de plonger et d'élargir mes horizons. La présence de Lucienne m'irritait mais, avant de la larguer, je devais être en mesure de m'autosuffire, question substances et technique. Avant de déménager, elle honora ce contrat et me fit une dernière fleur : elle m'introduisit auprès du gérant du motel Lys d'Or. Il s'agissait d'un endroit bien situé et très fréquenté, où l'on changeait les draps régulièrement et où la commission exigée par le gérant s'avérait raisonnable. Je me piquais chez moi avant d'aller travailler, car on interdisait formellement cette pratique au motel, on ne tolérait aucune dérogation. Armée de mon crayon à paupières, je pouvais affronter tous les mecs sauf Marc. Sa bonté et sa compréhension m'humiliaient, me blessaient. On croit à tort qu'une pute n'a pas de fierté, alors que moi, j'avais si mal au contact de mon ami. J'aurais préféré le craindre comme autrefois ; au moins, j'aurais pu réagir en fuyant. Tandis que là, mon sourire dissimulait un mensonge de plus, un malaise inexprimable. Une part de moi-même pensait ne pas mériter l'attention et la main tendue de Marc. Ma situation n'était pas aussi précaire que celle de certains jeunes itinérants. Mon copain devait avoir des priorités autrement urgentes que ma petite personne, surtout à l'approche des fêtes !

Un autre événement précédant la mort d'Arlie me suppliciait : l'oubli du premier anniversaire de naissance d'Olivier. Depuis mon premier *shoot*, les mois se volatilisaient comme par magie. C'était en m'émerveillant de ses progrès que l'évidence m'avait frappée : mon fils avait un an révolu. Je me sentis indigne et je décidai de réparer cette erreur en fêtant Noël avec lui. Quand je scrutais ma mémoire, mes propres Noëls d'enfant entourée de Lucie, Paul et Marie réchauffaient ma nuit. Tout semblait si simple alors, on me cajolait et on m'aimait. Maintenant, il me revenait de perpétuer cette coutume auprès d'Olivier. De plus, mes gènes réclamaient expressément cette transmission. Je ne pouvais laisser ces souvenirs d'amour pourrir dans ma pauvre tête.

Je comptais réveillonner avec mon fils, ensuite faire une sieste, puis rejoindre ma mère pour souper. Ce programme m'accordait le répit nécessaire pour récupérer, car je ne me piquerais pas à Noël – je m'étais fait cette promesse. Mon corps montrait des signes de fatigue, ma peau se cicatrisait moins bien. Voulant éviter les abcès, je tenais à espacer la fréquence des injections et je recherchais de nouveaux sites non infectés.

Ailleurs

Le 24 décembre, je rentrai vers vingt et une heures trente, complètement fourbue. Mon dernier client s'était montré difficile et insatiable ; seule une contorsionniste l'aurait satisfait. Dans un bain chaud et moussant, mes muscles endoloris retrouvèrent un semblant de souplesse et ma tête un peu de cohérence. Une dizaine de chandelles éclairaient l'appart, c'était relaxant. Loquace, Olivier voulait tout connaître de l'étoile de Bethléem. En montant la table, je lui racontai ma version des faits. En m'appliquant à reconstituer l'Histoire avec vraisemblance, l'émotion me gagna. Ma solitude m'apparaissait moins attrayante que prévu, surtout en cette veille de Noël.

Tous les êtres chers que j'avais aimés me chuchotèrent de les rejoindre ; de simples murmures, mais leur message me parvint clairement. Olivier me regarda d'une façon étrange, comme s'il soupçonnait quelque chose. Heureusement, ce dérapage dans l'au-delà s'estompa au bout de quelques minutes. Je réalisai que j'avais failli succomber à la tentation. Je déplorais presque l'absence de la Grande Gueule. Elle aurait fait diversion, car à moi seule j'y arrivais mal.

Je refoulai mes larmes et décidai d'exécuter quelques pas de danse pour mon fils. Je tourbillonnai dans la cuisine en lui lançant des baisers. Il souriait, ses petites mains tendues vers moi. Sans prendre garde, j'accélérai l'allure et heurtai le cabaret posé sur le comptoir. Par ricochet, la bouteille de vin bascula et je la rattrapai avant qu'elle ne se fracasse sur le sol. À bout de souffle, pliée en deux mais très fière de mon exploit, je me tournai vers mon fils pour qu'il admire mon adresse. Je restai pétrifiée : le rideau au-dessus du lavabo flambait. Incapable d'une saine réaction, je regardai la petite flamme de la bougie s'engrosser au contact du tissu et grimper à l'assaut de la fenêtre. Plutôt que d'arracher le rideau et d'ouvrir le robinet, je reculai de quelques pas. La G.G. hurlait tandis qu'Olivier pleurait.

J'atterris dans le couloir de l'immeuble en hurlant à mon tour et je tambourinai à la porte du 6. Quand Marc m'ouvrit, la fumée me dénonça ! Aidé de plusieurs amis, mon copain maîtrisa le début d'incendie mais ma cuisine se retrouva dans un piètre état. Marc conclut une trêve avec Robocop et m'hébergea pour la nuit.

Le 25 décembre, comme convenu, je soupai avec Marie.

23

La débandade

Le lendemain de Noël, Marc négocia ma reddition en échange de la promesse qu'on ne porterait aucune charge criminelle contre moi. En effet, lorsque Robocop aperçut les sillons du tapis et les chandelles dispersées un peu partout dans le logement, ma condamnation tomba. La honte me paralysa. Tous ces visages m'observèrent en examinant le tapis, les chandelles et la table dressée pour deux. Discrètement, mon copain s'assura que personne d'autre ne se trouvait dans l'appart. Tout le monde semblait convaincu qu'un visiteur mystérieux se planquait dans le placard à balais, prêt à surgir. « Cherchez l'intrus et il vous désignera la folle du logis ! » railla la G.G. Je me sentis très petite. Je souhaitai seulement disparaître.

Marc me dénicha temporairement une place dans une maison d'hébergement en trafiquant la raison de mon expulsion. Pour le coup, on m'accueillit telle une femme victime de violence psychologique ; avec mon allure, j'endossais ce rôle à merveille. Je vécus dix jours à l'Abri du Vent mais je ne réussis jamais à m'adapter.

Parés des meilleures intentions, les pensionnaires et, parfois, le personnel violaient inconsciemment ma bulle. Mon espace vital en souffrait et se réduisait au minimum : un lit et une armoire en tôle. En prison, on jouissait de plus d'espace, on occupait sa propre chambre. À l'Abri, on me jumela à Maude, une femme de trente ans, et à Pénélope, sa fille de cinq ans. Ce prénom me fit un drôle d'effet ; je l'associais à des personnages mythiques et légendaires, pas à des vraies personnes. Pourtant, la Pénélope de Maude était bien réelle et, comme beaucoup d'enfants, elle se révéla déroutante, imprévisible et touche-à-tout.

Je sautais les repas pour éviter de me retrouver en société, mais une aide naturelle, covictime comme moi, ou une employée m'entraînait parfois presque de force jusqu'à la salle à manger. Quel cauchemar, des femmes et des enfants partout ! À l'hôpital, la situation m'apparaissait plus tolérable : j'étais une schizo-junkie entourée de maniacos, d'autres schizos et de dépressifs. Les enfants n'encombraient pas les corridors et je n'avais pas à faire semblant d'être normale comme ici. Ça exigeait beaucoup de moi de paraître normale mais perturbée...

La construction de la maison datait de 1948 ; on le constatait en lisant l'inscription gravée dans la pierre en chiffres romains, au-dessus de la porte d'entrée. On comptait dix chambres, deux salles de bain, un immense salon-salle de jeu ainsi qu'une cuisine qui faisait office de salle à manger. Le sous-sol servait de buanderie ; on y entreposait aussi les denrées non périssables et les effets personnels des bénéficiaires. Le quartier était paisible, parsemé d'espaces verts – comme dans mon enfance. Je me savais très chanceuse d'avoir déniché une place vacante en cette période de l'année. Comme me l'apprit Maude, je succédais à une victime retournée alimenter son bourreau. Malheureusement, cette étape quasi incontournable faisait partie du processus de détachement : la pensée magique que le tortionnaire s'est amendé. Pénélope avait fortement réagi à cette défection et, depuis, elle réclamait son père à grands cris. Elle faisait peine à voir ; sa mère, dont le visage portait encore les marques de coups, tentait de la consoler. Olivier ne connaîtrait jamais cette vie d'enfant déchiré par l'espoir et les trahisons. Cette mince consolation me maintenait à flot.

Un après-midi où Pénélope participait à une activité de groupe au salon, sa mère m'aborda.

Ailleurs

– Je peux te poser une question ?

Maude agissait habituellement de manière très réservée, sa demande devait donc cacher un urgent besoin d'aide. Cela me mit sur les dents ; toutefois, je lui fis un grand sourire pour l'encourager à poursuivre.

– Je devrais retourner avec lui ou pas ? Ce serait si simple !

Le doute et le désespoir chiffonnaient son doux visage. Sa confiance me toucha et m'embêta. Étant novice en matière de violence conjugale, j'avais peur de ne pas lui donner un avis éclairé. Cependant, je ne pus m'empêcher de répondre d'un ton un peu trop catégorique :

– T'es pas sérieuse ?

J'inspirai profondément pour atténuer le malaise qui grandissait en moi et j'ajoutai :

– Tu dois penser à ta sécurité et à celle de Pénélope. Son père l'a déjà touchée ?

Elle fit non de la tête.

– Il n'a pas toujours été violent, tu sais ! Autrefois, il était charmant. Il y a quatre ans, il a perdu son job et il a commencé à boire. Il dit qu'il ne peut pas vivre sans nous !

En prononçant ces derniers mots, je vis avec horreur que ses yeux brillaient. Quelle catastrophe ! J'aurais voulu la secouer et lui montrer son reflet tuméfié dans une glace.

– En as-tu parlé avec Chantal ? Elle saurait sûrement te conseiller. C'est une pro, après tout !

Femme énergique et remarquable, Chantal était la responsable du refuge. Elle considérait chaque pensionnaire comme un membre de sa propre famille.

– Oui, bien sûr, nous parlons beaucoup. Elle m'accompagne dans mes démarches extérieures, elle est vraiment formidable. Je ne voudrais pas la décevoir.

Les épaules de Maude s'affaissèrent. La dure réalité sembla la rattraper peu à peu.

Sur ses entrefaites, Pénélope bondit dans la chambre et tendit un dessin à sa mère. L'arrivée de la petite me soulagea. Je réalisai qu'il était grand temps pour moi de quitter cet endroit. D'autant plus que mon brusque sevrage me mettait les nerfs à vif et le cœur au bord des lèvres. Je ne pouvais être d'aucun secours pour qui que ce soit. Et puis, je privais une victime potentielle d'un abri salutaire.

Je fis mes adieux à Maude à la hâte et rejoignis Marc au rez-de-chaussée. Il se trouvait en grande conversation avec Pénélope et un garçon du même âge. Cela me renversait de voir mon ami créer si facilement des contacts. Je l'enviais car je n'étais même pas fichue de le faire aussi intensément avec mon propre fils.

Mon nouveau logement se situait près du pont Jacques-Cartier, dans un immeuble de vingt unités. J'habitais au troisième étage, au fond du couloir, près de la sortie d'urgence. En rigolant, Marc vérifia le détecteur de fumée et me recommanda d'éviter les fondues pour un certain temps. Je comprenais mal qu'il veuille encore m'aider ; je représentais un vrai danger, une calamité ambulante. Je me sentais indigne de son amitié, pourtant il me témoignait amour et respect. Marc me savait rudement éprouvée par la mort d'Arlie et il craignait de me savoir seule. Il songea même à déménager pour se rapprocher, mais nous étions parfaitement conscients que ce projet admirable s'avérait irréaliste. Avant son départ, je lui promis de prendre rendez-vous avec Bélaski. De son côté, il m'apporterait de la documentation sur les Narcomanes Anonymes.

Cette première nuit en solo ne fut pas évidente. Le visage de Maude m'obsédait ; j'espérais qu'elle tenait bon et qu'elle ne retournerait pas dans les bras de son plouc ! Parmi mes clients, certains correspondaient à ce profil : de véritables incapables chroniques ! Incapables de bander et c'était la faute de leur femme, incapables d'obtenir une promotion et c'était encore la faute de leur femme... Toujours la même rengaine sur des accords différents ! Ils me parlaient de l'amour qu'ils portaient

Ailleurs

à leur conjointe avec la même fougue qu'ils devaient mettre pour la corriger. Cette violence gratuite était déjà terrible en elle-même mais elle devenait infernale lorsqu'on y mêlait une enfant comme Pénélope. Je serrais les poings de rage et de mépris quand Dana murmura : « Tu n'y peux rien, mon ange, tu ne peux pas sauver le monde ! Calme-toi, tu te blesses inutilement. » Dana intervenait rarement dans ma vie mais, lorsqu'elle le faisait, c'était comme si mon grand-père m'ouvrait les bras, comme si je retournais au bercail, avant que toutes ces années de folie ne s'abattent sur moi et brisent ma raison. Je m'endormis en souhaitant que Maude et sa fille s'en sortent.

Au réveil, mes démons s'agitaient, la Grande Gueule en tête. Je ressentis un besoin urgent de came. Ma peau me démangeait, mon thermomètre interne se déréglait et mon cœur s'affolait. Après un bon *hit*, je serais en mesure d'entrer en contact avec Bélaski. J'en avais pris l'engagement envers Marc et je le respecterais. La G.G. ne se priva pas de me donner son avis : « Brave petite fée, une vraie femme de parole ! Elle se *shoote* en lisant son bréviaire des douze étapes des N.A. et court pleurnicher chez sa psy. » Tant qu'elle débitait ses sarcasmes, ça signifiait au moins que je vivais encore !

Je mis une éternité – trois heures – à me procurer de l'héro, car mon *dealer* se disait en rupture de stock. Il ne me jouait pas ce vilain tour pour la première fois ; je le soupçonnais même de chercher à se débarrasser de ma petite personne. Pourtant, je payais toujours le prix exigé et jamais je ne critiquais la qualité du produit. Je m'injectai en marmonnant des injures à son endroit tandis que la G.G. filait à l'anglaise. Merveilleux silence, merveilleuse paix !

Deux jours plus tard, je m'assis sagement en face de Bélaski tandis que Marc m'attendait dans la salle à côté. Je me savais sur une pente dangereuse, ô combien familière : les hommes en noir, les complots, la G.G.... Tous ces éléments s'amalgamaient afin de précipiter ma perte. Je devais jouer serré si je voulais éviter l'internement. Cependant, j'avais l'expérience de ma folie ; il était hors de question que je me laisse manipuler. Le docteur tenterait d'abord d'obtenir mon accord pour l'hospitalisation, et je n'étais pas disposée à perdre ma liberté. Bélaski ne pouvait pas me voler mes pensées, mais valait peut-être mieux cesser mes divagations, au cas où ! L'entrevue se déroula plutôt bien, jusqu'à ce qu'elle mentionne le nom d'Arlie.

– Parle-moi de ton amie Arliette.

Question maudite qui entraînait dans son sillage des questionnements encore plus vicieux. Qui avait lâché le morceau ? Ça ne pouvait être que Marc, car le meurtre déguisé en suicide d'un transsexuel ne pouvait retenir l'attention d'une psy ! « Réponds, conasse, et cesse de te prendre pour Sherlock Holmes. C'était un suicide, idiote ! » La G.G. semblait furieuse, je la poussais dans ses retranchements.

– Y a rien à en dire.

Frôlant la panique, je priai pour qu'elle se contente de cette réponse laconique.

– Comment vis-tu sa mort ? Un suicide, c'est difficile.

Vivre sa mort, quelle antithèse, bordel ! Comment peut-on vivre une mort ? On la subit, c'est déjà assez ! Et j'en avais marre, qu'on parle de suicide ! « Déconne pas, poufiasse ! Mets-la en veilleuse ! » s'égosilla la G.G., me mettant en garde. Je lâchai le morceau.

– Elle s'est pas suicidée, c'était un meurtre.

La G.G. en resta coite. En prenant la défense de mon amie, j'éprouvai une grande fierté.

– Continue, Rubby, je t'écoute.

Elle recula sa chaise et s'adossa confortablement, prête à entendre la confirmation de mon délire. Je détestais ces questions ouvertes où l'on était libre de se pendre ! Si je déballais mes soupçons, elle me jugerait complètement parano, donc dangereuse, donc « internable », avec ou sans mon consentement !

Ailleurs

Je regardai son diplôme accroché au mur et, pendant une fraction de seconde, je la pris pour un imposteur. « Allume, petite fée, c'est Bélaski, ta psy préférée ! » La G.G. ne parlait jamais autant chez un doc ; ça me troubla.

– Arlie adorait la vie. On ne se suicide pas quand on adore la vie ! Et puis, si elle avait vraiment voulu se tuer, elle aurait choisi une fin spectaculaire, genre se jeter du pont Jacques-Cartier à l'heure de pointe !

Mais qu'est-ce qui me prenait ? Je débloquais complètement !

Si Bélaski dissimulait une sonnette d'alarme sous son bureau, des préposés devaient déjà être en alerte. Il ne me restait qu'une issue : la fuite. Je saisis mon sac à main et pris mes jambes à mon cou. Marc me rattrapa devant l'immeuble et trottina à mes côtés sans prononcer une seule parole. Je filai droit devant, sans but, cherchant seulement à mettre le plus de distance possible entre la médecine et moi. Après vingt minutes de ce train d'enfer, j'entrai dans un bistro et me laissai choir sur une banquette. Marc s'installa en face de moi.

– Pourquoi est-ce que personne ne me croit quand je dis qu'on l'a tuée ?

Je ne formulais pas une question et encore moins un reproche, simplement ma vérité personnelle. Mon ami m'expliqua qu'il avait agi ainsi dans mon intérêt, non pour me nuire. J'aimais bien Marc. Je pouvais donc tout lui pardonner, même sa trahison et son scepticisme. Je finis par retrouver mes moyens et mon copain me raccompagna à mon appart. Cette fois-ci, aucune promesse ne fut échangée, car ma maladie s'insinuait désormais entre nous et rognait ma confiance.

La peur de voir surgir une ambulance me hantait continuellement ; je décidai donc de libérer mon logement rapidement. C'était dommage car j'avais payé pour le mois courant et jamais je ne pourrais récupérer ma mise. Toutefois, il me restait suffisamment d'argent pour subsister jusqu'au prochain chèque d'aide sociale. Si nécessaire, j'arrondirais mes gains avec quelques clients au Lys d'Or, puisque j'y avais encore mes entrées. Malgré tous ces déménagements, je conservais précieusement ma barque et ses trois rameurs, cadeau posthume de Pierre. En cette triste journée, leur détresse m'apparut encore plus flagrante. Je fourrai quelques vêtements chauds dans mon sac à dos et glissai mon bibelot dans un bas de laine.

Grâce à Marc, je connaissais des endroits viables où dormir. Cependant, durant la journée, nous devions retourner dans la rue et nous débrouiller. Ces restrictions me convenaient tout à fait car ça m'évitait de socialiser. Les hébergements pour femmes étaient plus sécuritaires que ceux pour hommes en raison du nombre limité de places ; moins de monde, moins de bagarres, moins de vols... Néanmoins, je gardais toujours mon sac à dos à proximité et j'attachais une des lanières aux barreaux du lit. Dans certains endroits, on me confirma que ces précautions s'avéraient nécessaires. Mon argent et mes papiers personnels ne me quittaient jamais, même sous la douche. Les paramètres et les lois de ce monde différent, étrange, m'échappaient. Jusqu'à présent, j'avais joui d'un privilège considérable : un toit sur la tête.

À cette époque, tout devint précaire, à commencer par ma santé mentale. Autant, dans ma jeunesse, j'avais traversé une phase où je planifiais mes moindres gestes, autant, à vingt-quatre ans, je ne pouvais prévoir mes lendemains. Je constatais mon peu d'importance ; avec ou sans moi, le monde poursuivait sa marche inexorablement. La Grande Gueule soutenait cette idée : « Marche, conasse ! Ça te fera les pieds. T'es qu'une larve insignifiante ! »

Enfant, j'avais la hantise que Godzilla ne dévaste ma ville ou qu'un raz-de-marée ne l'engloutisse. Certes, j'avais peur de mourir mais je craignais davantage que ma mère, mes grands-parents et Husshy ne disparaissent en me laissant seule derrière. Je priais donc tous les soirs en demandant à Dieu de me rappeler auprès de lui la première. Et puis, un jour, j'avais

Ailleurs

cessé de prier et de croire aux reflets des petites filles dans les miroirs ! J'avais grandi et j'étais devenue égoïste. Aujourd'hui, mes craintes d'antan se matérialisaient. Ceux que j'aimais reposaient sous terre sauf Marie et, à l'encontre de mes prières, traîtreusement, je poursuivais mon chemin sans eux. Je me sentais comme une petite vieille au cœur bourré de fantômes. J'en étais arrivée à un stade où je n'osais même plus pleurer avec mes yeux afin de me montrer forte. J'avais mal en sourdine, mais je gardais mon énergie pour survivre. Si je dévoilais ma fragilité, je ne donnais pas cher de ma peau ; la rue m'écraserait.

Dans ces premiers jours d'errance, je pensais souvent à Rock, le père de mon fils. Je me plaisais à croire qu'Olivier, un bel enfant charmeur, aux traits délicats et aux yeux en amande comme Patsy, lui ressemblait physiquement. Mon ex purgeait une sentence dans un établissement fédéral ; j'expliquais à Olivier pourquoi il demeurait dans cet endroit. Pour m'aider à trouver le sommeil, j'imaginais un tout autre dénouement à notre idylle passée. Grâce à ce *remake*, je puisais le courage d'avancer.

Sans ménagement, la G.G. me ramenait les deux pieds sur terre : « Cesse de rêver, poufiasse ! T'es dans la rue, à faire le trottoir ! Ça s'arrête là. »

Sur mon parcours d'itinérante, je croisais un endroit extraordinaire où je grappillais un peu de réconfort : Chez Emma. Au gîte de l'Armée du Salut, la fille qui occupait le lit en face du mien m'avait parlé de ce refuge pour femmes en difficulté. Une belle légende entourait sa création. Emma, une jeune prostituée, rêvait d'un endroit où elle pourrait se reposer sans que personne la juge ou lui pose de questions embarrassantes. Un espace sans humiliation où la tolérance et l'acceptation prévaudraient. Elle ne démordait pas de son idée ; dans la rue, on la surnommait affectueusement Emma-la-rêveuse. Où qu'elle se trouvait, sur le trottoir, dans un café, à la gare, elle parlait de son projet avec tant de conviction et d'enthousiasme que, progressivement, elle brisa l'isolement et insuffla l'espoir dans le cœur des filles. Le bruit courait même qu'un fonds existait dans ce but. Et puis, à l'âge de vingt-deux ans, Emma fut assassinée. L'histoire voulait qu'un mécène, qu'on prétendait être un ancien client d'Emma, s'était porté acquéreur d'une maison centenaire et avait créé en sa mémoire le refuge actuel. Aujourd'hui, en plus d'accueillir les femmes qui traversaient une passe difficile, la maison proposait plusieurs programmes et activités. Ce centre de jour ouvrait ses portes de sept à dix-sept heures et distribuait des déjeuners et des dîners.

Un beau matin, je décidai de m'y rendre. Lorsque j'y mis les pieds, je compris que la personne qui m'en avait parlé n'exagérait pas. L'endroit dégageait une atmosphère de complicité et de camaraderie propice aux échanges tout en respectant l'intimité, l'intégrité et les limites de chacune. La seule exigence consistait à s'acquitter d'une tâche ménagère. À l'entrée, on donnait son nom à une préposée et l'on réservait pour un ou deux repas.

L'abri comportait plusieurs pièces ; ma préférée se trouvait au troisième étage, sous les combles. Trois belles lucarnes agrémentaient cette chambre dénudée. Le plancher en bois franc avait perdu son lustre et pris une chaleureuse teinte caramel brûlé. Le local n'était pas populaire car il y faisait froid l'hiver et très chaud l'été ; de plus, pour éviter les risques d'incendie, on nous interdisait d'y fumer. Je m'installais sur un coussin à côté de la fenêtre du fond et j'observais les gens aller et venir au refuge. Beaucoup d'étudiants habitaient le quartier. Je pensais en mon for intérieur qu'ils aimaient flirter avec la pauvreté parce qu'ils pouvaient s'offrir ce luxe. Cette idée m'ulcérait et me blessait, mais je n'arrivais pas à m'en défaire.

Parfois, une femme approchait son coussin de la lucarne la plus éloignée de moi. On aurait dit un ange égaré dans notre monde. Âgée d'une trentaine d'années, son corps gracile ployait sous une abondante chevelure rousse. Son regard candide accentuait la fragilité de sa physionomie, éveillant chez ses interlocuteurs un besoin impérieux de la protéger. Son sourire cachait une timidité et un malaise indiscernables. Sa vue me

Ailleurs

troublait ; j'avais peur pour elle et, en même temps, ça me fascinait de voir qu'elle survivait dans notre dimension depuis toutes ces années ! Je ne connus jamais son nom – on ne s'adressait même pas la parole. La dernière à pénétrer dans la pièce souriait à l'occupante ; c'était bien ainsi.

À l'occasion, une femme prénommée Marie-Paule s'installait à ma table pour dîner. Elle parlait peu et restait, tout comme moi et l'ange du troisième, à l'écart du groupe. Son visage constellé de ridules et ses yeux semblaient emmagasiner une profonde sagesse. Elle affichait un air résigné mais serein. Un midi, tandis que nous achevions notre repas, elle dit :

– Tu me trouves misérable et pourtant je m'en suis sortie !

Je fis mine de protester, mais elle m'en empêcha en poursuivant :

– J'ai pas l'habitude d'écœurer les autres avec mes histoires, alors je serai brève. Tu me ressembles. Voilà pourquoi j'aimerais t'aider. Les voix seront toujours là, quoi que tu fasses. Le danger, c'est de les remplacer par quelque chose de pire ! La misère, c'est triste, mais enrobée de drogue ou d'alcool, c'est cruel et ça devient carrément infernal !

Elle prit son cabaret et s'éclipsa dans la cuisine. Dans le même mouvement, une intervenante s'approcha et m'attribua la tâche de nettoyer les tables. Soulagée, je saisis cette chance pour me donner une contenance car les propos de Marie-Paule m'avaient ébranlée. Ma maladie et ma dépendance aux drogues devaient sauter au visage pour qu'une pure étrangère me prédise l'avenir sans même consulter les cartes de tarot !

Cette nuit-là, je fis un horrible cauchemar. J'avais le corps couvert d'abcès ; lorsqu'ils éclataient, une larve en sortait. Je criais comme une déchaînée et Marie-Paule accourait, brandissant une énorme seringue remplie de vers grouillants. Elle se moquait : son rire rappelait celui de la G.G. Je m'éveillai en catastrophe pour constater que Danielle, l'intervenante de nuit, me secouait doucement l'épaule. J'avais dû faire tout un boucan ! Elle m'apporta un verre d'eau et demeura auprès de moi le temps que je reprenne mes esprits. Je ne remis pas les pieds Chez Emma du reste de la semaine et me limitai à une dose d'héroïne par jour. Quelques heures d'un merveilleux silence, d'une merveilleuse paix ! La prédiction de Marie-Paule me taraudait l'esprit parce que je la savais juste. Je n'avais rien contre le fait de lui ressembler plus tard, mais trente ans d'embûches m'en séparaient.

J'arpentais les rues et les ruelles du quartier dans tous les sens. Je connaissais tous les cafés et bistros du coin. Certains commerçants usaient de tactiques particulières pour dissuader les clients indésirables et les vagabonds. Les toilettes demeuraient toujours verrouillées ; pas question qu'un passant puisse se soulager sans d'abord commander quelque chose. Il fallait demander la clé à la caissière ou encore attendre qu'elle daigne en actionner l'ouverture électrique. Une grande chaîne utilisait un autre système tout aussi efficace : on accédait facilement aux toilettes mais le chauffage fonctionnait au maximum, tant et si bien qu'au-delà de cinq minutes l'évanouissement vous guettait. Une autre technique consistait à nettoyer la table aussitôt la dernière gorgée de café avalée ! En desservant, l'employé demandait sans subtilité si l'on désirait commander autre chose. En règle générale, le maximum de temps toléré pour un café simple n'excédait pas soixante minutes. Pour une itinérante, ce répit s'appréciait à sa juste valeur. Élevée dans le nord de la ville où ces mesquineries n'existaient pas, je me sentais plus petite et plus malade que jamais dans ce contexte.

Ma situation m'apparaissait irréversible et gangreneuse. La G.G. m'accompagnait presque en permanence ; seule l'héroïne réussissait à lui fermer le clapet. Prix élevé à payer pour quelques heures de silence et de paix. De surcroît, comme je le craignais, mes bras commençaient à ressembler à une carte routière et la ligne de crayon noir sur mes paupières épaississait à vue d'œil. J'aurais tant voulu disparaître derrière ses frontières ! La G.G. me traitait de traînée et de tarée : « Vise-moi cette pute parée de ses peintures de guerre ! Même pas foutue de racoler pour la peine ! » Je dérivais sans chercher à

Ailleurs

m'accrocher à quoi que ce soit. Je m'imaginais suçant des verges à m'en irriter les babines, entourée d'hommes en noir ! Profondément minable, mais c'était ma vie, et mon cœur s'obstinait à battre. Ma mémoire fuyait ; ça valait mieux ainsi, ça faisait moins mal.

Par contre, lorsque mon fils insistait pour que je lui parle de mes grands-parents, ma mémoire revenait en vrac. Je n'arrivais plus à discerner le réel du fictif. Olivier voulait aussi savoir pour Maggy : « Elle était toujours dans le miroir ? Dis, elle avait pas froid la petite fille ? » Je racontais le passé tout en fantasmant sur un avenir utopique où je ressemblerais à Marc, capable d'écouter Pierre, un de ses protégés, lui confier qu'à l'âge de huit ans, il se battait avec son soûlon de père pour protéger sa petite sœur. Ou encore Brigitte lui déclarer sans broncher que son paternel lui fourguait régulièrement des semences pour les générations à venir. Quand l'enfant était né, elle l'avait donné en adoption. Je les aurais encouragés à évacuer leur haine pour qu'ils respirent un peu mieux !

Mon fils se montrait d'une curiosité insatiable : « Et Puck, ton chat ? Je peux en avoir un, moi aussi ? Un vrai ! » Ce mot me ramenait confusément dans votre espace-temps. Olivier me consolait en me regardant tendrement : « T'en fais pas, maman, c'est pas important tout ça ! L'essentiel, c'est que je t'aime ! » À quel moment de ma vie la brèche qui me séparait de votre réalité s'était-elle définitivement ouverte, me précipitant dans la folie ? Aucun médicament ne parviendrait à la colmater, mon combat demeurait sans issue !

Même mon fils s'en rendait compte...

24

Ailleurs

Un an plus tard, quelque part à Montréal.

J'étais assise sur un banc de parc depuis trois jours quand les hommes en noir m'ont emmenée. J'avais vingt-cinq ans et Olivier deux ans et demi. J'étais pas belle à voir, à ce qu'ils ont dit !

P.-S. : « Eh ! voyeur littéraire, c'est terminé, fini, kaputt ! La petite fée ne dira plus un traître mot. Disjonctée, hors champ ! Vise-moi ce mollusque aux yeux peints pareils à deux ailes de corbeaux ; elle se mettrait à ramper que ça ne m'étonnerait pas. Quelle poufiasse ! *Anyway*, c'est ton problème, t'avais qu'à te méfier. Elle t'avait prévenu dès le début :

> "... les mots me fascinent mais ils m'échappent, dansent dans ma tête... disparaissent..." »

G.G.

Épilogue

Rubby n'est pas seule dans cette galère ; il y a vous, Olivier, la G.G., Dana et 18 500 schizos dans la seule région métropolitaine... Je ne sais pas si ce constat vous rassure, vous inquiète ou vous interpelle. En fait, les études rapportent que 1 % de la population souffre de cette maladie, certains en silence et d'autres avec fracas, ces derniers se retrouvant à la une du journal télévisé.

Rubby existe quelque part, sur un banc de parc, dans une ruelle ou un refuge, car le tiers des sans-abri seraient des schizos en rupture de traitement. D'autres, plus privilégiés, demeurent avec leur famille et leurs amis. Rubby n'est pas la seule à cesser sa médication à l'insu de son entourage ; parfois, les effets secondaires peuvent être pénibles : hypotension, vision embrouillée, problèmes de mémoire ou de concentration, prise de poids, bouche sèche, rigidité musculaire, tremblements, etc.

Les hommes sont plus touchés par cette maladie que les femmes. J'entends en nombre bien sûr, car en ce qui concerne sa virulence, il y a plusieurs facteurs en cause : les G.G. qui se terrent dans la tête ou ailleurs dans le corps, la fréquence et la durée de leurs attaques, l'existence ou non d'hommes en noir ou de petits hommes verts et, enfin, la bizarrerie du comportement qui n'échappe à personne sauf au patient.

L'âge critique pour son apparition se situe entre 18 et 23 ans pour les hommes, 22 et 26 ans pour les femmes. Une différence majeure. Étant donné que la schizophrénie laisse des séquelles au niveau de l'adaptation sociale, si la G.G. se pointe à 18 ans, les malades risquent de voyager léger avec très peu de bagages, dans des régions parfois arides et glaciales... À leur retour dans notre réalité, vers l'âge de 40 ans, ils auront plus de difficulté à s'adapter à une société qui aura bougé très vite durant leur absence !

Il ne sert à rien de se mortifier ou de chercher un coupable. Ces treize lettres s-c-h-i-z-o-p-h-r-é-n-i-e qui signifient littéralement « esprit divisé » nous défient. Plusieurs éléments sont à prendre en considération dans l'apparition et l'évolution de ce mal : les aspects biologique, psychologique et social. En effet, l'hérédité n'explique pas tout. Si l'on a une mère ou un père schizophrène, les risques de lui ressembler sont de 10 %. Si les deux parents sont atteints, les mêmes risques grimpent à 33 %. On peut porter les gènes de la maladie, ne jamais entendre la G.G. et pourtant la transmettre !

Dernièrement, grâce à l'imagerie par résonance magnétique (IRM), les chercheurs ont pu observer quelles régions du cerveau s'activaient au moment des hallucinations. Est-ce à dire qu'il nous sera possible, dans un avenir plus ou moins rapproché, de traquer les G.G. et de les museler définitivement ? Cet espoir est permis.

Puisqu'il y a plusieurs composantes en cause, aujourd'hui, on préfère parler de vulnérabilité à développer cette maladie. Trois zones du cerveau sont touchées : le cortex préfrontal, le cortex temporal et le cortex limbique. De plus, les situations stressantes, l'intrusion, l'hostilité, la surprotection peuvent émousser la résistance des patients et déclencher des psychoses schizophréniques. Certains traits de caractère qui pouvaient paraître anodins à l'enfance, tels la timidité, le repli, l'isolement, etc., deviennent des critères de première importance dans l'aspect psychologique et affectif de la maladie. Mais, attention, il existe autant de diversité dans les manifestations de la schizophrénie qu'il y a de patients.

Ailleurs

À présent que vous connaissez mieux cette maladie, quel pourrait être votre rôle au cours de cette traversée ? Vous pouvez aider simplement en ne nuisant pas ! Rubby ne demande qu'un peu d'espace pour respirer, elle craint votre regard réprobateur, indifférent ou larmoyant.

Rubby est suffisamment stigmatisée, nul besoin d'y ajouter votre rejet. Elle n'est pas chanceuse, elle fait partie des 5 à 10 % de patients qui connaissent une évolution plus morbide de la maladie malgré l'apport pharmacologique (neuroleptiques, antidépresseurs, etc.).

Ressources

Société québécoise de la schizophrénie
1 866 888-2323
info@schizophrénie.qc.ca
www.schizophrénie.qc.ca

Association canadienne pour la santé mentale
www.acsmmontreal.qc.ca

SOS Suicide jeunesse
1 800 595-5580
www.sos-suicide.qc.ca

Association québécoise de prévention du suicide
1 866 APPELLE (277-3553)
www.aqps.info

Drogue : aide et référence
1 800 265-2626
dar@info-reference.qc.ca
www.drogue-aidereference.qc.ca

Narcotiques Anonymes
1 800 879-0333
naquebec@naquebec.org
http://www.naquebec.org/

Association des centres de réadaptation
en dépendance du Québec (ACRDQ)
514 287-9625
www.acrdq.qc.ca

Jeunesse, J'écoute
1 800 668-6868
www.jeunessesjecoute.ca

Tel-Aide
514 935-1101
www.telaide.org

Tel-Jeunes
1 800 263-2266
www.teljeunes.com

Dans la collection Tabou
En vente en librairie

Sophie
Laroche

Le **carnet** de
GRAUKU

Préface de
Michèle Barbara Pelletier

Éditions de Montagne

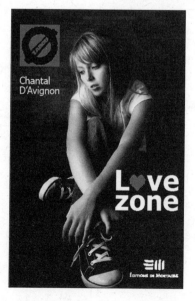

Chantal
D'Avignon

L♥ve
zone

Éditions de Montagne

Sophie
Girard

Le choix de
Savannah

Éditions de Montagne

Àparaître en janvier 2011

- *L'amour à mort*, de Corinne De Vailly
- *Dernière station*, de Linda Corbo

100 %

Imprimé sur du papier 100 % recyclé